NOUVELLES PRATIQUES SOCIALES

Volume 10, numéro 2
Automne 1997

Dossier

L'organisation du travail dans le réseau de la santé et des services sociaux

Sous la direction de
Jacques Fournier et Paul Langlois

1997

Presses de l'Université du Québec
2875, boul. Laurier, Sainte-Foy (Québec) G1V 2M3

La publication de ce numéro a été rendue possible grâce au soutien
de l'Université du Québec à Montréal,
de l'Université du Québec à Hull,
de l'Université du Québec à Chicoutimi,
de l'Université du Québec en Abitibi-Témiscamingue,
de l'Université du Québec à Rimouski,
du siège social de l'Université du Québec
et de l'Université de Sherbrooke.

La revue *Nouvelles pratiques sociales* est indexée dans *Repère, Science et technologie au Québec*, et *Médias et communications au Québec* et dans l'*Index de la santé et des services sociaux.*

Révision linguistique : Gislaine Barrette
Secrétaire de rédaction : Nancy Lemay

ISSN 0843-4468
ISBN 2-7605-0975-3

Dépôt légal – 2e trimestre 1998
Bibliothèque nationale du Québec
Bibliothèque nationale du Canada
Envoi de Poste – publications – Enregistrement n° 07591

Nouvelles pratiques sociales est une revue avec comités de lecture.

Pour toute correspondance concernant la direction et la rédaction de la revue, s'adresser à :

Nouvelles pratiques sociales
Département de travail social
Université du Québec à Montréal
C.P. 8888, succ. Centre-ville
Montréal (Québec), Canada H3C 3P8
• Tél. : (514) 987-3000, poste 4721 • Téléc. : (514) 987-4494
• Courrier électronique : nps@uqam.ca

Pour toute correspondance concernant les abonnements, les autorisations de droits d'auteur et la publicité, s'adresser à :

Presses de l'Université du Québec
2875, boul. Laurier
Sainte-Foy (Québec)
Canada G1V 2M3

Comité de consultation international

Sommaire

Hors thème

L'actualité

Les pratiques sociales d'ailleurs

Échos et débats

Le compte rendu

Autres parutions

Éditorial

La reconfiguration des paiements de transferts fédéraux : quelques enjeux pour le Québec[1]

Yves VAILLANCOURT
Directeur
Nouvelles pratiques sociales

Dans le débat public et les écrits concernant la reconfiguration des politiques sociales québécoises, que ce soit dans le domaine de la santé, des services sociaux, de la sécurité du revenu, de la formation de la main-d'œuvre, je suis toujours surpris du peu d'attention que l'on confère aux facteurs extérieurs au Québec, notamment aux initiatives provenant du gouvernement fédéral. Cette habitude a même fini par déteindre sur les membres du Conseil des ministres du gouvernement de Lucien Bouchard les plus concernés par la restructuration des politiques sociales fédérales, notamment les Rochon, Harel, Marois, sans oublier le premier ministre lui-même. En demeurant discrets sur

1. Ce texte reprend, à quelques modifications près, la conclusion d'un rapport de recherche : VAILLANCOURT, Yves, avec la collaboration de Luc THÉRIAULT (1997). *Transfert canadien en matière de santé et de programmes sociaux : enjeux pour le Québec*, Cahiers du LAREPPS, n° 97-97, Montréal, UQAM, octobre 1997, 104 pages. Voici les coordonnées utiles pour contacter le LAREPPS : tél. : (514) 987-3000, poste 8326 ; téléc. : (514) 987-4494 ; courrier électronique : larepps@uqam.ca.

les interfaces qui existent entre les initiatives fédérales et leurs propres initiatives en matière de politiques sociales et éducatives, ces hommes et ces femmes politiques donnent parfois l'impression d'être politiquement masochistes. En effet, ils agissent comme s'ils souhaitaient être les seuls à faire les frais des compressions budgétaires qu'ils imposent ces années-ci aux citoyens et citoyennes du Québec. Pourtant, ces mesures impopulaires dérivent, pour une bonne part, des initiatives prises par le fédéral pour atteindre l'équilibre budgétaire. D'où l'importance, dans le débat sur les politiques sociales québécoises, de ne jamais oublier le rôle du gouvernement fédéral. C'est ce qui explique l'attention que je leur accorde dans le présent éditorial.

RÉSULTATS D'UNE RECHERCHE SUR LA RESTRUCTURATION DES PAIEMENTS DE TRANSFERTS FÉDÉRAUX

C'est maintenant connu, le gouvernement fédéral a atteint l'objectif du déficit zéro avec deux ans d'avance sur le calendrier établi par le ministre Martin en 1994. Certes, pour réaliser cette performance, il a pu s'appuyer sur une conjoncture économique inespérée. D'une part, le taux élevé de la croissance économique a amené une hausse des entrées fiscales ; d'autre part, les faibles taux d'intérêt ont entraîné une baisse de ses dépenses au chapitre du service de la dette. Toutefois, ces facteurs n'expliquent pas tout. En effet, pour comprendre la réussite étonnante du gouvernement fédéral dans sa lutte contre le déficit, il faut aussi examiner la méthode qu'il a employée pour réduire ses dépenses. Nous pouvons ainsi identifier deux moyens qui se sont révélés particulièrement rentables : la réforme de l'assurance-chômage et la restructuration des paiements de transferts.

Au début des années 1990, **le programme d'assurance-chômage**, un programme d'assurance sociale et d'intervention directe contrôlé totalement par le gouvernement fédéral, était souvent pointé du doigt comme l'exemple par excellence de ces programmes sociaux trop généreux qui avaient amené l'État fédéral à s'enliser dans les déficits. À ce moment-là, le déficit accumulé de la caisse d'assurance-chômage se situait aux environs de 6 milliards de dollars. Mais, à la suite de la restructuration amorcée sous le gouvernement de Brian Mulroney et poursuivie avec plus d'intensité sous le gouvernement de Jean Chrétien, ce programme, qui s'appelle maintenant **assurance-emploi**, est devenu une véritable « vache à lait » pour le gouvernement fédéral dans sa lutte contre le déficit. En assouplissant les conditions d'admissibilité au régime (ce qui permet à plus de travailleurs précaires de payer des cotisations), en durcissant les conditions d'admissibilité aux prestations et en maintenant les primes des employeurs et des employés à un niveau élevé, le gouvernement fédéral a permis au programme d'assurance-emploi de dégager des surplus d'environ 5 milliards de dollars par année depuis 1994. Les experts prévoient même que le surplus atteindra 7,1 milliards en 1997, ce qui veut dire que le surplus accumulé s'élèvera à près de 13 milliards à la fin de l'année 1998.

Le deuxième moyen auquel le gouvernement fédéral a eu recours pour comprimer ses dépenses s'est aussi avéré très efficace. Il vise cette fois des sommes utilisées par le gouvernement fédéral pour intervenir de façon indirecte dans le domaine des politiques sociales en vertu de son pouvoir de dépenser. Il s'agit de **la restructuration des paiements de transferts sociaux aux provinces et aux territoires**, soit les transferts effectués pour partager les coûts de programmes provinciaux de santé, d'éducation postsecondaire, de sécurité du revenu (aide sociale) et de services sociaux. Cette restructuration a entraîné le remplacement du Régime d'assistance publique du Canada (RAPC) et du Financement des programmes établis (FPE) par un nouveau programme de transferts, soit le Transfert canadien en matière de santé et de problèmes sociaux (TCSPS). Rappelons brièvement les principales conclusions de nos recherches sur la restructuration des paiements de transferts.

1. À l'encontre de ce que les principaux porte-parole du gouvernement fédéral avaient laissé entendre au moment et à la suite de la présentation du budget Martin de 1995, la restructuration et les coupures des paiements de transferts sociaux aux provinces **ont signifié une diminution des transferts en espèces dans le cadre du TCSPS de l'ordre de 6,1 milliards, soit une diminution de 32,8 % en deux ans – de 1995-1996 à 1997-1998 – pour l'ensemble des provinces et des territoires.** En somme, pour annuler son déficit en cinq ans, de 1993-1994 à 1998-1999, le gouvernement fédéral, d'après nos calculs, aura réduit le total de ses dépenses de programmes de 13,7 %, tandis qu'il aura réduit les transferts sociaux aux provinces effectués dans le cadre du TCSPS – ou du RAPC et du FPE avant 1996 – dans une mesure de 33,7 %.

2. En outre, nous avons fait ressortir que la restructuration des programmes de transferts aux provinces avait des conséquences particulièrement douloureuses au Québec, puisque le régime antérieur, à l'ère du RAPC notamment, avait fini par se révéler avantageux pour le Québec sur le plan financier, tout en demeurant rigide et entravant sur le plan constitutionnel. Pour mesurer l'impact de la restructuration au Québec, qu'il suffise de rappeler que, de 1995-1996 à 1997-1998, **la diminution des transferts en espèces versés dans le cadre du TCSPS a été de l'ordre de 1,7 milliard, ce qui représente des coupures de 48,2 %.**

3. La réunion du RAPC et du FPE dans une seule enveloppe, le TCSPS, a été faite dès 1996 pour tenir compte du cas particulier du Québec qui, de 1965 à aujourd'hui, a toujours disposé d'un plus grand nombre de points d'impôt que les autres provinces. Cela veut dire deux choses. D'abord, le Québec touche moins de transferts sociaux en espèces que les autres provinces. En conséquence, le fédéral, à partir de 1996, ne pouvait pas couper ces transferts en espèces sans risquer de les ramener à zéro plus rapidement au Québec que dans les autres provinces. Un tel scénario devait absolument être évité, parce qu'il aurait placé l'État fédéral dans une position de vulnérabilité pour imposer ses normes nationales au Québec, soit dans une province qui ne recevait plus de transferts financiers. D'où l'idée de fusionner les deux anciennes enveloppes, RAPC et FPE, en une seule, le TCSPS.

4. **Le plancher de 12,5 milliards de dollars des transferts en espèces du TCSPS**, concédé par le gouvernement Chrétien au début de la campagne électorale du printemps 1997, à la suite de revendications faites depuis la fin de 1995 par plusieurs institutions sociales canadiennes et entérinées par le Forum national sur la santé, **ne semble pas représenter une concession avantageuse pour le Québec**. Cela provient du statut particulier *de facto* dont dispose le Québec, en raison, une fois de plus, de ses points d'impôt plus nombreux et cela, depuis plus de 30 ans, dans le système des transferts sociaux effectués par le fédéral. Certes, le plancher de 12,5 milliards va prolonger de quelques années la dépendance du Québec à l'égard des transferts financiers fédéraux et, parallèlement, à l'égard des normes nationales fédérales. Mais, en 1997-1998, à la suite des coupures des deux dernières années qui n'ont eu de prise que sur les transferts en espèces versés dans le cadre du TCSPS, le Québec ne reçoit plus que 14 % des transferts en espèces versés par le fédéral à l'ensemble des provinces et territoires dans ce cadre.

Ne nous trompons pas ici. Même si certaines analyses ont laissé entendre que le plancher de 12,5 milliards entraînait une hausse des transferts en espèces à partir de 1998-1999, dans la réalité, il se traduit par un gel des transferts en espèces pour l'ensemble des provinces et territoires. En effet, la décision concernant le plancher de 12,5 milliards signifie que les transferts en espèces, qui ont baissé de 19,3 à 12,5 milliards de 1994-1995 à 1997-1998, ne descendront pas plus bas en 1998-1999 et au cours des années subséquentes. Or, comme la valeur des points d'impôt augmente d'année en année et que le Québec a plus de points d'impôt que les autres provinces, il reste à connaître l'impact que tout cela aura sur les transferts financiers versés au Québec au cours des prochaines années. Nos recherches ne nous ont pas permis de trancher cette question. Néanmoins, elles nous permettent de la poser et d'insister sur l'importance de s'y attarder dans des recherches ultérieures.

5. Nous avons constaté que la réflexion sur les enjeux du TCSPS et sur les normes nationales, qui a été très intense au cours des trois dernières années dans le reste du Canada, est demeurée jusqu'à maintenant très timide au Québec. En somme, la réflexion québécoise sur ces enjeux semble à la remorque des analyses faites dans le reste du Canada, notamment dans les milieux progressistes où l'on a « fait du pouce » sur les vertus protectrices de la *Loi canadienne sur la santé* et du RAPC. Pourtant, comme nous l'avons souligné, le Québec, au cours des 30 dernières années et dans le moment actuel, jouit d'un statut particulier en raison de son rapport aux interventions indirectes faites par le gouvernement fédéral en vertu de son pouvoir de dépenser. De 1965 à aujourd'hui, le Québec a toujours eu un vécu particulier et des positions politiques particulières en ce qui concerne les interventions indirectes du fédéral dans les programmes sociaux de juridiction provinciale et le débat sur les normes nationales. Avec des degrés de combativité variables, le Québec a toujours pensé, et cela le plus souvent à l'intérieur d'une perspective fédéraliste respectueuse de la Constitution, qu'il devrait se retirer avec une pleine compensation fiscale des programmes fédéraux à frais partagés. Avec la restructuration fondamentale que le fédéral vient de mettre en œuvre dans ses programmes de transferts sociaux aux provinces, il est manifeste que le Québec est touché de façon particulière et doit, conséquemment se pencher sur les impacts et les enjeux particuliers que recèle cette restructuration.

Cela veut dire qu'une analyse critique des enjeux du TCSPS gagnerait à être faite à l'intérieur d'une perspective qui serait à la fois québécoise et social-démocrate renouvelée. Cela permettrait de relever que le point de vue dominant qui a émergé dans le débat canadien et qui a beaucoup marqué les travaux du Forum national sur la santé **dénote un parti pris fédéraliste centripète**. Ce parti pris est d'une telle intensité qu'il a amené les membres du Forum national sur la santé à faire leur la vision des relations fédérales-provinciales que l'on retrouve dans le courant dominant de la littérature canadienne en politique sociale, soit un point de vue à la fois social-démocrate traditionnel et fédéraliste centripète. Cela conduit le Forum, en dépit de sa vision progressiste renouvelée sur les question de politiques sociales, à omettre de critiquer le penchant hospitalocentriste et médicalocentriste de la *Loi canadienne sur la santé*. Au contraire, le Forum continue de mettre sur un piédestal cette loi de même que ses principes constitutifs.

Quant à nous, nous avons commencé à analyser, à partir d'une perspective théorique qui veut concilier à la fois le respect du partage des pouvoirs prévu dans la Constitution canadienne et celui des exigences d'une perspective social-démocrate renouvelée, les limites de la *Loi canadienne sur la santé* et les ambiguïtés qui traversent le discours du courant dominant au Canada sur les normes nationales. Nous aimerions pousser plus loin avec d'autres ce type d'analyse. Cela nous amènerait à remettre en question un postulat qui émerge souvent dans la littérature canadienne sur les politiques sociales et selon lequel les innovations progressistes en politiques sociales proviennent toujours du centre et que les perspectives de décentralisation ne peuvent conduire qu'à la perte des gains sociaux.

6. En même temps qu'il se désengage financièrement à hauteur de 6 milliards de dollars dans ses transferts sociaux globaux aux provinces et aux territoires pour soutenir leurs programmes et leurs politiques dans le domaine de la santé, de l'éducation postsecondaire, de la sécurité du revenu et d'une foule de services sociaux (dont les services de garde, les services à domicile, etc.), le gouvernement fédéral a recommencé, avec les budgets Martin de 1996 et 1997, et le *Discours du Trône* de septembre 1997, à se réengager financièrement. Il le fait tantôt en consolidant certaines interventions directes comme les prestations fiscales pour enfant, tantôt en développant de nouvelles interventions indirectes bien ciblées pour encadrer les politiques sociales provinciales en injectant des dizaines de millions, par-ci et des centaines de millions, par-là. Pourtant, dans le budget Martin de 1995, le fédéral avait parlé, entre autres, d'une nouvelle approche décentralisée respectueuse des innovations des provinces.

Mais, déjà avec les budgets de 1996 et 1997, le fédéral s'est mis à convoiter de nouvelles terres et à planifier de nouvelles interventions en matière de politiques sociales. Comme dans le passé, ces nouvelles interventions concernent des domaines de juridiction provinciale (santé, éducation, services à domicile, services aux personnes handicapées, etc.). Au lendemain des élections du 2 juin 1997, le premier ministre Jean Chrétien, débordant d'optimisme concernant l'atteinte prochaine de l'objectif du déficit zéro, s'est empressé d'annoncer de nouvelles priorités dans le développement des politiques sociales canadiennes. Voici les propos qu'il tenait en conférence de presse, le 4 juin 1997 :

> On voit la lumière au bout du tunnel [...]
>
> Et aussitôt que les livres seront équilibrés, nous allons investir la moitié de nos surplus dans des programmes sociaux et économiques [...]
>
> Nous voulons aussi investir dans les domaines importants de la santé, des enfants et de l'innovation.

Même s'ils demeuraient plutôt généraux, les engagements officiels du gouvernement dans le *Discours du Trône* de septembre 1997 confirmaient ces intentions. Trois jours avant ce discours, Edward Greenspon, un journaliste du *Globe and Mail* spécialisé depuis plusieurs années dans les politiques sociales, avait vu venir les événements :

> *But it probably means that Ottawa's period of retreat – always more tactical than philosophical – has come to its natural end. The Liberals will use the*

> *fiscal dividend to buy their way into areas of activity that matter to Canadians – particularly health and education – whether they fall under provincial jurisdiction or not. (The Globe and Mail,* 20 septembre1997*)*

Au Québec, Michel Venne a émis les mêmes critiques en suggérant la pertinence pour le Québec de revenir à la position du droit de retrait avec compensation fiscale :

> [Le fédéral] pour arriver aux mêmes résultats [...] aurait pu libérer une partie du champ fiscal au profit des provinces qui auraient été libres d'occuper ce champ à leur convenance et de réinvestir ces sommes dans les programmes qui leur conviennent le mieux. Ottawa rejette cette approche. Le gouvernement Chrétien préfère dicter la voie à ceux qu'il appelle ses partenaires. En fait, les surplus budgétaires lui permettent de racheter le droit de piétiner les plates-bandes provinciales. (*Le Devoir*, 24 septembre 1997)

Cette réaction de Venne est tout à fait justifiée. Mais elle s'apparenterait à un autre coup d'épée dans l'eau si les personnes qui s'intéressent aux enjeux du TCSPS au Québec, sur le plan de la recherche, de l'information, de l'action sociale et de l'action politique, ne parviennent pas à sortir du quasi-mutisme et de l'isolement qui ont affaibli considérablement leur capacité d'analyse et d'action depuis trois ans.

QUELQUES PROPOSITIONS POUR LES SUITES DE LA RECHERCHE ET DE L'ACTION

Voilà pourquoi j'ai voulu terminer mon rapport de recherche en élaborant quelques propositions susceptibles d'aider ceux et celles qui, au Québec, s'intéressent aux politiques sociales, sur le plan de la pensée et de l'action. Ces propositions devraient permettre, au surplus, d'être mieux armé pour relever les défis lancés par la restructuration du TCSPS.

1. **Le gouvernement du Québec ne peut pas se contenter de dénoncer les intrusions fédérales dans ses champs de juridiction.** Il doit élaborer et présenter, sur les dossiers et les contenus de politiques sociales en cause, des mesures concrètes qui devraient s'harmoniser avec une perspective social-démocrate renouvelée en matière de politiques sociales. Pour critiquer de façon crédible la volonté de l'État fédéral d'imposer ses normes nationales, le Québec doit faire la preuve qu'il est prêt, lui-même, à mettre la barre haute sur le plan des normes et à en tenir compte dans l'élaboration de ses politiques sociales. Il doit se montrer disposé à en discuter publiquement et à en rechercher l'harmonisation avec les normes d'autres régions canadiennes, voire d'autres pays. En outre, les normes québécoises

gagneraient à être plus qu'une affaire de discours et à se refléter dans la reconfiguration des politiques sociales en cours.

2. **Le gouvernement du Québec aurait intérêt à développer une vision et une stratégie globale, cohérente et claire, concernant les restructurations fédérales en cours dans le domaine des politiques sociales**. En référence à la restructuration du TCSPS en cours, les décideurs québécois gagneraient à avoir une vision plus globale et intersectorielle. Nous faisons référence ici à une vision dans laquelle on ne compartimenterait pas santé et éducation postsecondaire, ni sécurité du revenu et services sociaux. Trop d'études et d'actions, menées à partir de tel ou tel lieu de l'appareil gouvernemental québécois, s'intéressent à certains dossiers et à certaines dimensions reliés au TCSPS – ou anciennement au RAPC ou au FPE –, sans établir les liens qui s'imposent avec les autres dossiers et les autres dimensions. Nous pensons, par exemple, à certaines études du MSSS qui s'en tiennent uniquement au volet santé de l'ancien FPE ou de l'actuel TCSPS, en tentant d'isoler ce volet des autres. Ou, encore, à des études produites au ministère des Finances – par exemple, les discours sur le budget et renseignements supplémentaires – dans lesquelles l'accent n'est mis que sur les dimensions financières des transferts sociaux aux provinces et en les associant, par surcroît, aux transferts de péréquation.

N'aurait-il pas lieu de dépasser ce type d'approche fragmentée qui, depuis plusieurs années, voire des décennies, a affaibli l'analyse stratégique faite de l'intérieur du gouvernement du Québec en rapport avec les interventions indirectes du gouvernement fédéral et leurs multiples interfaces avec le financement et l'encadrement politique des programmes québécois en matière de santé, d'éducation, de sécurité du revenu, de services de garde, etc. ? Est-ce que le moment ne serait pas venu de mettre au service d'une approche intersectorielle l'apport de tous les ministères concernés ? Est-ce que cette stratégie globale ne devrait pas être tenue à jour et coordonnée avec rigueur à partir du ministère du Conseil exécutif, de manière à ce que, d'une rencontre fédérale-provinciale à l'autre, la position du Québec sur les dossiers de politiques sociales puisse ressortir avec clarté et être mieux suivie et comprise par l'opinion publique ? Nous ne reviendrons pas ici sur les principaux axes de cette stratégie globale. Qu'il nous suffise de rappeler qu'elle devrait tirer parti du meilleur de la tradition québécoise en politiques sociales des 35 dernières années, qu'elle devrait s'inscrire dans une perspective social-démocrate renouvelée et qu'elle devrait revenir à la charge sur la question de l'*opting out* des initiatives fédérales anciennes et nouvelles dans les champs de juridiction provinciale et cela, avec juste compensation fiscale (ce qui est beaucoup plus qu'une compensation financière).

3. Le Québec est souvent perdant lorsqu'il opte pour la politique de la chaise vide ou semi-vide au regard des politiques sociales dans le système fédéral actuel. Que le gouvernement du Québec soit fédéraliste ou souverainiste, il a avantage, aussi longtemps que prévaut le système fédéral, à participer à toutes les rencontres fédérales-provinciales dans lesquelles il est question de politiques sociales. Cela vaut aussi pour les rencontres fédérales-provinciales sur les politiques sociales incluant des aspects constitutionnels, parce que, justement, les dimensions politiques sociales sont inséparables des dimensions constitutionnelles dans le contexte du fédéralisme canadien. Cela est vrai non seulement pour les rencontres fédérales-provinciales de premiers ministres provinciaux, mais aussi pour les rencontres de ministres responsables de l'emploi, de la santé, de services sociaux, de la sécurité du revenu, des politiques sociales familiales, de la pauvreté des enfants, des garderies, de la formation de la main-d'œuvre, etc.

Les représentants du Québec devraient participer à ces rencontres en s'inspirant d'une stratégie globale bien articulée. En agissant ainsi, même lorsque l'ordre du jour déterminé par le fédéral et les autres gouvernements provinciaux comporte certains irritants, les représentants du gouvernement du Québec auraient la possibilité de mieux expliquer publiquement leur vision des enjeux de politiques sociales. En outre, par leur présence, ils inciteraient les journalistes et les chercheurs québécois à mieux informer le grand public de ces enjeux. Enfin, en participant à ces rencontres, les ministres québécois pourraient ramener, au sein du gouvernement du Québec et de la société québécoise, des informations et des points de vue précieux pour comprendre l'évolution des dossiers de politiques sociales au Québec et au Canada, ce qui aurait des retombées stimulantes pour la recherche.

4. Après avoir eu bien de la difficulté à décortiquer les derniers *Discours sur le budget* du gouvernement du Québec, notamment celui de 1997, afin d'y trouver les informations pertinentes concernant l'impact pour le Québec de la restructuration des transferts fédéraux aux provinces en matière de santé et de programmes sociaux, **j'en suis venu à suggérer que le ministre des Finances, dans le *Discours sur le budget* de 1998 et des années relevées, devrait combler certaines lacunes repérées dans les budgets antérieurs. Avec les moyens dont dispose le ministère des Finances, ne serait-il pas possible et souhaitable de produire une annexe claire, pédagogique et bien documentée sur la signification de la restructuration du TCSPS et sur ses impacts pour le Québec?** Cette annexe, pour faire œuvre pédagogique et éclairer le citoyen ordinaire, devrait fournir les éléments de contexte historique appropriés, présenter avec clarté et rigueur les dimensions financières du dossier et faire ressortir les enjeux politiques, notamment ceux relatifs au débat Canada–Québec sur les normes nationales en matière de politiques sociales.

5. Enfin, soulignons le besoin de disposer au Québec de ce que nous pourrions appeler notre propre Caledon Institute of Social Policy[2]. Il ne s'agit pas ici de créer une institution québécoise qui serait calquée sur le Caledon Institute auquel nous avons souvent fait référence dans notre rapport de recherche. Il s'agit plutôt de faire en sorte que le besoin criant auquel répond cet institut au Canada anglais, et qui est ressenti également au Québec, trouve une forme de réponse institutionnelle appropriée. Ce besoin est celui de disposer d'un carrefour pouvant favoriser la production et la diffusion de publications bien documentées, bien rédigées et vulgarisées sur les politiques sociales. Ce carrefour serait le lieu d'interactions multiples et dynamiques entre la recherche, la formation, la diffusion, l'action sociale et l'action politique sur les politiques sociales. Il devrait enfin permettre l'émergence d'un véritable travail d'équipe sur les politiques sociales, lequel a trop fait défaut au cours des dernières années.

Au moment d'aller sous presse, nous avons été consternés d'apprendre le décès de Claude Nélisse dont nous sommes heureux de publier un article dans le cadre du dossier sur l'organisation du travail présenté dans ce numéro. NDLR

2. Le Caledon Institute of Social Policy est une fondation qui a son siège social à Ottawa depuis le début des années 1990. Les chercheurs qui s'y rattachent ont publié ces dernières années plus d'une trentaine de documents sur différentes questions d'actualité ayant trait aux politiques sociales. Les publications du Caledon Institute sont habituellement concises, basées sur de la bonne recherche et rédigées dans un style journalistique qui favorise leur diffusion. Le Caledon Institute joue un rôle de passerelle entre les milieux de recherche et de formation, les organismes d'action sociale, les médias et les cercles gouvernementaux.

Organisation communautaire et travail social : la contribution de l'Action catholique ouvrière[1]

Louis FAVREAU
Département de travail social
Université du Québec à Hull

Roger Poirier est un Oblat. Il a d'abord été travailleur de rue à Montréal (avant la lettre, dirions-nous, puisque c'est en 1956-1957), puis aumônier national de la JOC jusqu'en 1968. Il retourne dans son milieu d'origine, le monde des quartiers ouvriers de l'Île-de-Hull où il devient, fortement encouragé par l'évêque du diocèse, animateur social. Il travaille ardemment à mettre sur pied, avec toute une équipe, ce qui deviendra l'Assemblée générale de l'Île-de-Hull, qui est une sorte de regroupement des comités de citoyens pour cette ville de l'Outaouais. Il y demeurera jusqu'en 1986, année où il quitte la région pour devenir, à Montréal, directeur du Centre Saint-Pierre qu'il coordonne jusqu'en 1991, année où il prend une

1. Cette entrevue a été réalisée dans le cadre de la recherche intitulée : « 30 ans de développement des pratiques en travail social au Québec (1960-1990) ». Cette recherche a été soutenue financièrement par le Conseil de la recherche en sciences humaines du Canada (CRSH), par le Fonds de développement académique du Réseau (FODAR) de l'Université du Québec et par quelques-unes de ses constituantes. Cette entrevue a été dirigée par l'UQAH.

semi-retraite. Roger Poirier est décédé en janvier 1998. Il laisse derrière lui le souvenir d'un intervenant social de premier plan, comme on le verra dans cette entrevue qui met bien en relief un des points négligés de notre histoire sociale, celui de l'Action catholique ouvrière. La parution dans NPS de cette entrevue est notre manière de lui rendre hommage.

Roger Poirier était bien de son temps : un intervenant qui savait accompagner le changement et parfois le précéder avec imagination et ténacité. L'Action catholique ouvrière (JOC et MTC) a été, à la fin des années 1950 et pendant la décennie 1960, un des plus importants réseaux à contribuer à l'émergence d'une nouvelle forme de travail social, l'organisation communautaire qu'on appelait à l'époque l'« animation sociale » (Doucet et Favreau, 1997 : 35-56).

Avec Roger Poirier, nous plongeons dans le monde ouvrier (celui des jeunes particulièrement) dont il convient de décrire brièvement en quoi il consistait à cette époque.

En premier lieu, les quartiers ouvriers de Montréal, de Québec ou de Hull des années 1950 et 1960 constituent souvent des communautés sociales au sens fort de ce terme : ils sont construits autour d'une culture populaire, d'une certaine conscience de classe et de certaines formes de participation sociale. C'est cet environnement qui permettra à un certain nombre de jeunes de canaliser leur révolte dans le militantisme social et syndical, notamment avec la JOC. Qui a vécu les années 1960 dans ces vieux quartiers ouvriers du Québec aura reconnu des quartiers où les ouvriers et ouvrières des grandes entreprises du textile, du papier, de la métallurgie et de la construction avaient souvent inspiré l'action collective et le mode de vie.

Ensuite, avec le déclin industriel et l'éclatement professionnel du monde ouvrier, ces quartiers s'orientent vers d'autres formes d'intervention sociale, notamment en laissant moins de place à des intervenants sociaux issus du milieu (animateurs de loisirs, de groupes d'entraide paroissiaux, etc.) remplacés graduellement par des intervenants professionnels (travailleurs sociaux, éducateurs spécialisés et organisateurs communautaires). Dans les années 1950 à 1960, ces communautés cherchaient à régler par elles-mêmes leurs problèmes, parfois avec l'aide de la municipalité, plus souvent qu'autrement avec l'aide des paroisses et des communautés religieuses. Avec le temps, les institutions, les programmes et les services professionnels de l'État, à la demande même de ces communautés, sont venus compléter ou remplacer les organismes du milieu. C'est de cette évolution, qui couvre la fin des années 1950 et le début des années 1970, que rend bien compte Roger Poirier en témoignant à la fois de l'implication bienfaitrice de l'Église québécoise dans le monde ouvrier et de la remise en cause du travail social traditionnel de cette période.

NPS – *Dans un premier temps, pouvez-vous tracer les principaux jalons de votre itinéraire d'intervenant social?*

Après mes études théologiques, je ne suis pas devenu tout de suite un intervenant social. Pour une courte durée, soit près de deux ans, j'ai été un travailleur de rue dans la paroisse Saint-Pierre-Apôtre de Montréal. C'était en 1956-1957. Puis, j'ai été rattaché au Secrétariat national de la JOC comme aumônier, c'est-à-dire conseiller ou accompagnateur spirituel, comme on dit aujourd'hui.

Cette période, qui va de 1957 à 1968, a été une période importante de l'Action catholique (AC) au Québec. À ce moment, l'AC rejoignait tous les secteurs de la société : la jeunesse étudiante, rurale et ouvrière ; les mêmes mouvements pour le monde adulte, soit le Mouvement des travailleurs chrétiens (MTC) et aussi le mouvement adulte en milieu rural et le mouvement des intellectuels ; il y avait aussi la Jeunesse indépendante catholique. J'arrive donc à l'Action catholique peu de temps après avoir été ordonné prêtre. J'arrive dans un cadre socioreligieux dans lequel l'Action catholique est l'aile progressiste de l'Église, pas de « gauche » encore (parce que ce mot est apparu plus tard), c'est-à-dire ouverte à diverses influences dont celle de l'« animation sociale », notamment à partir du Service d'animation du Conseil des œuvres (sous la direction de Michel Blondin), d'une part, et, d'autre part, intéressée par les remises en question à l'intérieur des Écoles de formation des travailleurs sociaux. Deux courants ont alors commencé à coexister : le « *casework* » et le courant plus « communautaire ».

NPS – *En quoi consistait ce travail de rue que vous faisiez dans le quartier Centre-Sud de Montréal?*

Pendant cette période, la classe ouvrière prédominait dans le quartier. On n'avait pas encore procédé à l'expropriation d'une partie du quartier pour faire place nette à Radio-Canada. Je me suis impliqué dans le milieu surtout auprès de la jeunesse. Ma pratique de cette période en a été une d'éducation, de formation, de rassemblement. C'était la période des « vestes de cuir », ce qui faisait peur à tout le monde à Montréal. Un peu comme les « groupes punk » font peur à tout le monde aujourd'hui. Il y en avait beaucoup. C'était une jeunesse qui s'affirmait. C'était aussi une période où il y avait beaucoup de chômage. Je me suis alors mis dans la rue. Je me promenais (en soutane malheureusement !) ; je parlais à tous les gars et à toutes les filles que je rencontrais, puis je jouais le jeu d'un travailleur de rue qui pose des questions. J'ai développé, à ce moment-là, une technique de mémoire des noms. Si bien qu'en quelques mois, je pouvais nommer 250 noms de gars et de filles que je connaissais. Cela m'a créé un milieu. Je pouvais les reconnaître sur la rue et chacun m'arrivait avec des projets. Bien entendu, les jeunes voulaient avoir des loisirs. Ils voulaient faire des activités pour s'occuper, parce qu'ils n'avaient rien à faire. Quelqu'un voulait jouer à la balle, un autre voulait faire du théâtre. Je disais oui, à condition que les proposeurs s'impliquent et que je puisse vérifier ensuite avec eux la faisabilité du projet.

NPS – *Est-ce que la JOC était assez active à ce moment-là?*

Elle était dans sa période la plus basse, après avoir connu des sommets dans les années 1930 et 1940. Avec les années 1950, elle est tombée presque à zéro. Une recherche-action a alors été faite pour voir comment repartir le mouvement. J'ai été lié à cette recherche par intérêt personnel notamment parce que dans l'Outaouais, où je suis né, j'avais connu la JOC et que j'avais trouvé ce mouvement intéressant. Durant ma formation comme séminariste, j'ai aussi été très marqué par l'action des prêtres-ouvriers français et par mes origines familiales : je viens d'un milieu ouvrier, mon père a travaillé sur les bateaux, puis dans les usines de papier. Nous avons vécu dans un quartier ouvrier de Hull. L'usine E.B. Eddy, je connais ! J'avais ainsi un minimum de « *background* » et un intérêt pour le monde ouvrier depuis toujours. Et si je me suis engagé à 25 ans en communauté, c'était pour demeurer engagé dans ce milieu.

NPS – *Votre communauté, c'est celle des Oblats. Mais l'expérience des prêtres-ouvriers est française. Elle a peu d'influence ici. Comment cette expérience est-elle arrivée jusqu'à vous?*

Les Oblats ont toujours été proches des milieux ouvriers et populaires, mais ne se sont pas impliqués à cette époque comme prêtres-ouvriers. Pendant mes études en théologie (ce sont les seules études que j'ai faites), j'avais un intérêt personnel et je lisais tout ce qui se publiait à ce sujet. J'avais une certaine analyse de l'Église et de la société. Je voyais ce qui se passait et je me disais qu'il fallait faire quelque chose de cet ordre, ici, pour le monde ouvrier. Alors, c'est dans ce sens que j'ai demandé à ma communauté d'aller en milieu ouvrier. On m'a alors envoyé à la paroisse Saint-Pierre qui était une paroisse très ouvrière. Les adolescents que j'ai connus étaient tous reliés au monde ouvrier. Les pères de ces jeunes travaillaient chez Molson, sur les quais comme débardeurs, à la Dominion Rubber, etc.

NPS – *Pouvez-vous nous décrire davantage votre manière d'intervenir?*

J'avais été marqué par la méthode de la JOC que j'avais connue à Hull. Je connaissais le mouvement ainsi que les prêtres-ouvriers issus de l'Action catholique. Je connaissais donc la méthode du VOIR - JUGER - AGIR. Quand je suis arrivé à la paroisse Saint-Pierre, je me suis mis à faire enquête. J'étais tout à fait dans la ligne de la JOC, dans le sens de faire enquête comme Cardijn, le fondateur de l'Action catholique, qui disait : « Tu ne sais pas quelque chose, ferme ta gueule ! Parle pas du chômage, si tu ne connais pas de chômeurs. Parle pas des travailleurs, si tu ne connais pas de travailleurs. Et parle pas de ton milieu si tu ne le connais pas. »

J'essayais de former des leaders qui prenaient des responsabilités et s'ouvraient tranquillement à la réalité de l'action collective. En même temps, j'allais prendre de l'information et me faire superviser comme travailleur de rue par les militants du Secrétariat national de la JOC qui, à cette période, avaient lancé une action de renouvellement de la JOC en envoyant un de leurs dirigeants à Ville Jacques-Cartier (une partie du Longueuil d'aujourd'hui). Il avait quitté Montréal pour aller vivre dans Ville Jacques-Cartier. Là-bas, il faisait comme moi, il faisait enquête et tentait de regrouper des gars et des filles. C'est ainsi que la JOC a pu repartir.

J'avais aussi un contact régulier avec une religieuse, travailleuse sociale de métier qui vivait dans le quartier. J'allais toujours lui demander des informations. C'était une femme remarquable, capable d'analyser ce qu'elle faisait. Elle travaillait dans une Agence sociale paroissiale, payée par la paroisse. D'un côté, j'étais avec la JOC qui disait qu'il ne fallait pas faire du *case work*, mais plutôt du « communautaire ». De l'autre, j'étais influencé par une Agence de service social qui faisait surtout du *case work*. J'allais chercher, tout comme à la JOC nationale, de la supervision, du ressourcement. Bref, mon intervention consistait à faire de l'action d'ordre occupationnel pour les jeunes et à partir de cela, de leur faire faire un minimum de réflexion et d'analyse sociale de ce qu'ils vivaient.

NPS – *En quoi consistait l'action d'« ordre occupationnel » ?*

Des loisirs ou tout autre centre d'intérêt. Plus souvent qu'autrement du loisir, mais au sens très large. Pas uniquement du sport, des activités socioculturelles aussi, et même du culturel (des pièces de théâtre, par exemple). C'est que la majorité de ces jeunes ne travaillaient pas.

NPS – *Y avait-il d'autres expériences similaires à la vôtre et à celle de Ville Jacques-Cartier au même moment ?*

Non ! La JOC était alors très refermée sur elle-même. C'est avec mon expérience dans Centre-Sud et celle de Ville Jacques-Cartier que la JOC montréalaise a entrepris son renouvellement : retourner à la méthode fondamentale de la JOC qui avait été oubliée. C'est ainsi que la JOC est finalement redevenue très forte à partir de 1959 jusqu'à 1967-1968.

NPS – *Quand vous parlez de deux pôles, le « case work » et la démarche du « communautaire » prônée par la JOC, pouviez-vous établir des passerelles entre les deux étant donné votre statut et votre situation particulière dans le milieu (prêtre inscrit dans plusieurs réseaux) ? Et en ce qui concerne les* *jeunes de la JOC, pouvaient-ils faire bon ménage avec des travailleurs sociaux du quartier?*

Le travail social se faisait alors avec les adultes. Il n'y avait pas un rejet des jeunes, mais l'Agence s'occupait des adultes, des familles. En réalité, à cette époque, il n'y avait pas de travailleurs sociaux pour ce quartier. Certaines paroisses s'étaient donné leurs propres travailleurs sociaux, leurs propres services. Les religieuses faisaient alors leur travail auprès des familles et des adultes. C'était comme deux mondes différents, deux solitudes. Il n'y avait pas d'articulation et pas de réflexion qui se faisait à ce niveau. Je percevais un peu tout cela, mais d'une façon plutôt intuitive. Dans les années 1965-1966, en touchant au travail social communautaire et à l'« animation sociale », on découvrait une autre conception du travail social. L'Université de Sherbrooke, en particulier, avait commencé à développer une nouvelle façon de penser chez les travailleurs sociaux.

NPS – *Plus tard, au Secrétariat national de la JOC, qu'alliez-vous entreprendre?*

Je parcourais les régions du Québec et j'allais dans les communautés francophones des autres provinces (en Ontario, au Manitoba et au Nouveau-Brunswick). Mais 95 % de mon temps était consacré à l'animation des régions du Québec : visiter des groupes et les superviser, les encourager, faire des sessions de formation, leur faire faire des enquêtes sur leur milieu. Ce sont des enquêtes nationales, c'est-à-dire québécoises. On enquêtait sur un thème : le travail, le chômage. On ne voulait pas faire de l'action pour faire de l'action ; on voulait plutôt faire de l'action formatrice donnant un minimum d'analyse sociale sur ce qui se passait pour le monde ouvrier dans notre société.

L'option de la JOC pour le monde ouvrier n'a pas toujours été claire. Mais elle a toujours suivi, en définitive, le mouvement ouvrier du Québec de chaque période. La JOC suivait les penseurs du mouvement ouvrier, car elle n'avait pas les moyens d'avoir ses propres penseurs. Ce sont les centrales syndicales qui les avaient. La JOC les suivait dans la pensée, mais avait une autre pratique. La JOC savait faire enquête en mettant tous ses militants à contribution. Ils enquêtaient dans leur milieu et nous revenaient avec les résultats. Parfois, jusqu'à 2 000 questionnaires nous étaient retournés. C'était très riche, mais une « maudite job » pour nous. On travaillait « à la mitaine » comme des fous à compiler, à faire des pourcentages, etc. La JOC au national faisait un rapport global qu'elle présentait en conférence de presse, conférence à laquelle les centrales syndicales étaient invitées. Parfois, on leur demandait de défrayer le coût d'un stage pour envoyer un de nos militants en Amérique latine. C'est en 1960 qu'on a fait notre premier stage international.

NPS – *Pendant la période où vous étiez aumônier national de la JOC, quelle perception avait-on du travail social professionnel?*

Sous toute réserve, je pense qu'on considérait le travail social comme du «patchage». Parce que le travail social ne s'attaquait pas aux causes des problèmes sociaux. S'attarder aux causes a été, pour nous, la première étape de la naissance de l'analyse sociale. On s'est donné par la suite une vision de classe ouvrière à partir de 1965, période où les syndicats parlent d'un deuxième front de lutte, celui des conditions de vie, alors que les travailleurs sociaux n'examinaient pas l'ensemble et négligeaient souvent les racines sociales et culturelles des problèmes. Quand la JOC ouvrait une enquête, qu'elle ramassait 2 000 échantillons, elle ne voyait pas seulement un chômeur ou une chômeuse sans argent, elle voyait 200 à 1 000 chômeurs qui racontaient la même histoire. Donc, pour nous, il y avait un aspect collectif qui ressortait clairement. C'est pour cela que l'on disait que le travail social n'était «pas dedans».

NPS – *C'est ce qui explique que vous ayez «mordu» aussi rapidement à l'animation sociale qui se développait à Montréal?*

Le courant de l'animation sociale s'est développé dans toute la JOC, dans l'ensemble du Québec. Ce qui réussissait dans la région de Montréal était repris par la JOC au national. Alors, on a envoyé du monde à Rimouski, à Hull, à Amos, à Saint-Hyacinthe. Dans presque toutes les villes du Québec, on a envoyé des gars et des filles. Il a dû y avoir 20 à 25 filles et gars dans l'espace de deux ans. C'était très audacieux, car on leur faisait lâcher leur emploi. Ils devenaient permanents de la JOC, ou se trouvaient un autre *job* dans la nouvelle ville, là, ils démarraient la JOC. Le national leur donnait une formation, les suivait, les supervisait. On travaillait tous avec la même méthodologie : faire enquête sur le thème qui était déterminé dans l'année, ramasser tout cela, faire un plan d'action et formuler des revendications. En 1963, par exemple, on a fait une enquête sur l'enseignement des métiers pour s'apercevoir que les mêmes métiers étaient enseignés partout au Québec sans qu'on sache s'il y avait vraiment des débouchés de travail. Par exemple, on enseignait le métier de mineur ou de la pêche à Hull où il n'y a ni mine, ni pêche. La JOC a alors décidé d'entreprendre une action très forte, revendicative, avec des conférences de presse, des colloques là-dessus, etc. Si bien que le gouvernement a décidé de faire une enquête royale sur la formation professionnelle. La présidente de la JOC du temps, Denyse Gauthier, a d'ailleurs été l'une des commissaires.

NPS – *La JOC de cette période pouvait-elle être considérée comme un mouvement?*

Nous étions quelques centaines, mais avec une bonne capacité de multiplication, parce qu'être militant de la JOC voulait toujours dire militer en équipe.

Les équipes étaient composées de 3 à 5 jeunes. Quand le chef d'équipe venait à la réunion, il parlait de sa «gang», de ce qu'elle faisait et des problèmes qu'elle avait. Il en discutait avec les autres chefs et, entre eux, ils se donnaient des plans d'action. On avait toujours au moins une réunion annuelle des principaux militants et militantes. Et nous étions toujours 2 000 lors de nos rassemblements annuels.

NPS – *Les filles et les gars, comment était-ce organisé à ce moment-là?*

D'abord, on a toujours dit à la JOC, que les gars et les filles étaient égaux et que pour ce faire, il fallait deux mouvements, un mouvement pour les filles et un mouvement pour les gars. C'était radical comme cela. Le principe de fond était de faire en sorte que les filles se développent et prennent leurs affaires en mains. À partir de 1965, on a commencé à parler d'équipes mixtes. Nous, on disait oui, mais à quel prix cela va se faire! Au sein du mouvement de la JOC, le principe de base était **entre eux**, **par eux** et **pour eux** et ce principe s'appliquait autant aux filles qu'aux gars. Je pense que le fait d'avoir eu deux mouvements distincts peut être considéré comme une forme éloignée du mouvement féministe. C'était pour que les filles ne se fassent pas écraser par les gars ou que les gars ne se fassent pas mener par les filles. Il y avait donc une interaction : lorsque le mouvement manquait d'un peu de souffle, il y avait une interinfluence. Par exemple, quand les filles tenaient le coup et qu'elles se battaient, c'était un «*challenge*» pour les gars. C'était à tous les niveaux (paroisse, diocèse, national) qu'existait une sorte de compétition qu'on jugeait valable et enrichissante. Ainsi, avait-on un gars qui était président de la JOC et une fille qui était présidente. Chacune des composantes avait ses structures, son organisation, son autonomie, ses finances.

NPS – *Quand je travaillais au Centre de formation populaire dans les années 1970, que j'y faisais des activités de formation syndicale, je remarquais toujours ceux et celles qui avaient une formation d'Action catholique. Ils savaient discuter, faire équipe, etc. Une partie de la contribution de la JOC n'a-t-elle pas été de former un leadership pour d'autres mouvements?*

Oui! La première époque de la JOC (1930-1950) a donné des travailleurs sociaux et la deuxième époque (1950-1970) a donné des militants syndicaux (pour la CSN en particulier et parfois pour la FTQ). La première période en amène plusieurs du côté du travail social. La JOC d'alors avait moins de capacité d'analyse sociale, elle ne faisait qu'aider le monde défavorisé. Ce que faisait le travailleur social en plus professionnel. Plus tard, en revenant aux principes de base de la JOC, aux éléments fondamentaux du fondateur Cardijn, cela donnera des militants pour le mouvement ouvrier. À la fin de cette période, la JOC a aussi fourni son bassin de militants pour le Mouvement coopératif des caisses Desjardins. Après 1968, la JOC disparaît presque pour finalement reprendre en 1972-1975.

NPS – *Pourquoi avez-vous quitté la JOC nationale précisément en 1968?*

Comme aumôniers, on quittait lorsqu'on tombait malade ou bien lorsqu'on l'avait donné des coups de pied dans... Dans les années 1960, la JOC était fortement critiquée par les évêques, parce que ces derniers jugeaient qu'on ne faisait pas assez de spirituel, qu'on faisait toujours de l'action sociale. Il n'y avait que Claude Ryan pour nous protéger. Parce que Claude Ryan, c'était notre patron dans le temps. Il était à la coordination de tous les mouvements d'Action catholique. Nous étions donc suspects, ce qui a abouti à une crise très grave de l'Action catholique en 1966. Du jour au lendemain, les évêques ont trouvé qu'il y avait trop de permanents et permanentes dans l'ensemble des mouvements et ont décidé de ne plus payer, de ne plus donner d'octrois et de couper tous les permanents et permanentes. Tous les mouvements d'AC ont fait front commun contre les évêques. Nous sommes allés dans les journaux et nous avons dénoncé les évêques. Cela a fait une crise terrible. Les évêques ont eu peur, mais cela a permis la création d'une commission et d'un rapport, le Rapport Dumont sur la présence de l'Église dans le monde d'aujourd'hui[2].

NPS – *Et qu'est-ce que le Rapport Dumont a conclu?*

Le rapport resituait les chrétiens et les chrétiennes dans l'Église d'aujourd'hui, dans la perspective d'une société nouvelle et reprenait les principes fondamentaux que nous avions à l'Action catholique. Mais le mal était fait. Les évêques avaient réussi à tuer presque tous les mouvements de l'Action catholique sauf la JOC, la JEC et le MTC. À la JOC, on a toujours été les plus tenaces. Pour nos gars et nos filles, cette crise ne leur disait rien; alors, il n'y a eu que le président et l'aumônier, moi, en l'occurrence, qui avons été plongés dans la crise jusqu'aux oreilles. Les autres faisaient comme s'il n'y avait pas de crise et continuaient le mouvement qui a ainsi pu survivre.

NPS – *Pendant cette période, l'« aggiornamento » de l'Église vient de commencer avec l'ouverture de concile Vatican II. Ce concile permettra-t-il au mouvement de respirer un peu? Ne viendra-t-il pas confirmer l'action que vous meniez et la pensée que vous véhiculiez?*

Exactement! Vatican II va confirmer notre pensée sur l'Église et la façon dont on se situait dans la société comme agents de changement.

2. Sur la Commission Dumont, voir DUMONT (1997 : 176-180).

NPS – *Ce sont les courants plus traditionnels de l'Église qui se trouvaient alors à être interpellés pendant que, de votre côté, vous vous trouviez plutôt confirmés?*

C'est à ce moment que le fondateur Cardijn a obtenu sa pleine reconnaissance par le Vatican et a été nommé cardinal. Jean XXIII signalait d'ailleurs que sa connaissance de la JOC et de l'Action catholique, en général, l'avait beaucoup influencé. J'avais donc demandé d'être nommé avec un terme. Mon premier mandat était de quatre ans (auparavant les aumôniers n'avaient pas de mandat fixe, cela avait l'inconvénient de les faire rester trop longtemps). En 1968, je finis mes quatre ans et je ne renouvelle pas. C'est alors que Mgr Charbonneau, évêque du nouveau diocèse de Hull, m'invite et c'est ainsi qu'en 1968, j'arrive à Hull.

NPS – *C'est lui qui vous a tendu cette perche de l'animation sociale?*

Il disait que dans l'Outaouais, les gens suivaient de près ce qui se passait à Montréal depuis 1965. J'étais moi-même très au courant, parce que je travaillais à Montréal. C'était quelque chose qui nous rejoignait comme méthode: aller voir le monde, la formation du VOIR - JUGER - AGIR, la formation par l'enquête, les principes comme faire **entre eux**, **par eux**, **pour eux**, **faire**, **faire avec**, **faire faire**. L'animation sociale m'apparaissait une forme d'intervention communautaire dans le milieu orienté vers un changement de société. J'arrive donc dans l'Outaouais avec cette perspective et celle développée par les organisations syndicales: le deuxième front (1968), ensuite les grandes déclarations des centrales syndicales de ces années-là: « Ne comptons que sur nos propres moyens! » (1971) Et, en tant que membre de l'exécutif international de la JOC (de 1964 jusqu'en 1972), je voyais l'option de base que prenait le mouvement ouvrier européen: une analyse sociale de classes inspirée du marxisme. (C'est à ce moment que je découvre le marxisme. Je ne suis pas devenu marxiste mais j'y ai découvert des éléments d'analyse essentiels qui correspondaient à ma vision.) J'ai ainsi participé jusqu'en 1972 à des réunions, à des conseils mondiaux de tous les représentants des JOC à Bangkok et à Beyrouth, en 1969. Sur le plan mondial, des sociologues étaient venus travailler avec nous pour nous aider à faire le passage de l'analyse trop humaniste à une analyse de classe, donc à prendre des options en fonction du monde ouvrier.

NPS – *Est-ce que vous deveniez alors curé d'une paroisse?*

Oh non! J'ai refusé. Je suis plutôt rattaché à la formation de nos séminaristes oblats à Ottawa. Il y a à peu près quarante gars qui sont en train de faire une petite révolution, qui exigent une nouvelle façon d'être: ils vivent en équipe avec des accompagnateurs. Le mouvement veut que les accompagnateurs ne soient plus uniquement des professeurs d'université et ils en veulent un qui vient de la pastorale sociale. C'est de cette façon que je suis arrivé là.

NPS – *Vous deveniez alors accompagnateur d'équipes?*

Je vivais avec eux à Ottawa et je cherchais à m'impliquer à Hull. Alors, j'allais à Hull tous les jours, voir le monde que je connaissais et ce qui se passait. La première chose qu'on m'a offerte fut de travailler à la réalisation d'une enquête-participation dans l'Île-de-Hull[3].

NPS – *Quel a été le déclencheur de cette opération d'enquête-participation?*

Mgr Charbonneau avait engagé, en 1965, un sociologue pour faire l'étude de la situation sociale des communautés de son diocèse qui venait d'être fondé (avant 1965, Hull dépendait de l'archidiocèse d'Ottawa). Ce sociologue a recommandé l'embauche d'un animateur social qui a fait avec nous des sessions de formation à l'animation sociale. On analysait notre milieu et on imaginait des actions à entreprendre pour changer la situation. De ces sessions sont nés de petits noyaux qui, finalement, se sont regroupés pour convenir de pousser plus loin l'enquête sur la situation de la pauvreté dans les quartiers de la ville de Hull, quartiers non encore attaqués par les expropriations. C'est cette démarche qui a donné naissance à l'Assemblée générale de l'Île-de-Hull (AGIH).

Nous avons donc commencé par une enquête-participation. Avec des bénévoles pour couvrir toute l'Île, pour faire l'enquête (avec 69 questions) sur tous les domaines de la vie. J'ai proposé de faire enquête par bloc de rues. Non pas de couvrir les 6 000 maisons, mais de commencer par 100. On disait aux gens du quartier qu'on venait faire leur portrait et qu'on leur promettait qu'ils seraient les premiers à voir ce portrait. Dès qu'on avait fini de compiler les 100, on rédigeait un petit rapport et on invitait le monde à venir voir leur portrait. Souvent, quand un quadrilatère était terminé, on pouvait constituer un noyau qui pouvait par la suite devenir un Comité de citoyens. Mais nous manquions de ressources. C'est là qu'on a eu l'idée d'aller chercher une subvention du fédéral (auprès du ministère de la Santé et du Bien-être). On est allé chercher 50 000 dollars par année sur trois ans, ce qui a permis d'engager du monde. Avec des salaires relativement peu élevés, on a pu engager plus d'intervenants et ainsi consolider notre intervention.

NPS – *Avec cette enquête-participation, on entre dans un tout autre chapitre, celui de l'animation sociale proprement dite, chapitre qu'on ne peut approfondir ici. Mais en terminant, pour tirer un trait sur une expérience*

3. Voir à ce propos POIRIER (1986). *Qui a volé la rue principale?*, Montréal, Éditions Départ, 330 pages.

de plus de 10 ans dans le mouvement de l'Action catholique, comment voudriez-vous conclure?

Il y a une chose très importante dans tout cela : il faut que la pratique suscite l'apprentissage et la réflexion critique. C'est une ligne de fond. Bien entendu, dans l'Action catholique, on était comme tout le monde. Le fameux dilemme : services ou éducation/organisation avec les gens ? C'est un dilemme difficile à vivre, parce que les services ont toujours tendance à prendre le dessus. Mais l'analyse sociale, la formation, la réflexion critique doivent toujours être au cœur de nos pratiques. Sans cela, on se cantonne dans l'intervention d'urgence. On ne peut en rester là. On ne redira jamais assez que cela ne suffit pas.

Bibliographie

DUMONT, F. (1997). *Récit d'une émigration*, Montréal, Boréal.

DOUCET, L. et L. FAVREAU (1997). *Théorie et pratiques en organisation communautaire*, Sainte-Foy, PUQ, Coll. Pratiques et politiques sociales.

POIRIER, R. (1986). *Qui a volé la rue principale ?*, Montréal, Éditions Départ.

VAILLANCOURT, Y., FAVREAU, L. *et al.* (1995). « Les pratiques sociales des années 60-70 », *Nouvelles pratiques sociales*, vol. 8, nº 2, 33-123.

❖ **Le dossier : L'ORGANISATION DU TRAVAIL DANS LE RÉSEAU DE LA SANTÉ ET DES SERVICES SOCIAUX**

L'*empowerment* du personnel : le chemin est sinueux

Jacques FOURNIER
CLSC Longueuil-Ouest

Y a-t-il une place pour la participation du personnel dans le réseau de la santé et des services sociaux en 1998 ? Où en est le processus de démocratisation du pouvoir dans les établissements ?

L'adoption de la Loi 120, le 4 septembre 1991, donnait plusieurs motifs d'espoir aux partisans d'une participation plus grande du personnel à la gestion des établissements de santé et de services sociaux.

Le personnel était en effet invité à participer aux choix des orientations et à la détermination des priorités de l'établissement (art. 2, al. 9). Divers mécanismes étaient mis en place pour favoriser cette participation : élaboration, en collaboration avec le syndicat, d'un Plan de développement des ressources humaines (PDRH), création de divers conseils consultatifs (Conseils multidisciplinaires, etc.), représentation du personnel au conseil d'administration, assemblée annuelle du personnel, etc. (Fournier, 1991).

La Loi prévoyait en fait deux démarches parallèles d'*empowerment*: l'une pour le personnel et l'autre pour les usagers, les deux processus devant se renforcer mutuellement, dans une perspective de démocratisation globale du système de santé et de services sociaux. Six ans plus tard, force est de constater que cette participation du personnel s'est avérée plus complexe à instaurer qu'on ne l'avait prévu : il ne suffit pas de créer des mécanismes sur le plan législatif pour qu'ils portent automatiquement des fruits. La mise en place de ces outils est une condition nécessaire mais non suffisante. L'analyse que l'on peut faire aujourd'hui (novembre 1997) de la question plus large de l'organisation du travail dans le réseau québécois de la santé et des services sociaux est fortement teintée de deux éléments contextuels déterminants : la reconfiguration du réseau et les compressions budgétaires sans précédent. Et ce ne sont pas deux éléments qui, a priori, font progresser l'idée d'une participation plus grande du personnel.

Comment, dans ce contexte, garder attrayante la troisième thèse dont parlait Yves Vaillancourt et qui s'énonçait comme suit :

> Le renouvellement (des pratiques sociales) est possible dans le réseau gouvernemental à condition que les intervenants, en alliance avec les usagers, s'investissent dans la démocratisation de l'organisation du travail et des rapports de consommation dans le secteur public ? (Vaillancourt, 1993 : 6)

Relever ce défi est encore possible, mais la conjoncture est difficile. C'est, entre autres, ce que nous illustrerons dans cet article.

LA RECONFIGURATION DU RÉSEAU

Le premier élément de conjoncture à examiner, c'est la démarche de reconfiguration du réseau. Dans la foulée de l'adoption du projet de loi 116, en juin 1996, des processus de fusion d'établissements sont en cours dans la majorité des régions sociosanitaires. La Loi 116 prévoit des balises quant au type de fusions autorisées. C'est ainsi qu'un hôpital de soins de courte durée ne doit pas avoir plus de 50 lits ni offrir de spécialités médicales pour pouvoir être fusionné avec un CLSC.

À l'heure actuelle, on évalue que 60 % des CLSC conservent une vocation unique. Environ 23 % des CLSC cumulent une vocation de CLSC avec une vocation de CHSLD (Centre d'hébergement et de soins de longue durée). Environ 9 % des CLSC ont une triple vocation : CLSC, CHSLD et CHCD (Centre hospitalier de courte durée). Ce portrait pourrait encore se modifier au cours des prochains mois.

Les partisans des fusions évoquent des économies potentielles. Or, de nombreuses études démontrent que les économies escomptées de fusions semblables ne se sont pas réalisées et que les services, en particulier ceux de première ligne, n'ont pas nécessairement été améliorés (Beaupré, 1995 ; Lamarche, 1996 ; Michaud, 1996 ; Turgeon et Sabourin, 1996).

Les promoteurs des fusions, surtout en provenance des milieux hospitaliers, y voient une meilleure garantie de continuité des services de santé à la clientèle (Nadeau, 1996). En fait, certains hôpitaux ont encore de la difficulté à percevoir les CLSC comme ayant un double mandat, l'un en santé et l'autre en services sociaux. Ils voient le CLSC comme ayant un mandat uniquement ou essentiellement en santé et croient qu'il serait plus simple de faire du CLSC leur département de soins à domicile. Cette perception fait peser une menace certaine sur les services préventifs, ainsi que sur les services psychosociaux et communautaires offerts par les CLSC ainsi fusionnés.

Un modèle inspire ces dirigeants d'hôpitaux : les Centres jeunesse, qui sont issus du regroupement des CPEJ (Centres de protection de l'enfance et de la jeunesse) et des CRJDA (Centres de réadaptation pour les jeunes en difficulté d'adaptation) et souvent également des CRMDA (Centres de réadaptation pour les mères en difficulté d'adaptation). Plusieurs administrateurs d'hôpitaux et hauts fonctionnaires se posent la question suivante : pourquoi ne pas faire dans le domaine de la santé, sous la gouverne de l'hôpital, ce qui s'est fait dans le domaine des services sociaux, sous l'égide des Centres jeunesse ?

Leur vision remet en question l'un des fondements du système sociosanitaire québécois. Depuis la Commission Castonguay-Nepveu, un consensus s'était établi autour de l'existence d'un lien très fort entre les problèmes de santé et les problèmes sociaux. Le ministère de la Santé et des Services sociaux (autrefois fractionné en deux ministères, dans les années 1960), les Régies régionales de la santé et des services sociaux (appelées auparavant Conseils régionaux de la santé et des services sociaux) et les CLSC intègrent d'ailleurs ces deux problématiques depuis plus de vingt ans. Assisterons-nous à un retour en arrière et au divorce de la santé et des services sociaux ? L'une des grandes originalités du système québécois, qui suscite l'intérêt ailleurs dans le monde, est-elle menacée ?

Certains partisans des fusions CLSC-CHSLD allèguent que de telles fusions favoriseraient l'intégration des services aux personnes âgées. Pourquoi alors ne pas promouvoir la fusion des CLSC avec les Centres Jeunesse pour accroître l'intégration des services offerts aux jeunes ? Et pourquoi ne pas fusionner les CLSC avec les Centres de réadaptation pour renforcer l'intégration des services destinés aux personnes handicapées ? On voit bien à quelles absurdités mène la logique des fusions : au non-respect des vocations et à la confusion des missions de première et de deuxième ligne. Claude Saint-Georges, président du conseil d'administration du CLSC des Faubourgs, a vigoureusement dénoncé ces raisonnements aberrants à l'Assemblée générale de la Fédération des CLSC de novembre 1997 (Saint-Georges, 1998).

La mode des fusions d'établissements est inspirée également de ce qui se passe dans de nombreuses entreprises privées. Dans ces entreprises, les économies d'échelle entraînées par les fusions sont, de fait, parfois très intéressantes. Dans les services publics, et en particulier dans les services à la personne, les effets négatifs observés dans le cas de fusions surpassent très souvent les effets positifs attendus : le personnel est démobilisé, la bureaucratisation est plus lourde, etc.

Dans le secteur public, les fusions d'établissements marquent un recul en ce qui concerne la démocratisation pour les usagers. Avant la fusion du CHCD, du CHSLD et du CLSC, il y avait treize personnes élues par la population aux conseils d'administration des trois établissements. Dans l'établissement fusionné, il n'en reste que cinq. Avant, il était possible pour monsieur et madame Tout-le-monde de siéger au conseil d'administration de son CLSC ou de l'hôpital. On peut se demander s'il n'y aura pas une certaine progression de l'élitisme à l'avenir : ce n'est plus aussi évident pour le simple citoyen ou la simple citoyenne de siéger au conseil d'administration d'un établissement aussi gros.

De même, dans l'établissement fusionné, il y a moins de personnes au total qui représentent les employés au conseil d'administration qu'il y en avait au sein des trois anciens conseils. La démocratisation des établissements était favorisée par la coexistence de plusieurs petits établissements à taille humaine ou à échelle locale. Le paradigme du développement local est menacé par le courant des fusions dans le réseau de la santé et des services sociaux.

LE CONTEXTE DES COMPRESSIONS

Le second élément de la conjoncture à analyser, ce sont les compressions. Concrètement, à quel type de décisions est invité à « participer » le personnel par les temps qui courent ? On lui demande de répondre à la question suivante : où couper pour que cela fasse le moins mal aux usagers ? Il était en effet beaucoup plus simple et plus agréable, durant les années 1980, de prendre part à des exercices de priorisation en vue de mettre sur pied de nouveaux services et d'examiner les besoins qu'un budget supplémentaire permettrait de combler.

Le réseau de la santé et des services sociaux fait présentement face à des compressions d'une grande ampleur. Le gouvernement a supprimé des milliers de poste en favorisant les retraites anticipées. Très souvent, les employés qui quittent ne sont pas remplacés, d'où des surcharges de travail.

Certes, dans une perspective d'utilisation judicieuse des fonds publics, il est presque indispensable d'examiner les possibilités de *réingénierie des processus*, c'est-à-dire comment réorganiser les étapes du travail pour arriver à un service plus efficient. Cette perspective est présente partout dans le monde, tant dans les industries primaires, secondaires que tertiaires (Rifkin, 1996). Est-il préférable que les employés du secteur public travaillent en équipe à cette réingénierie ou qu'ils laissent cette tâche à des consultants externes grassement rémunérés ? Il faut cependant prévoir que toute réingénierie qui se traduirait par de nouvelles surcharges de travail comporte un potentiel important d'épuisement professionnel.

On pourrait considérer que la participation du personnel aux diverses instances consultatives sera encore plus cruciale au cours des prochaines années, ne serait-ce que pour *limiter les dégâts*. Mais cela devient très démobilisant pour le personnel, d'avoir l'impression de *cautionner* diverses compressions en tentant, en toute bonne foi et dans la perspective de prendre en compte l'intérêt des usagers, d'amoindrir les effets négatifs des diminutions de services. Leur éthique professionnelle dicte aux employés une attitude de respect des usagers, qui sont la plupart du temps des personnes en détresse. Le personnel est donc prêt à faire un bon bout de chemin sur la voie de l'accommodement. Mais on ne saurait tendre un élastique indéfiniment. La *participation paradoxale,* inspirée par l'éthique professionnelle et le sens des responsabilités, a ses limites (Bélanger, 1991 : 134).

Le personnel du réseau de la santé et des services sociaux carbure à certaines valeurs. Il a besoin, fortement, que son travail ait un sens, une signification. Dans beaucoup de cas, ce personnel a choisi telle profession ou tel emploi parce que, justement, il a un sens. Les qualités requises de la part du personnel du réseau (empathie, écoute, respect, etc.) se nourrissent à cette quête de sens.

Parmi les valeurs importantes, on trouve aussi la recherche de justice sociale et d'équité dans la société. Quand on connaît les liens entre la pauvreté et le mauvais état de santé, on peut certes dire que travailler au maintien de la santé, c'est lutter en réalité contre les effets des inégalités sociales. Ce n'est pas sans raison que les syndiqués du réseau de la santé et des services sociaux appuient la demande de leurs dirigeants syndicaux d'examiner la colo*nne des revenus* du gouvernement, et non seulement la colonne des dépenses.

L'*EMPOWERMENT* DU PERSONNEL

Une fois ces deux éléments de conjoncture présentés, on pourrait examiner quelques-uns des enjeux complexes que soulève la volonté d'augmenter l'*empowerment* du personnel, c'est-à-dire le contrôle qu'a le personnel sur sa tâche et son environnement de travail, ainsi que son autonomie professionnelle.

Selon Jeremy Rifkin, dans son remarquable ouvrage *La Fin du travail*, la montée de la technologie diminue l'autonomie des travailleurs et leur capacité à organiser eux-mêmes leur travail (Rifkin, 1996 : 249 et 269). La marche est donc haute, à la fin des années 1990, pour défendre le paradigme de l'*empowerment* du personnel comme facteur tant de productivité, de satisfaction de la clientèle, de satisfaction au travail (Rochon, 1988 : 255-258) et même de santé mentale et physique du personnel (Renaud et Bouchard, 1994 : 21).

Si l'on examine la question en fonction des divers types d'établissements (CH, CLSC, Centres jeunesse), le portrait se nuance. Dans les hôpitaux, la domination du modèle médical favorise la prise de décision hiérarchique : ce n'est pas dans ces établissements que, traditionnellement, il a été facile pour le personnel d'avoir plus d'*empowerment*, par comparaison avec les CLSC, par exemple. Une enquête auprès de 802 intervenants de CLSC a montré que la moitié de ces établissements sont gérés de façon plutôt innovatrice et participative (Larivière, 1994).

Dans les Centres jeunesse, le constat que le travail social n'est guère taylorisable (voir l'article de Bien-Aimé et Maheu dans ce dossier) fait en sorte que l'*empowerment* d'un travailleur social est beaucoup plus grand au départ, indépendamment de la structure qui encadre ce travail. Cependant, au cours des dernières années, les Centres jeunesse ont développé une structure plus bureaucratique et un encadrement plus contraignant. Ces établissements sont en quelque sorte à mi-chemin entre les CH (peu de pouvoir au personnel) et les CLSC (un certain pouvoir au personnel) pour ce qui est de l'autonomie professionnelle du personnel.

En plus de la nature de l'établissement (CH, CLSC, Centre jeunesse), si l'on examine la question en fonction des diverses professions, le portrait du contrôle que le personnel a sur son travail est là aussi très varié. En règle générale, les professions reliées au monde de la santé fonctionnent beaucoup par protocoles. Les actes des techniciennes de laboratoire, des techniciennes en radiologie, des infirmières, entre autres, sont fortement encadrés par des normes éprouvées, homologuées, rassurantes, légales. Il y a certes place pour de l'initiative, mais à l'intérieur d'un cadre normatif bien défini. En service social, en action communautaire, la marge de manœuvre est plus grande. Ce n'est pas sans raison, probablement, que les infirmières ont développé des modèles de nursing favorisant l'approche globale de la personne et de son environnement (le modèle McGill, par exemple),dans le cadre desquels l'infirmière peut mettre à l'œuvre sa créativité et son esprit d'initiative. Le travail en équipe est aussi un outil puissant pour favoriser l'*empowerment* dans un contexte sécuritaire et solidaire (CSN, 1995). Il y a des interrelations nombreuses entre cette recherche d'autonomie plus grande du personnel, d'une part, en ce qui concerne les pratiques professionnelles, comme nous venons de le voir, et, d'autre part, en ce qui concerne les modèles de gestion proprement dits.

LA GESTION PARTICIPATIVE EST-ELLE DÉPASSÉE ?

Pour certains théoriciens modernes de la gestion (cités dans Aubert et de Gaulejac, 1991), la gestion participative serait un modèle dépassé. Il faut d'ailleurs noter que les théories en gestion deviennent vite désuètes. Les écoles d'administration publique et privée produisent des nouveaux modèles à un rythme rapide, un peu comme l'industrie automobile qui est toujours friande de nouveaux modèles. Les modèles plus anciens de gestion sont rapidement qualifiés de désuets, jetables comme des papiers-mouchoirs.

À cette conception consumériste des modèles de gestion, on peut opposer une réflexion plus enracinée dans les valeurs à promouvoir, plus collée à l'éthique, porteuse de changements plus profonds. La gestion participative, c'est tout simplement une façon, peut-être pas meilleure qu'une autre, de nommer la recherche de démocratisation des milieux de travail. Et ce dernier objectif est un des fondements de notre histoire sociale et syndicale récente (CSN, 1991). C'est tout de même quelque chose.

Dans *Le Coût de l'excellence,* Nicole Aubert et Vincent de Gaulejac décrivent, sans la partager, la conception de certains gestionnaires *modernes* qui bâtissent leurs nouvelles théories, entre autres, sur le rejet de la participation du personnel :

> En réaction contre le *management* participatif qui a favorisé la démission des leaders, il s'agit de favoriser la « reprise d'autorité ». Derrière toute performance individuelle ou collective, il y a un *manager*. Pour que l'individu se dépasse, il lui faut la stimulation de l'exemple, l'encouragement de la part d'un homme qu'il admire et qui le conseille. Il faut une autorité avec laquelle il se sente en parfait accord. (Aubert et de Gaulejac, 1991 : 91)

D'évidence, la gestion participative peut très bien se concilier avec un leadership ouvert et mobilisant, ainsi qu'avec une autorité d'autant plus librement acceptée qu'elle renforce sa légitimité par une liaison riche avec le personnel. C'est d'ailleurs le sens profond de la démocratie : l'autorité, l'élu, est d'autant mieux accepté que le processus électoral a été honnête et que les enjeux électoraux ont été clairs. Dans un contexte de gestion participative, les décisions prises par la direction sont d'autant plus soutenues par le personnel qu'elles ont fait l'objet de véritables consultations et d'un processus de communications bien mené, de haut en bas et de bas en haut, avec des enjeux intelligibles. La consultation, pour être réussie, doit se faire dans une perspective de concertation, c'est-à-dire de recherche réelle d'objectifs communs. La consultation n'entraîne que frustration si elle ne débouche pas sur la concertation et sur l'action.

Les syndicats sont évidemment des interlocuteurs incontournables de ce processus. Paul-André Lapointe, professeur au Département des relations industrielles de l'Université Laval, conclut, à propos de la participation syndicale dans l'ensemble des industries : « Ni enfer ni paradis, la situation s'est néanmoins améliorée et c'est grâce à la participation syndicale à la gestion. » (Lapointe, 1997)

Les Chinois, sous Mao, disaient : « L'avenir est radieux, mais le chemin est sinueux. » Pour l'instant, c'est la seconde partie de la maxime qui semble la plus manifeste. Dans la conjoncture actuelle, la recherche de l'accroissement de l'*empowerment* du personnel ne peut viser, modestement, qu'à limiter les dégâts causés notamment :

- par le stress supplémentaire vécu par le personnel à la suite de la réingénierie parfois sauvage des processus de travail ;
- par la progression du paradigme du *big is beautiful,* au détriment de celui du développement local, avec ce que ce dernier engendre comme attribution des pouvoirs vers le niveau le plus près des gens ;
- par les compressions draconiennes dans le réseau de la santé et des services sociaux ;
- par l'emprise du néolibéralisme sur les relations de travail en général.

Il s'agit, au fond, pour le personnel, de poursuivre l'apprentissage de la participation à la gestion, en espérant qu'un contexte socio-économique plus favorable étendra plus tard l'espace de participation. Cette quête de l'augmentation de l'empowerment du personnel contribue à entretenir la recherche d'une démocratisation accrue de la société globale.

PRÉSENTATION DES TEXTES

Ce dossier réunit deux contributions syndicales, deux rédigées par des intervenants du réseau et cinq, par des chercheurs universitaires, parfois associés à des intervenantes sur le terrain.

Andrée Lapierre et Suzanne Leduc, de la CSN, exposent une vision syndicale de la gestion participative et précisent les conditions de base de la réussite d'une démarche en réorganisation du travail. Michelle Desfonds, de la CEQ, présente l'accord-cadre conclu en 1993 entre sa centrale et le gouvernement concernant l'organisation du travail comme champ de négociation. Elle décrit les exigences à satisfaire pour mettre en place un processus qui déboucherait sur une organisation plus démocratique du travail. Les deux contributions syndicales offrent des analogies intéressantes au regard des conditions concrètes de réussite des expériences de réorganisation du travail.

Christian Jetté et Jacques Boucher brossent un tableau de la transformation des positions de la Fédération des affaires sociales (FAS-CSN, aujourd'hui Fédération de la santé et des services sociaux) et notent que cette fédération a du mal à se défaire de sa vision structuraliste des rapports sociaux, qui apparaissent figés dans une relation de domination où les acteurs sont dépossédés de leur potentiel d'action.

Danielle Fournier, Nancy Guberman, Jennifer Beeman et Lise Gervais analysent la culture organisationnelle de groupes de femmes et relèvent des liens intéressants entre l'organisation du travail, la taille du groupe, son projet social, l'orientation commune d'intervention, la passion pour le travail et le plaisir dans les rapports qui s'établissent au sein de l'équipe.

Claude Larivière et Diane Bernier montrent que les organisations doivent modifier leur style de gestion et apporter un réel soutien au personnel si elles veulent être des *organisations en santé.* Ils illustrent cette thèse à partir d'enquêtes principalement auprès de travailleurs sociaux et de gestionnaires.

Selon Paul Langlois, une marge de manœuvre existe pour les intervenants des Directions de la protection de la jeunesse (DPJ) qui veulent conserver leur autonomie professionnelle malgré le lourd appareil d'encadrement qui caractérise les Centres jeunesse. Langlois analyse sur le terrain les trois principales conditions d'émergence de cette autonomie professionnelle.

Pour Paul-Antoine Bien-Aimé et Louis Maheu, il est difficile d'appliquer au travail social la grille d'analyse du taylorisme, car c'est occulter l'originalité d'une forme de travail qui met en relation un producteur et un usager du service. Cependant, ils constatent que les praticiens ne sont pas tous dans une situation qui leur permettrait d'intervenir avec l'autonomie professionnelle souhaitée.

Enfin, Claude Nélisse fait un plaidoyer en faveur de l'analyse du travail, plutôt que la recherche souvent vaine du *développement des ressources humaines*. L'analyse du travail est une démarche qui vise une représentation fidèle de ce qu'on fait réellement et de ce qui se passe effectivement dans une relation de service.

Un grand merci à Paul Langlois, du Centre jeunesse de Québec, d'avoir assuré avec moi l'encadrement et la définition de la problématique de ce numéro.

Bibliographie

AUBERT, Nicole et Vincent DE GAULEJAC (1991). *Le Coût de l'excellence,* Paris, Seuil.

BEAUPRÉ, André (1995). *L'impact sur la clientèle de l'intégration des CHSLD à des CH,* Université Laval, août, 143 pages.

BÉLANGER, Jacques (1992). « Observations sur le dépassement du modèle traditionnel de gestion du travail », dans *La culture en mouvement : nouvelles valeurs et organisations,* Sainte-Foy, Presses de l'Université Laval, 161-171.

BÉLANGER, Paul-R. (1991). « La gestion des ressources humaines dans les établissements de santé et de services sociaux : une impasse », *Nouvelles pratiques sociales,* vol. 4, nº 1, 133-140.

CSN (1995a). *Travail en équipe et démocratie au travail,* rédaction par Michel Doré, Montréal, 122 pages.

CSN (1995b). *Expérimentations syndicales dans la région de Montréal concernant l'organisation du travail,* 1er mars, 63 pages.

CSN (1991). *Prendre les devants dans l'organisation du travail,* CSN, 78 pages.

FOURNIER, JAcques (1996). « Splendeurs et misères du virage ambulatoire », *Possibles,* vol. 20, nº 3, 66-83. On peut consulter ce texte sur Internet : http ://www.clsc.org/virage/VIRAGE2.html

FOURNIER, Jacques (1994). « De l'État-providence à l'État solidaire », *Possibles,* vol. 18, nº 3, 70-82.

FOURNIER, Jacques (1991). « La démocratisation dans les établissements, côté cour, côté jardin », *Nouvelles pratiques sociales,* vol. 4, nº 2, 163-171.

FOURNIER, Jacques et Nicole HÉBERT (1993). « Le réseau de la santé et des services sociaux est-il mûr pour la gestion participative ? », *Nouvelles pratiques sociales,* vol. 6, nº 1, 155-165.

LAMARCHE, Paul (1996). Conférence à l'assemblée générale de la Fédération des CLSC, mai, 15 pages et annexes.

LAPOINTE, Paul-André (1997). « Quand les syndiqués interviennent dans la gestion et l'organisation du travail », *La Presse,* samedi le 22 mars, cahier B.

LARIVIÈRE, Claude (1997). *Personnalité et habiletés des cadres et styles de gestion des organisations du réseau de la santé et des services sociaux des Laurentides,* École de service social, Université de Montréal, janvier, 128 pages.

LARIVIÈRE, Claude (1994). *Styles de gestion, satisfaction au travail et efficacité organisationnelle perçue dans 11 CLSC,* Thèse de doctorat (sociologie), Montréal, Université de Montréal.

MICHAUD, Julien (1996). « Les fusions CLSC / CHSLD ou CLSC / CHCD : les économies potentielles versus les économies réelles », Fédération des CLSC, miméographié, 16 pages.

NADEAU, Jacques A. (1996). « Projet de loi 116 : des menottes aux poignets des établissements », *Artère* (Association des hôpitaux du Québec), déc.-janv.

RENAUD, Marc et Louise BOUCHARD (1994). « Expliquer l'inexpliqué : l'environnement social comme facteur clé de la santé », *Interface,* revue de l'ACFAS, vol. 15, nº 2, mars-avril, 15-25.

RIFKIN, Jeremy (1996). *La Fin du travail*, Montréal, Boréal, 436 pages.

ROCHON, Jean *et al.* (1988). *Rapport de la Commission d'enquête sur les services de santé et les services sociaux,* Québec, Les Publications du Québec, 803 pages.

SAINT-GEORGES, Claude (1998), cité dans : « Création de l'Association des CLSC et des CHSLD », *Interaction communautaire*, nº 44-45, hiver.

TURGEON, Jean et Patrick SABOURIN (1996), « Reconfiguration du réseau de la santé et des services sociaux au Québec : la place des regroupements inter-établissements », *Revue de l'Administration publique du Canada,* vol. 39.

VAILLANCOURT, Yves (1993), « Trois thèses concernant le renouvellement des pratiques sociales dans le secteur public », *Nouvelles pratiques sociales*, vol. 6, nº 3, printemps, 1-14.

Réflexions syndicales sur un projet social de santé et l'organisation du travail

Andrée LAPIERRE
Suzanne LEDUC
Confédération des syndicats nationaux (CSN)

La Confédération des syndicats nationaux (CSN), forte de l'expertise de son membership provenant du secteur de la santé et des services sociaux (100 000 membres), poursuit depuis plusieurs années une réflexion sur un projet social de santé. À l'heure des transformations profondes du système de santé québécois, il semble approprié de partager notre analyse des changements, de repérer ceux qui nous semblent souhaitables et d'y rallier des appuis.

Tel est l'objet du présent article. Accompagné d'un schéma-synthèse, le texte représente l'esquisse d'un projet social de santé pouvant mobiliser les forces progressistes autant à l'interne qu'à l'externe du réseau, dans tous les secteurs d'activités, afin de mettre en œuvre les stratégies de la *Politique de santé et de bien-être du Québec* énoncées en 1992.

Dans un premier temps, des enjeux de fond de la reconfiguration sont exposés : la correction des lacunes historiques du système pour l'adapter au virage ambulatoire et en accentuer le fonctionnement en réseau ; la démocratisation pour que population et personnel s'approprient outils et décisions et se responsabilisent face à la santé et aux services requis dans les établissements et communautés ; les convergences vers un projet global de santé, arrimé au développement économique et social des régions, comme ultime garant de l'amélioration des conditions de vie et donc de santé de la population (éducation, emploi, revenu, environnement, justice, logement, sécurité, etc.).

La deuxième partie fait état des enjeux du financement d'une telle reconfiguration : la consolidation de la gestion et du niveau de financement public des dépenses de santé, l'encadrement accru des partenaires privés et le financement des mesures de transition.

Les enjeux de l'organisation du travail sont présentés en dernier lieu. Ce sont la qualité et l'humanisation des interventions et soins, la protection et la promotion des emplois et enfin la participation, la formation et le travail d'équipe. Par la suite, à la lumière de notre pratique syndicale, nous nous attardons aux conditions de réussite d'une démarche en organisation du travail.

En conclusion, nous convions les membres de la CSN et la population à débattre ces enjeux afin de faire évoluer le réseau dans le sens des analyses et orientations que la CSN met de l'avant en vue d'un projet social de santé souhaitable pour le Québec. Par ailleurs, on comprend que cette vision suppose un État fort, capable de garantir le caractère public du financement et de la gestion du réseau de santé et de bien-être du Québec et de déployer le leadership requis pour assurer la mobilisation de la population, du personnel et des divers partenaires appuyant tant les objectifs que les moyens de la réforme.

LA RECONFIGURATION

Avant d'examiner la reconfiguration, et sans cautionner les brutales manières de la conduire, il importe d'expliquer les raisons de la turbulence que traverse le système de santé.

Selon André-Pierre Contandriopoulos, directeur du Département d'administration de la santé de l'Université de Montréal, notre système, comme tous les systèmes des pays développés, vit une crise profonde – de son financement, de sa régulation, de ses connaissances et aussi de ses valeurs (Contandriopoulos, 1994). Quatre logiques différentes s'y affrontent, opposant technocrates, professionnels, politiciens et population, sans qu'aucune n'arrive à s'imposer et à dissoudre les incompatibilités et tensions, parce que chacune a ses limites et n'a qu'une vision partielle de la santé et de la maladie. Au point, propose l'auteur, que seule une vision renouvelée et inspirante, une utopie, en rupture avec l'ordre et les tensions actuelles, nous permettrait d'en sortir.

C'est dans cette perspective que la présente réflexion a émergé, articulant quelques jalons possibles d'évolution. Dans un premier temps, il faut la volonté de corriger les problèmes accumulés qui bloquent maintenant l'horizon. En voici une récapitulation sommaire (adapté de Pineault *et al.*, 1993) :

- l'accent mis sur les services et sur les ressources et non sur leur impact sur la santé (résultats de santé) ;
- le financement centré sur les soins et sur les besoins des producteurs (institutions, industries ou professionnels) plutôt que sur les besoins de la population, dont certains sont tout à fait négligés ;
- le ministère faisant face à des problèmes qui peuvent être résolus sur le plan régional, avec une plus grande participation des citoyens aux décisions ;
- le chevauchement et le manque de complémentarité entre les services pour une même clientèle, causant une utilisation inappropriée des ressources, une fragmentation des soins et le risque de négliger certains besoins fondamentaux des personnes.

Tout en veillant à atténuer ces problèmes, il faut aussi « prendre le virage ambulatoire », c'est-à-dire adapter nos modes de prise en charge aux progrès technologiques comme la chirurgie d'un jour, les médicaments et appareils nouveaux, les nouvelles approches thérapeutiques, qui permettent de mieux soigner sans hospitaliser ou d'écourter l'hospitalisation ou l'institutionnalisation, sans sacrifier la qualité des soins, ni la satisfaction des usagers.

Évidemment, cela ne se fait pas sans heurt ni risque. Les pratiques établies seront bouleversées afin de revoir l'organisation des soins et redéfinir les rôles des membres des équipes pour, d'une part, mieux traiter les malades « ambulants », à l'hôpital ou ailleurs, et, d'autre part, adapter les soins aux besoins plus aigus des malades hospitalisés.

En outre, comme ces révisions de rôles touchent simultanément tous les types d'établissements et d'organismes faisant partie du réseau – publics, privés ou communautaires –, cela représente pour eux, sous la gouverne des régies régionales, un formidable défi de redistribution des budgets et de coordination pour des soins et des services mieux intégrés et accessibles[1], le plus près possible des milieux de vie des personnes.

1. Selon la gamme de services offerts des grands programmes-clientèles du MSSS : santé physique, santé mentale, santé publique, jeunesse, toxicomanie, personnes âgées en perte d'autonomie, déficience physique et déficience intellectuelle.

À son tour, ce défi d'adaptation, d'autant plus redoutable qu'on doit le relever tout en appliquant d'énormes compressions budgétaires dans des délais toujours plus serrés, soulève un second enjeu crucial pour la reconfiguration : celui de la démocratisation des décisions, qu'on voulait le plus possible entre les mains de la population et du personnel, pour une mobilisation aussi profonde qu'indispensable.

Le problème est sérieux, car plutôt que de permettre à la population et au personnel d'exprimer directement leurs besoins, compétences et choix en matière d'organisation des services, le processus actuel a aboli les assemblées régionales des régies, a éliminé d'office toute personne employée du réseau des CA des régies régionales et réduit le nombre de conseils d'administration des établissements[2], tendant à confiner le pouvoir aux mêmes cercles restreints de décideurs.

Qui plus est, les mesures de révision de la Loi 120 et de sa réglementation présentement en discussion tendent à réduire l'imputabilité des gestionnaires et à accroître leurs marges de manœuvre au détriment de l'information et de la liberté de choix des consommateurs et des droits des travailleurs, cherchant par exemple à contourner l'article 45 du Code du travail pour favoriser la sous-traitance.

En fin de compte, l'approche, les moyens et les échéanciers du gouvernement comme du ministère de la Santé et des Services sociaux (MSSS) bafouent la démocratisation du réseau, qui serait pourtant la voie privilégiée pour soutenir des projets de santé plus collectifs et novateurs, autour d'objectifs communs et ouverts sur ce qui se vit, ou pourrait se vivre, dans les domiciles et les établissements, comme chez les partenaires privés ou publics d'autres secteurs et dans les organismes communautaires. En somme, il faut remettre la démocratisation au cœur de la reconfiguration.

Enfin, cette démocratisation porte aussi l'enjeu de la décentralisation de certaines décisions de santé au profit d'une recomposition intersectorielle des pouvoirs (éducation, municipalités, industries, etc.) à l'échelle régionale. À terme, on pourrait assister à l'émergence d'un projet social de santé intégré aux développements locaux et régionaux, mais conservant tout de même certaines balises nationales (programmes-clientèles, régime de négociations, harmonisation de politiques, etc.). Cette évolution n'a cependant rien d'automatique et les débats s'annoncent difficiles, aussi bien au regard des objectifs

2. De 663 conseils d'administration en 1992 à 429 en septembre 1996. *La santé et les services sociaux. Enjeux et orientations stratégiques d'un système en transformation*. Sommet sur l'économie et l'emploi, octobre 1996.

à poursuivre qu'à celui des moyens pour les réaliser, comme on peut le voir déjà dans l'affrontement de Québec avec les municipalités depuis le dernier budget.

LE FINANCEMENT DU RÉSEAU

La tâche sera assurément ardue, dans le contexte d'un réseau décimé par la réduction systématique des revenus publics de santé depuis le début de la décennie[3], passés d'un ralentissement à un gel des dépenses puis à leur réduction nette, pour se poursuivre plus drastiquement encore avec l'obsession du déficit zéro[4] et une prévision d'une réduction de 12,8 % d'ici l'an 2000 (1,6 milliard), pour ramener le budget santé à son niveau de 1991-1992[5], à 12,4 milliards, soit environ 31,4 % des dépenses gouvernementales.

À lui seul, le programme accéléré de mises à la retraite de l'été 1997 a délesté le réseau de 14 000 employés, soit environ 9 % des effectifs[6], tandis que la première phase de la transformation (1994-1997) a déjà réduit d'une centaine le nombre d'établissements[7] du réseau et d'environ 3 000 le nombre de lits de courte durée disponibles (Perry, 1997). Et ce n'est pas fini, avec la deuxième phase de transformations (1997-2000) qui augure de nombreux autres bouleversements (modernisation et partenariats tous azimuts, tarification et désassurance de services, hiérarchisation possible des services médicaux et budgétisation à capitation, fiscalité municipale, etc.).

Dans ce contexte, trois enjeux s'imposent en matière de financement : la consolidation de la gestion et du niveau de financement public des dépenses de santé, l'encadrement accru des partenaires privés et, enfin, le financement des mesures de transition.

Le premier enjeu concerne la maîtrise accrue de l'État sur l'ensemble des objectifs et moyens nécessaires pour améliorer la santé de la population du Québec. À l'ère de l'État-providence et de budgets gouvernementaux croissants, le Québec avait une assez bonne performance macro-économique, contenant la croissance des dépenses de santé au rythme du PIB et de la

---

3. Avec, en 1994-1995, le Défi Qualité-Performance, limitant la croissance des dépenses à 1 % par année et imposant au réseau de santé une compression de 750 millions étalée sur trois ans.
4. Compression de 725 millions (5,5 %) en 1996-1997, et de 760 millions (5,7 %) en 1997-1998.
5. Budgets 1996-1997 et 1997-1998 du Québec. Analyses présentées aux Conseils confédéraux de la CSN, janvier et juin 1997.
6. L'effectif total était de 239 448 personnes en emploi en 1994-95, dans un réseau offrant 171 585 postes ETP (équivalent temps plein). (Statistiques sur le personnel et les cadres, MSSS.)
7. De 661 à 561 établissements en 1995-1996. (*Id.* note 2.)

moyenne canadienne, mais sans guère se préoccuper des retombées de ses investissements, autrement dit, des résultats de santé obtenus. Aujourd'hui, avec des gouvernements endettés, ces pratiques sont révolues et, dans la santé en particulier, le Québec doit améliorer sa gestion micro-économique et vérifier la pertinence de chacune de ses dépenses lorsqu'il se compare aux performances d'autres pays.

Observons, par exemple, qu'en 1991, sur 24 pays de l'OCDE[8], le Québec[9] arrive au deuxième rang pour ses dépenses totales de santé (publiques et privées, avec 9,9 % du PIB), juste derrière les États-Unis (13,4 %), alors que la France (9,1 %), la Finlande (8,9 %), la Suède (8,6 %), l'Allemagne (8,5 %) ou le Royaume-Uni (6,6 %) dépensent considérablement moins et cela, malgré le vieillissement plus marqué de leur population[10].

Sans signifier *ipso facto* que notre système soit trop financé, cela révèle des problèmes de performance et la persistance de pratiques coûteuses alors que d'autres façons de procéder sont connues et utilisées ailleurs. On pense aux recours excessifs aux urgences et aux services lourds, au retard dans le développement des services communautaires, ou encore aux conflits, cloisonnements et rigidités qui entravent souvent l'organisation professionnelle, comme l'écrit Gilles Dussault[11], nous laissant loin d'une utilisation efficace et efficiente des professionnels. Avec des effets importants, indique-t-il, puisqu'on néglige ainsi d'intéressantes possibilités de substitution de personnel[12] et qu'on nuit également au travail d'équipe et aux pratiques interprofessionnelles.

Par ailleurs, cette situation encourage la prolifération de multiples services sur le marché privé, tandis que le système public tarde à innover ou à reconnaître, à encadrer et à intégrer des nouvelles pratiques thérapeutiques valables, ainsi acculées à la clandestinité, sans protection adéquate pour la population, ni de moyens d'accès équitable pour les plus démunis. Avec le résultat qu'on assiste au Québec à une croissance marquée des dépenses

---

8. MSSS (1995). *Le Québec comparé : Indicateurs sanitaires, démographiques et socio-économiques*, page 247.
9. Le Canada arrive troisième, avec une dépense moyenne moindre qu'au Québec.
10. Pourcentage de personnes âgées en 1991 : Québec 10,3 %, France 14,7 %, Suède 17,8 %, Allemagne 15,3 %, Royaume-Uni 15,7 %. (*Id.* note 2.)
11. DUSSAULT, G. (1994). *L'organisation du travail dans le secteur des soins médico-infirmiers au Québec : État de situation*, Étude pour le Conseil de la santé et du bien-être, avril, 29 pages. Voir aussi MANGA, P. et T. CAMPBELL (1994). *Health Human Resources Substitution : A Major Area of Reform Towards a More Cost-Effective Health Care System*, Projets de recherche économique des universités d'Ottawa et Queen's.
12. Entre médecins et professionnels, notamment les infirmières, et entre celles-ci et les infirmières auxiliaires.

privées de santé, qui sont passées de 19,5 % des dépenses de santé à 27,3 % entre 1976 et 1994, pour vraisemblablement atteindre 32,4 % en 1997 (Conseil de la santé et du bien-être, 1997).

Cette tendance est dangereuse et doit être renversée, car les études sont très claires quant aux conséquences prévisibles qui en découlent, comme le démontre l'exemple américain. Les dépenses privées de santé font gonfler la facture totale en plus de multiplier les iniquités (d'accès, de qualité) et les gaspillages (confusion des rôles et responsabilités, compétition, doublements, faible comparabilité des produits, captivité des clientèles, marges de profit, perte de transparence), tendant à transférer les coûts aux personnes les plus vulnérables.

Or, c'est précisément pour mettre la santé à l'abri des intérêts mercantiles que le Québec s'est doté d'un système public de santé, pour éviter qu'au fardeau de la maladie s'ajoute celui de la misère, comme l'ont connu les générations d'avant les années 1970. En aucun temps, la reconfiguration ne doit nous éloigner de cette volonté de solidarité dont témoigne notre réseau de santé, ni servir de prétexte à un désengagement de l'État ou à son affaiblissement. Bien au contraire, la reconfiguration doit accentuer la solidarité et, comme le suggère l'avis du Conseil de la santé et du bien-être, consolider l'État dans ses divers rôles d'assureur principal, d'administrateur, d'employeur et de gardien de l'intérêt collectif, car « [...] si l'État ne peut tout faire, il y a des choses que seul l'État peut faire » (Conseil de la santé et du bien-être, 1997).

En l'occurrence, les Orientations CSN soumettent que l'État et le MSSS doivent améliorer l'efficience des services de santé par une gestion plus innovatrice et dynamique et cela, sans réduction du niveau des dépenses publiques de santé. Car nous savons bien que les services publics peuvent être aussi performants que les services privés, avec une approche centrée sur les besoins et la participation de la population ainsi que la collaboration systématique du personnel.

En outre, l'État doit adapter les règles du jeu et prévoir un encadrement et une imputabilité accrus des anciens et nouveaux partenaires privés d'un réseau en quête d'investissements, d'alliances et d'expertises multiples pour se renouveler et relever les défis de l'avenir. La CSN préconise, par exemple, une réforme pharmaceutique qui subordonne les intérêts des industries et professionnels concernés aux intérêts collectifs que sont la préservation du système de santé et l'amélioration globale de la santé de la population (CSN, 1997b). Elle soutient que les puissantes industries pharmaceutiques, biotechnologiques ou biomédicales doivent être astreintes à plus de transparence dans leurs informations sur l'utilisation de leurs produits ainsi que sur leurs profits et dépenses (publicité, recherche, administration et autres), de même que les compagnies d'assurance, les entrepreneurs et les agences de divers services de santé ou connexes à la santé (cliniques privées, hébergement, convalescence, services à domicile, physiothérapie, radiologie et autres).

D'autres mesures d'encadrement semblent également souhaitables : mécanismes d'accréditation de cliniques et cabinets privés de médecins pour mieux répartir les effectifs, mécanismes d'accréditation et de surveillance des services d'hébergement et de soins à domicile, mécanismes spécifiques à l'égard des technologies de la santé et des technologies de l'information (planification, acquisition, formation, utilisation, entretien). Ensemble, ces diverses mesures d'encadrement nous semblent essentielles pour assurer la transparence des partenaires face à la population et faciliter la coordination de leurs contributions.

Enfin, le financement de plusieurs mesures de transition s'impose comme dernier enjeu stratégique d'avenir. Les transformations occasionnent plusieurs coûts importants, non récurrents, qu'il faut planifier et financer : consultations, aménagements et réfections de bâtiments, matériaux, équipements, inconvénients, expertises, obligations face au personnel déplacé ou en sécurité d'emploi, frais d'intérêts, déplacements, imprévus et autres.

En bâcler l'appréciation, les minimiser et ne pas les budgétiser correctement forcent à l'improvisation dans les établissements, essentiellement sur le dos de la population et du personnel, en termes de services perturbés, insuffisants et mal coordonnés, comme en témoignent les rapports des plaintes du réseau et la croissance des malaises, griefs et problèmes chez le personnel du réseau. À la longue, cela mine la crédibilité de la réforme en plus d'être contre-productif, car les frais de fonctionnement des établissements sont alourdis, forcés à leur tour à s'endetter tandis que les problèmes concrets d'organisation du travail s'accumulent sans qu'on se décide à y faire face.

Pourtant, de la même façon qu'on « découvre » qu'il faut fonctionner comme un véritable réseau d'établissements, il faut maintenant se déplacer à l'échelle des organisations et s'intéresser aux échanges et aux motivations entre les divers individus, selon leurs rôles et responsabilités, ainsi que selon leurs appartenances et statuts et les moyens dont chaque groupe dispose. En fait, c'est tout l'univers de l'organisation du travail qui apparaît derrière le besoin de clarifier les mesures de transition pour réorganiser les services en reconfiguration.

L'ORGANISATION DU TRAVAIL

Devant les impératifs de la reconfiguration et du financement du système de santé, comment les établissements peuvent-ils relever les défis au quotidien qui découlent des transformations de missions, de structures et de services ? Il nous semble impossible qu'ils y arrivent sans associer davantage les travailleurs et travailleuses du réseau à la détermination des services et soins à offrir ainsi qu'aux meilleures façons de les donner.

Pour la CSN, le projet social de santé comprend une révision de l'organisation du travail et des pratiques de travail dans les établissements et l'instauration d'une gestion participative. Cette dernière implique que la mission de l'établissement soit partagée avec les personnes salariées et que les changements se fassent dans la transparence et de façon démocratique. D'après l'expérience de la CSN, ce nouveau fonctionnement ou mode de gestion, bien qu'exigeant pour les personnes concernées par le processus, entraîne chez les employés une valorisation de leur travail et donc de leur qualité de vie au travail, une plus grande responsabilisation et une plus grande collaboration de leur part qui, à terme, ont des retombées positives pour l'établissement. La participation des travailleuses et des travailleurs permet notamment de trouver des solutions novatrices en matière d'emploi qui sont nettement plus bénéfiques pour l'établissement et la société que les pratiques actuelles de *downsizing* utilisées par les employeurs.

Les formes de réorganisation du travail peuvent être multiples et les modèles adoptés peuvent varier selon l'environnement des différents secteurs. À la CSN, on s'attache peu aux étiquettes (qualité totale, approche sociotechnique, réingénierie et autres). Nous insistons, par contre, sur le fait que la réorganisation doit être globale et systémique, qu'elle ne doit pas se limiter aux seules dimensions reliées aux postes de travail et à la répartition des tâches, mais porter sur l'ensemble des objectifs et moyens utilisés pour produire des services à partir de ressources techniques et humaines. Nous préconisons également que toute réorganisation du travail réponde à certaines grandes orientations dans le secteur sociosanitaire.

LES ORIENTATIONS

Trois orientations sont proposées aux syndicats comme cibles prioritaires d'attention et de réflexion pour réorganiser le travail. D'abord, la qualité et l'humanisation des soins et des interventions auprès des bénéficiaires et de leurs proches, à l'intérieur comme à l'extérieur des établissements et organismes, dans les domiciles et au sein des communautés, se doivent d'être au cœur de toute réorganisation du travail.

En premier lieu, la quête de la qualité et de l'humanisation des soins ne doit surtout pas être la seule affaire des experts et des services cliniques.

Cette préoccupation est déjà constamment présente chez les travailleuses et travailleurs du réseau et les établissements ont tout à gagner à reconnaître et à exploiter l'expertise développée par ceux-ci dans leurs domaines respectifs. Les personnels ont notamment l'expérience et la compétence des nombreux gestes humbles et courants qui sont essentiels au recouvrement ou au maintien de la santé et du bien-être (repas, hygiène personnelle, soins de confort, salubrité de l'environnement, déplacements, visites et autres). La réorganisation du travail doit permettre que ces besoins et activités soient mieux reconnus et valorisés dans les établissements, qu'ils ne soient pas banalisés, ni détachés de la gamme de soins comme simples services de « soutien », intégrés par d'autres.

En deuxième lieu, la CSN propose aux syndicats de veiller à la promotion et à la protection des emplois tout en repensant le travail. Après la réflexion et les échanges sur les changements souhaités pour assurer la qualité et l'humanisation des soins et services, il faut quantifier ces derniers selon les volumes et types de clientèles prévus, pour finalement avoir une idée des nombres, types et articulation de postes nécessaires. Comme travailleurs et travailleuses et comme syndicats, il faut comprendre qu'il s'agit d'une voie incontournable pour assurer la défense des services et des emplois alors que le réseau entier est en chantier pour transformer non seulement les structures et les services, mais plus profondément encore les attitudes et comportements à l'égard de la maladie, des problèmes sociaux, de la santé et de la solidarité. La réflexion sur les emplois passe également par l'aménagement du temps de travail et la recherche systématique de nouveaux gisements d'emplois qui sont propices à l'amélioration de la santé des populations selon les voies ouvertes par la *Politique de santé et de bien-être*.

En troisième lieu, les changements que nous voulons doivent permettre la participation et la formation des travailleuses et travailleurs et l'instauration du travail en équipe. Dans le contexte actuel, il faut d'abord réitérer fortement que les travailleuses et travailleurs doivent avoir accès à toute la formation nécessaire pour pouvoir répondre de façon satisfaisante aux transformations qui interviennent dans le quotidien de leur travail.

Si l'information est de plus en plus reconnue comme ressource stratégique et source de pouvoir dans les organisations, son corollaire obligé, la participation, l'est moins alors qu'elle est essentielle dans le contexte actuel. Dans un établissement, cela signifie prendre et donner les moyens pour participer aux décisions, reconnaître les travailleuses et travailleurs et leurs représentants, les syndicats, comme partenaires légitimes et souhaitables aux instances où se planifient les réorganisations. Cela nécessite la révision démocratique des pratiques institutionnelles, professionnelles et sociales pour instaurer un dialogue permettant d'abord un réel partage des objectifs visés entre tous les groupes concernés et par la suite, une identification des moyens de les réaliser par une meilleure utilisation des compétences des ressources humaines, un fonctionnement en réseau, une offre suffisante de services pour répondre aux besoins et autres.

Par ailleurs, la CSN encourage la mise en place d'équipes de travail à tous les niveaux dans le secteur sociosanitaire et particulièrement dans les soins infirmiers (médecins, infirmières et infirmières auxiliaires), et les services thérapeutiques et diagnostiques (travailleurs sociaux, psychologues, ergothérapeutes, technologistes médicales et autres) puisqu'il est reconnu que l'organisation du travail actuelle des professionnels dans le réseau ne favorise pas une utilisation efficace et efficiente de ces derniers, comme nous l'indiquions précédemment. De multiples critiques ont été formulées à cet égard depuis plusieurs années. La CSN a également fait valoir un point de vue semblable dans son mémoire déposé à l'Office des professions du Québec en 1996. Il faut en finir avec les pratiques rigides, cloisonnées et, avouons-le, parfois bornées, et les gaspillages qui en découlent : manque de collaboration voire de substitution, délais de référence, duplication d'actes, besoins négligés et autres.

Malgré tout, des personnes réussissent à innover, à trouver des formules de coopération et de travail en équipe. C'est le cas du côté des soins infirmiers dans des départements de psychiatrie ou, encore, dans les technologies médicales – prévention des infections, en laboratoire, en neurophysiologie – ainsi que dans des CLSC où l'on trouve des formes de travail en équipe entre plusieurs catégories professionnelles. Le travail en équipe[13], avec des objectifs d'autonomie, de responsabilisation et de satisfaction pour toutes les personnes qui font affaire avec le réseau (bénéficiaires, personnel, proches, fournisseurs et partenaires), représente une réponse adaptée aux besoins de la population et des organismes du réseau. À notre avis, il est opportun que de telles initiatives se poursuivent, voire se multiplient.

Cependant, nous sommes conscients à la CSN que les obstacles à la réorganisation du travail dans le sens où nous l'entendons sont nombreux. Les résistances proviennent de plusieurs groupes, des gestionnaires et des corporations professionnelles en priorité, mais également de la part de syndicats qui sont réfractaires au changement. Aussi, avons-nous tenté d'identifier, à partir de notre expérience et à l'aide de la documentation existante à ce sujet, une série de mesures qui peuvent faciliter les démarches de réorganisation du travail.

13. À la CSN, on entend par « équipes de travail », un groupe restreint de personnes, responsables à des degrés divers et de façon permanente de l'organisation de leur travail et de la réalisation d'un ensemble de tâches reliées entre elles, travaillant en vue d'atteindre un certain nombre d'objectifs communs et partagés (DORÉ et CSN, 1995).

LES CONDITIONS DE BASE DE LA RÉUSSITE D'UNE DÉMARCHE DE RÉORGANISATION DU TRAVAIL

L'engagement de la haute direction

La transformation de l'organisation du travail est conditionnelle à la volonté de changement de ses acteurs. À l'échelle d'un établissement, cette volonté de changement doit d'abord être clairement énoncée par la haute direction (direction générale et conseil d'administration). Selon une enquête menée par le ministère québécois du Travail auprès d'entreprises du secteur privé, l'appui « inconditionnel » de la haute direction est « indispensable » à la réussite d'un processus de réorganisation du travail (Ministère du Travail, 1996). Cela permet de dissiper toute ambiguïté quant aux intentions réelles de l'administration supérieure et aide à canaliser les actions des groupes d'intérêt qui seraient opposés au projet, celles notamment des cadres intermédiaires et de premier niveau qui, à juste titre, sont insécurisés par ces processus. Par ailleurs, l'engagement de la haute direction dans une démarche de réorganisation du travail est d'autant plus crucial dans le secteur sociosanitaire que les établissements sont interdépendants dans leurs décisions.

La reconnaissance du syndicat

La reconnaissance du syndicat est un autre facteur essentiel à la réussite d'un processus de réorganisation du travail. Toutefois, d'un côté les gestionnaires ont énormément de réserves à donner une place officielle aux syndicats dans ces processus et, de l'autre, la reconnaissance des syndicats n'est pas nécessairement facilitée par les syndicats eux-mêmes, que ce soit à cause de la résistance de certains d'entre eux ou à cause de la variété (taille, type industriel ou professionnel) de la représentation syndicale dans les établissements du secteur sociosanitaire.

Parlons d'abord des cadres. Ils évitent de reconnaître les syndicats soit parce qu'ils sont habitués à des méthodes traditionnelles de gestion et qu'ils ne veulent pas redéfinir le sens ni la manière d'exercer les droits de gérance, soit parce qu'ils cherchent carrément à contourner les syndicats. D'après les résultats d'une enquête de la CSN en 1995, on observe quatre types d'employeurs :

> [...] celui qui semble favoriser l'implication du syndicat et qui, par conséquent, ne cherche pas à en diminuer la crédibilité. Un autre qui, à l'inverse, ne reconnaît pas l'acteur syndical et ne veut pas l'impliquer. Un autre qui, tout en reconnaissant le syndicat, ne cherche pas à l'impliquer, préférant plutôt lui laisser jouer le rôle de défenseur des conditions de travail des membres. Enfin, un autre qui, tout en manifestant une certaine ouverture, cherche à diminuer la crédibilité du syndicat. (Jean, 1995)

Pour ces raisons, une majorité d'employeurs ne rechercheront pas la participation du syndicat et ce, malgré les démonstrations que l'appui des syndicats a des répercussions positives sur la viabilité des processus de réorganisation du travail. Des études américaines, notamment, ont démontré que l'implication des syndicats dans de telles démarches de réorganisation du travail constitue un facteur positif, entre autres parce qu'elle permet de sécuriser les employés (Kochan et Osterman, 1994). Plus près de nous, l'enquête récente effectuée par le ministère québécois du Travail aboutit à des conclusions semblables. Cette étude précise en outre qu'il est préférable non seulement que le syndicat soit associé au processus, mais encore qu'il le soit dès le début, car on constate que dans le cas des entreprises qui ont impliqué leurs syndicats sur le tard, «[...] l'évolution de la démarche a progressé de façon irrégulière, la direction se trouvant seule pour résoudre les résistances aux changements des salariés [...]» (Ministère du Travail, 1996).

En ce qui concerne les syndicats, bien que la participation constitue un facteur positif dans les processus de réorganisation du travail, dans les faits, cependant, ce ne sont pas tous les syndicats locaux et toutes les organisations syndicales nationales qui sont gagnés aux vertus de la réorganisation du travail basée sur une plus grande participation des employés et une implication des syndicats et ce, pour plusieurs raisons.

Tout d'abord, la nouvelle organisation du travail transforme radicalement le fonctionnement actuel et bouleverse les pratiques établies. Depuis l'époque du fordisme, on a cherché à exclure les syndicats de toutes prises sur l'organisation du travail, en échange de salaires et d'avantages sociaux. Cela a eu des effets considérables sur les rapports patronaux-syndicaux, effets que l'on retrouve encore aujourd'hui, avec des variances selon les milieux.

De plus, les syndicats ont été échaudés par toutes les nouvelles approches de gestion qui ont été mises de l'avant par les employeurs depuis les années 1980. D'une part, celles-ci n'ont pas donné les résultats escomptés et, d'autre part, les syndicats ont plus souvent qu'autrement été conviés à des simulacres de participation. Ils en sont donc restés marqués, pour ne pas dire qu'ils sont devenus sceptiques, et à raison.

Les syndicats éprouvent des difficultés à prendre nettement position sur ces nouvelles formes d'organisation du travail pour d'autres motifs également. Premièrement, les réactions des membres sont généralement ambiguës sur ces questions, certains étant en faveur d'une implication alors que d'autres sont très réticents, voire farouchement hostiles. Le contexte actuel de compressions budgétaires et de redéploiement du personnel entraîne aussi énormément d'incertitude et favorise davantage une réaction attentiste, voire défensive de la part des syndiqués et de leurs organisations, les syndicats.

Deuxièmement, la réorganisation du travail implique des changements dans la pratique de la démocratie dans le milieu de travail. En effet, compte tenu que la réorganisation du travail donne voix au chapitre aux salariés au regard de décisions concernant leur service et département, elle soulève un certain nombre de questions d'intérêt majeur qui doivent faire l'objet de débats au sein du syndicat, en particulier sur la nature et l'étendue des responsabilités (coordination d'équipe de travail, santé-sécurité, budget et autres) qui doivent être assumées par les salariés. Les processus de réorganisation du travail supposent également une révision du rôle et de la place du syndicat dans les transformations organisationnelles et une adaptation en conséquence du fonctionnement syndical et des services aux membres.

Enfin, les syndicats craignent les échecs de ces processus puisque, il faut en convenir, ce ne sont pas toutes les réorganisations du travail qui ont eu des issues satisfaisantes pour les travailleuses et les travailleurs. L'association des syndicats à la démarche de réorganisation du travail dans le secteur sociosanitaire est aussi complexifiée par la variété de la représentation syndicale. Non seulement on y retrouve un grand nombre d'organisations syndicales, mais également des syndicats de taille différente ainsi que de type industriel ou professionnel. Ces obstacles sont réels mais non incontournables, et des solutions concrètes peuvent être trouvées pour concilier la représentativité des diverses catégories de personnel et l'efficacité d'un fonctionnement conjoint avec l'employeur. Il n'y a pas de formules uniques par rapport à cette question, et il faudra, ici, comme sur d'autres plans, innover. Les syndicats de la CSN impliqués dans des démarches conjointes ont mis en place des modèles variés adaptés aux particularités de leur établissement.

L'instauration d'un climat de confiance

Le modèle traditionnel des relations de travail plutôt fondé sur des pratiques d'affrontement n'a généralement pas contribué à créer un climat de confiance entre employeur et syndicat dans les entreprises québécoises. L'établissement d'un climat de confiance constitue, par contre, un autre facteur déterminant de la réussite d'une réorganisation du travail.

Un climat de confiance ne s'établit pas du jour au lendemain. Un certain nombre de gestes et de mesures peuvent toutefois permettre d'instaurer plus rapidement une dynamique nouvelle de relations de travail dans un établissement. Ce sont d'abord l'engagement de l'employeur à protéger au maximum le niveau d'emplois et à n'abolir des postes qu'en dernier recours, une fois que toutes les autres avenues ont été explorées (réduction du temps de travail, retraite anticipée et autres). Cette garantie doit de plus être assortie d'un engagement à ce que les personnes éventuellement touchées par les abolitions de postes aient toutes les chances et tout le soutien nécessaires, accès à des formations par exemple, pour se replacer.

En matière de formation, incidemment, l'employeur doit s'engager à fournir toute la formation nécessaire au personnel pour qu'il puisse s'acquitter correctement de ses nouvelles fonctions. En plus de veiller à offrir une formation adaptée, une démarche de réorganisation du travail doit être l'occasion de se pencher sur toute la question de la formation continue dans l'établissement. C'est sans doute le moment d'élaborer ou de revoir le Plan de développement des ressources humaines (PDRH) prévu dans le cadre de la Loi 120[14].

Un autre facteur clé de la réussite d'une réorganisation est l'adoption d'un fonctionnement transparent. Cela signifie que les représentants syndicaux sont informés de tous les enjeux présents et futurs (financiers, technologiques et autres) d'une situation afin de pouvoir prendre des décisions en pleine connaissance de cause.

La démarche de réorganisation du travail ne doit pas non plus avoir pour objectif immédiat de modifier la convention collective. On ne peut pas changer le contenu des conventions collectives sans avoir expérimenté de nouveaux fonctionnements. Les nouvelles formes d'organisation du travail doivent être définies et évaluées d'abord par les personnes concernées et ce n'est qu'après un certain temps d'expérimentation positive que les salariés et leur organisation syndicale pourront être d'accord pour modifier la convention collective. Les employeurs doivent reconnaître que les syndicats n'accepteront pas de s'engager dans des processus de réorganisation du travail si cela n'est pas clairement entendu au préalable. On comprendra d'ailleurs facilement que, dans un contexte de conventions collectives nationales, les décisions de modifier les accords de travail ne peuvent être prises à la légère parce qu'elles ont des conséquences trop importantes pour un ensemble d'intervenants dans le réseau.

Enfin, une dernière dimension doit être traitée lors du démarrage d'un processus de réorganisation du travail, car elle contribue à instaurer un climat de confiance entre les parties. Il s'agit de ce qu'il est convenu d'appeler « l'élimination des irritants » que sont principalement les griefs. La formule la plus couramment employée est le déblayage accéléré par les parties, le recours à l'arbitrage ne demeurant que pour les cas extrêmes.

14. À la CSN, nous croyons que l'élaboration d'un PDRH suppose un exercice de planification stratégique qui ne peut se limiter qu'aux seules dimensions de la formation : il doit être beaucoup plus englobant et comprendre une analyse de l'organisation du travail dans l'établissement.

LE RÔLE DÉTERMINANT DU COMITÉ CONJOINT

La reconnaissance du ou des syndicats comme partie prenante au processus de réorganisation du travail nécessite la création d'une structure pour que puisse s'exercer la concertation patronale-syndicale. Le moyen privilégié est la mise en place d'un comité conjoint chargé du pilotage – d'où son appellation souvent de « comité de pilotage » – et de la coordination des initiatives visant le changement. La présence à ce comité de cadres de la haute direction permet que le travail du comité soit plus efficace et que ses recommandations se traduisent effectivement en actions concrètes.

L'expérience des syndicats de la CSN qui ont vécu ces processus et la littérature existant sur le sujet nous enseignent que le comité conjoint doit franchir certaines étapes avant de devenir véritablement opérationnel. Le comité doit d'abord s'entendre sur un diagnostic de la situation, c'est-à-dire développer une vision commune des défis et problèmes auxquels devra faire face l'établissement dans un avenir rapproché afin de mieux cerner les interventions prioritaires. L'étape du diagnostic est notamment l'occasion d'identifier les convergences et divergences d'intérêts entre le syndicat et l'employeur de manière à ce qu'elles soient connues et acceptées par les parties et qu'on en tienne compte dans le processus de réorganisation. Par ailleurs, compte tenu des changements culturels qu'impliquent les processus conjoints de réorganisation du travail et de l'ampleur des responsabilités qui sont dévolues au comité conjoint, la formation des membres de ce comité revêt une importance particulière. Elle sera de nature plus technique (analyse financière, détermination d'indicateurs, nouvelles technologies, négociation raisonnée et autres) et de nature plus psychosociale sur les attitudes et comportements à développer pour faciliter le travail en équipe, par exemple, la résolution de problèmes en groupe, etc.

Le mode de décision à privilégier par le comité conjoint est celui du consensus. Pour la CSN, le consensus ne signifie pas la fusion des parties syndicale et patronale simplement parce qu'elles ont trouvé des intérêts communs. Le consensus ne consiste pas à nier les divergences de points de vue et les conflits d'intérêts. Il peut être défini comme un processus que comme un résultat et il devient possible lorsque des personnes participent librement et conjointement à une démarche où toutes les opinions sont exprimées et écoutées (Doré et CSN, 1995).

Le comité conjoint se doit d'avoir une vision globale de la démarche et de s'assurer de la cohérence entre les objectifs recherchés et les moyens utilisés. Il a en ce sens la responsabilité de la planification générale du processus, de la détermination des moyens et de l'évaluation des résultats. Les responsabilités du comité conjoint peuvent être résumées ainsi :

- déterminer les priorités d'intervention ;
- mandater des sous-comités conjoints pour faire l'analyse de la situation dans les services identifiés et statuer sur les recommandations acheminées par ces sous-comités ;
- déterminer la formation ainsi que le soutien requis pour les membres des sous-comités et, par la suite, pour les employés des services concernés, une fois les décisions prises sur le type de réorganisation envisagé ;
- s'assurer que les solutions proposées par les sous-comités prennent en compte les effets probables notamment sur la santé et la sécurité des travailleurs et travailleuses (santé physique et santé mentale, sachant que les réorganisations du travail peuvent provoquer de nouvelles formes de stress pour le personnel), sur la situation des femmes (les changements pouvant entraîner des difficultés supplémentaires de concilier le travail et la famille, par exemple) et sur l'environnement (faire en sorte que la réorganisation du travail s'inscrive dans une perspective de développement durable) ;
- déterminer la stratégie de communications, un élément clé de la stratégie de mise en œuvre de la réorganisation du travail (s'assurer d'une circulation fluide de l'information entre les divers niveaux de la structure) ;
- déterminer la base d'évaluation des résultats de réorganisation dans les services, le mode et la fréquence des évaluations ;
- s'assurer de la pérennité de la démarche : échéancier réaliste (prévoir les hauts et les bas et les phases d'essoufflement que l'on rencontre dans tous ces processus), financement approprié, évaluation périodique de l'état d'avancement de la démarche ;
- se faire assister par une entreprise de consultation, le cas échéant.

Enfin, si nous sommes maintenant en mesure d'identifier les enjeux des réorganisations du travail et les conditions de réussite de ces démarches, il faut avouer, malheureusement, qu'encore ici tout est à faire, que les acteurs du réseau n'ont pas intégré le fait que la révision de l'organisation du travail est une composante essentielle d'une reconfiguration qui correspond aux aspirations des Québécoises et des Québécois à maintenir un système de santé le plus accessible, le plus universel et le plus démocratique possible. La réorganisation du travail est le grand défi des prochaines années.

CONCLUSION

Voilà, tracés à grands traits quelques repères sur une longue route de changements voués à sauvegarder notre système public de santé et à l'adapter à nos besoins futurs. La tâche qui nous attend est considérable, plus importante peut-être que lors de la mise sur pied de l'assurance-maladie dans les années 1970, compte tenu qu'il s'agit cette fois de démarrer un vaste projet social, destiné à stimuler l'ensemble des facteurs déterminants de la santé ou de bien-être tout en modifiant en profondeur l'organisation et les relations du travail dans le réseau.

La perspective est exigeante certes. Mais nous souhaitons que les analyses et orientations de la CSN viennent alimenter les débats des forces progressistes afin qu'elles puissent s'approprier les changements qui s'opèrent actuellement dans le réseau. Dans le quotidien, ces forces auront à faciliter les nouveaux arbitrages pour trouver l'équilibre, à l'échelle régionale et sous-régionale, entre l'équité d'accès aux services et l'atteinte des « résultats » de santé et de bien-être fixés par la *Politique*. De cette manière, la résolution de certains problèmes se fera à travers la discussion, la mise en œuvre et la coordination de stratégies régionales appropriées pour intensifier la lutte contre la pauvreté, l'isolement et l'exclusion, notamment par la sauvegarde et la création d'emplois et d'activités de qualité, dans des milieux sains et sécuritaires, propices au développement du potentiel des individus et des communautés.

Bibliographie

CONFÉDÉRATION DES SYNDICATS NATIONAUX (1997a). « Augmenter les revenus afin de maintenir la qualité et l'accessibilité des services publics et permettre leur transformation », dans *Refaire l'unité sur l'essentiel*, CSN, janvier, 45 pages.

CONFÉDÉRATION DES SYNDICATS NATIONAUX (1997b). *Mieux encadrer les industries et pratiques pharmaceutiques, une nécessité pour réduire les coûts de santé*, CSN, Mémoire, avril, 27 pages.

CONFÉDÉRATION DES SYNDICATS NATIONAUX (1997c). *Les choix gouvernementaux et leurs impacts sur les services publics et l'emploi*, CSN, juin, 113 pages.

CONFÉDÉRATION DES SYNDICATS NATIONAUX (1996). *Mémoire sur l'approche à l'égard de la réserve et du partage d'actes professionnels*, Montréal, CSN, 20 pages.

CONFÉDÉRATION DES SYNDICATS NATIONAUX (1992). *Une démarche syndicale pour prendre les devants dans l'organisation du travail*, Montréal, CSN, 21 pages.

CONSEIL DE LA SANTÉ ET DU BIEN-ÊTRE (1997). *Les rapports public-privé dans les services de santé et les services sociaux*, Version préliminaire non diffusée, 57 pages (à paraître).

CONTANDRIOPOULOS, A.-P. (1994). « Réformer le système de santé : une utopie pour sortir d'un statu quo impossible », *Ruptures*, vol. 1, n° 1, 8 - 26.

DORÉ, Michel et CONFÉDÉRATION DES SYNDICATS NATIONAUX (1995). *Travail en équipe et démocratie au travail*, Montréal, CSN, 122 pages.

DORÉ, Michel, FERLAND, Guy et CONFÉDÉRATION DES SYNDICATS NATIONAUX (1991). *Prendre les devants dans l'organisation du travail*, Montréal, CSN, 75 pages.

DUSSAULT, Gilles (1994). *L'organisation du travail dans le secteur des soins médico-infirmiers au Québec : état de situation*, Document préparé pour le Conseil de la santé et du bien-être du Québec, Montréal, avril, 29 pages.

GOUVERNEMENT DU QUÉBEC. SOMMET SUR L'ÉCONOMIE ET L'EMPLOI (1996). *La santé et les services sociaux. Enjeux et orientations stratégiques d'un système en transformation*, octobre, 46 pages.

JEAN, Thérèse (1995). « Les syndicats CSN et la réorganisation du travail », *Nouvelles CSN*, novembre.

KOCHAN Thomas et Paul OSTERMAN (1995). *The Mutual Gains Enterprise*, Boston, Harvard Business School Press, 260 pages.

MANGA, P. et CAMPBELL, T. (1994). *Health Human Resources Substitution : A Major Area of Reform Towards a More Cost-Effective Health Care System*, Projets de recherche économique des universités d'Ottawa et Queen's.

MINISTÈRE DU TRAVAIL (1996). *Les nouvelles pratiques en milieu de travail au Québec : regard sur des démarches dans le secteur manufacturier*. Québec, Les Publications du Québec, Coll. Études et recherches du ministère du Travail, 23 pages.

MSSS (1997). *Soutien à la transformation du réseau. Évaluation des besoins en lits pour les soins de courte durée physique. Phase II*. Perry, J.-B., n° 35 Collection Études et Analyses, juin.

MSSS (1995). *Le Québec comparé : indicateurs sanitaires, démographiques et socio-économiques*, 288 pages.

MSSS (1992). *La politique de la santé et du bien-être*,192 pages.

PINEAULT *et al.* (1993). *Éléments centraux de la réforme du système de santé au Québec*.

PERRY, J.-B. (1997). *Soutien à la transformation du réseau. Évaluation des besoins en lits pour les soins de courte durée physique.Phase II*, n° 35, MSSS, Collection Études et Analyses, juin.

La révision de l'organisation du travail dans le réseau de la santé et des services sociaux : amorce d'une démarche

Michelle DESFONDS[1]
Conseillère syndicale
Centrale de l'enseignement du Québec et
Fédération du personnel de la santé et des services sociaux

Signé en novembre 1993 dans un contexte économique et politique difficile, l'accord-cadre intervenu entre le gouvernement du Québec et la Centrale de l'enseignement du Québec a ouvert un nouveau champ de négociation : l'organisation du travail.

L'article présente la démarche de révision de l'organisation du travail amorcée par les trois fédérations des syndicats du réseau de la santé et des services sociaux affiliés à la CEQ engageant les parties nationales, les syndicats et les employeurs.

---

1. Pour la rédaction de cet article, l'auteure a travaillé en collaboration avec Robert Beauregard, René Beauséjour, Danielle Casavant, Louise Chabot, Béatrice Chiasson, Pierre Lefebvre, Carole Lejeune, Serge Maltais et André Rodrigue.

Après avoir réalisé le bilan de cette expérience, les trois fédérations, la FPSSS, la FSPPSSSQ et l'UQII identifient les conditions d'exercice d'un processus de réorganisation du travail qui déboucherait sur de nouvelles formes plus démocratiques d'organisation du travail : participation des syndicats à la révision de l'organisation du travail, reconnaissance réelle des syndicats par les employeurs, règles claires, mécanismes de gestion des conflits, transparence de l'information, révision des pratiques syndicales, ouverture à un syndicalisme de proposition, formation des travailleuses et des travailleurs.

INTRODUCTION

La question de l'organisation du travail est au cœur de nos préoccupations depuis quelques années déjà et ce, à plusieurs titres. Abordée d'abord dans le sens d'une participation collective aux ajustements concrets des conventions collectives négociées nationalement et dans celui d'une participation aux orientations des établissements (particulièrement lors de la négociation de 1991-1992), elle a offert en 1993 une façon de reprendre l'offensive dans les relations de travail en ouvrant un nouveau champ de négociation. Comme nous le verrons plus loin, il s'agit d'un chantier dont les discussions et les travaux s'étendront sur plusieurs années.

Par ailleurs, l'organisation du travail s'avère une des questions centrales dans la crise du contrat social que nous connaissons présentement. L'emploi est dans l'œil de la tempête et le travail, remis en question dans ses doubles caractéristiques de source de revenu et de premier lieu d'insertion sociale, subit une métamorphose sans précédent. L'organisation du travail pourrait-elle constituer un levier important pour accroître notre capacité d'influencer les changements futurs ? Et dans le contexte des nombreux « virages » que nous connaissons, quelles conditions devraient présider à la réalisation des travaux dans le réseau québécois de santé et de services sociaux ?

Les trois fédérations[2] de syndicats du réseau de la santé et des services sociaux affiliées à la CEQ comptaient, en 1993, environ 7 000 membres travaillant dans les divers établissements du réseau (hôpitaux, centres de réadaptation, centres d'hébergement et de soins de longue durée, CLSC, etc.) et occupant divers titres d'emplois (éducateurs, professionnels, employés généraux, infirmières et infirmières auxiliaires). Le texte qui suit expose le point de vue de ces fédérations sur l'organisation du travail dans le réseau

2. FPSSS : Fédération du personnel de la santé et des services sociaux ; FSPPSSSQ : Fédération des syndicats de professionnelles et professionnels de la santé et des services sociaux du Québec ;UQII : Union québécoise des infirmières et infirmiers.

de la santé et des services sociaux, tel qu'il s'est développé à partir des expériences passées, dont l'opération « révision de l'organisation du travail » qui s'est tenue de novembre 1993 à août 1995, à la suite de la signature d'un accord-cadre avec le gouvernement.

Ce texte comprend deux sections. Dans la première, nous présenterons les principaux éléments de contexte qui nous ont amenés à signer un accord-cadre avec le gouvernement en novembre 1993 pour réviser l'organisation du travail et nous décrirons les éléments distinctifs de cet accord ainsi que la démarche convenue par les parties négociantes pour réaliser cette révision. Dans la deuxième, nous ferons part du bilan de notre expérience de révision de l'organisation du travail et nous tenterons de dégager les conditions d'exercice d'un processus de réorganisation du travail qui déboucherait sur de nouvelles formes plus démocratiques d'organisation du travail.

L'ACCORD-CADRE DE 1993 : OUVERTURE D'UN NOUVEAU CHAMP DE NÉGOCIATION

Le contexte

C'est en réaction à la prolongation unilatérale des conventions collectives qu'en 1993 la CEQ faisait son entrée sur le terrain proprement dit de l'organisation du travail en signant avec le gouvernement du Québec et les associations patronales concernées un accord-cadre, avec comme principal objectif de laisser ouvert un espace de négociation. Le texte de l'accord reconnaissait « dans le contexte économique et budgétaire actuel, la nécessité d'améliorer l'efficience des secteurs public et parapublic québécois », et affirmait que « l'examen en profondeur de l'organisation du travail, des règles de travail et des services publics permettrait d'identifier des économies et d'améliorer l'efficacité des services à la population ainsi que la qualité de vie au travail des employés[3] ». En concluant cet accord-cadre, la CEQ admettait que les institutions publiques allaient connaître d'importants changements dans les années à venir et que l'organisation du travail constituait un biais par lequel nous pouvions accroître notre capacité d'infléchir cette dynamique (Lefebvre, 1995).

Négocié à partir du printemps 1993 dans un contexte marqué par la *Loi concernant les conditions de travail dans le secteur public et le secteur municipal* (1993, c. 37, projet de loi 102) qui avait prolongé les conventions collectives, gelé les traitements et coupé les salaires de 1 %, cet accord fut

3. Texte de l'accord-cadre de 1993.

signé en novembre 1993. Il ouvrait un champ de négociation, soit celui de l'organisation du travail. Seraient donc négociés des aspects qui jusque-là étaient réservés aux patrons (structure hiérarchique, modes de gestion et de dotation, motivation du personnel, absentéisme, etc.).

La signature de cet accord constituait pour la CEQ une réponse à trois graves problèmes que vivaient ses membres :

1. Une crise de la négociation caractérisée par la difficulté grandissante de convenir avec l'État de conditions de travail négociées, dans un contexte sociopolitique marqué par une crise des finances publiques.
2. L'éclatement du mode de gestion bureaucratique issu du taylorisme et instauré par le gouvernement du Québec au début des années 1960 et 1970, pour assurer une gestion rationnelle du projet de démocratisation de l'éducation et de la santé qui venait de voir le jour.
3. Le souhait exprimé par les membres de *faire autrement* dans les négociations, la négociation nationale traditionnelle se révélant insatisfaisante, lourde, coûteuse, complexe et, pour plusieurs, concentrée entre les mains de l'appareil syndical.

Tous ces éléments convergeaient donc vers une même conclusion : il fallait reprendre l'offensive en négociant des conventions collectives contenant, en plus des conditions de travail habituelles, des mesures touchant entre autres les modes de gestion et l'organisation du travail des membres et ce, en faisant *autrement*.

C'est en ce sens que l'accord-cadre apparaissait intéressant pour les syndiqués CEQ et leurs représentants et représentantes.

Les éléments distinctifs de cet accord-cadre

En plus d'ouvrir un nouveau champ de négociation, cet accord contenait diverses dispositions liées à la négociation des salaires, à la libération des équipes de négociation, à la durée de l'accord, etc. Mais nous ne traiterons ici que des éléments relatifs à la révision de l'organisation du travail.

Il faut rapporter, dans un premier temps, le paragraphe introductif de cet accord qui énonçait :

> La présente entente s'inscrit dans le cadre de nouvelles pratiques en matière de relations du travail et se veut le reflet de l'importance que le gouvernement accorde aux organisations syndicales dans la réalisation de sa mission. En

s'associant avec ses employés dans cette démarche, le gouvernement veut refléter le virage stratégique dans lequel il s'est engagé et reconnaître l'apport de tous à son succès[4].

Cette entrée en matière constituait un pas en avant dans le processus de négociation et fixait, d'entrée de jeu, l'esprit qui devait présider aux échanges à venir.

L'examen en profondeur de l'organisation du travail, des règles du travail et des services publics constituait l'exercice à réaliser dans une perspective propre à chacun des réseaux d'établissements ou d'organismes concernés, selon les modalités convenues par les parties négociantes de chaque réseau (article 2). Une liste non limitative de sujets de discussion faisait aussi partie de l'accord.

La transparence était de rigueur, le gouvernement et les associations patronales s'engageant à fournir à la CEQ toutes les informations accessibles et pertinentes afin d'assurer le bon déroulement des travaux (article 6).

Les conventions collectives continuaient d'être en vigueur jusqu'à l'expiration de l'accord (juin 1996 en cas d'accord sur les politiques salariales à négocier ; sinon, il prenait fin en juin 1995). Mais en tout temps, au cours des négociations, les parties pouvaient s'entendre pour modifier les conventions collectives.

En clair, les acquis étaient protégés, le maintien des conventions collectives constituait un filet de sécurité dans le cas où les discussions n'aboutiraient pas à une solution négociée, et les parties locales et nationales se retrouvaient dans une sorte de laboratoire protégé pour tenter des expériences nouvelles de négociation sur des sujets qu'elles choisiraient d'aborder, dont certains n'avaient jamais pu faire l'objet de discussions auparavant. Il était permis d'innover et de sortir des sentiers battus.

La démarche

L'implication des parties nationales et locales

Dès l'accord signé, les parties négociantes[5] se mirent à l'ouvrage et entreprirent de « déterminer les modalités et identifier les mesures nécessaires

4. *Idem.*
5. Au sens de la *Loi sur le régime de négociation des conventions collectives dans les secteurs public et parapublic* (LRQ, c. R-8.2) : pour la partie syndicale, il s'agissait des trois fédérations FPSSS, FSPPSSSQ, l'UQII réunies en comité de coordination, et pour la partie patronale, du comité patronal de négociation composé de représentants des associations patronales et du ministère de la Santé et des Services sociaux.

permettant de revoir l'organisation du travail et s'il y a lieu, les aménagements nécessaires aux conventions collectives[6] ».

Au printemps 1994, une première entente fut signée par deux fédérations (FPSSS et FSPPSSSQ) et, à l'automne 1994, une autre fut signée par l'UQII. Par ces ententes, les parties convenaient d'une *démarche* de révision de l'organisation du travail engageant à la fois sur le plan local, les syndicats et les directions d'établissements et, sur le plan national, les parties négociantes au sens de la Loi. Les lieux de rencontres des parties, déjà prévus aux conventions collectives existantes soit, sur le plan local, le CLRT (Comité local de relations de travail) et,sur le plan national, le CNRT (Comité national de relations de travail), constituaient les forums de discussions pour lancer les travaux de révision de l'organisation du travail. Les éventuelles modifications aux conventions collectives devaient être réalisées dans le respect de la *Loi sur le régime de négociation des conventions collectives dans les secteurs public et parapublic*. Par cette démarche, les parties nationales établissaient des règles claires de fonctionnement permettant aux employeurs et aux syndicats qui le désiraient de travailler conjointement à résoudre les problèmes qu'ils relevaient. De nouvelles règles du jeu étaient ainsi établies pour laisser aux parties la possibilité d'innover dans les rapports de travail.

Une *démarche proprement syndicale* était aussi instaurée permettant un support et un suivi des dossiers par les fédérations qui, gardant le contrôle sur l'ensemble des dispositions de portée nationale des conventions collectives, devaient approuver toute modification ultérieure, à l'exception des sujets relevant de l'Annexe B de la Loi susceptibles d'arrangement local. Des *sessions de formation* destinées aux représentantes et aux représentants syndicaux siégeant au CRLT étaient organisées. Elles portaient sur la transformation du réseau de la santé et des services sociaux, sur l'accord-cadre, sur la démarche convenue et sur la nouvelle méthode de négociation par résolution de problèmes. Six orientations guidaient les travaux à réaliser : l'amélioration de la qualité de vie au travail, la démocratisation du travail, l'amélioration de la qualité des services, l'amélioration de la gestion de l'emploi, le développement du perfectionnement et l'accès à l'égalité.

La méthode de négociation par résolution de problèmes

La révision de l'organisation du travail telle qu'elle a été mise en œuvre par les ententes impliquait beaucoup de remises en question, notamment au chapitre des mentalités. Une nouvelle dynamique de négociation devenait nécessaire et c'est dans cette perspective que la CEQ et ses affiliés du réseau

6. Article 2, dernier paragraphe de l'accord-cadre.

de la santé et des services sociaux optèrent pour la méthode de négociation par résolution de problèmes qui leur semblait la plus appropriée dans les circonstances[7]. Cette décision, loin de signifier que le moyen prend le dessus sur la fin, traduisait plutôt « un choix politique de faire autrement dans la façon d'aborder et de mener les négociations » (Lefebvre 1995), et plus particulièrement celles portant sur l'organisation du travail.

QUELQUES MOTS SUR LA MÉTHODE

Développée au début des années 1980 par les professeurs Fisher et Ury de la Faculté de droit de l'Université Harvard, cette méthode « gagnant-gagnant » propose sept étapes de discussion permettant aux parties, à partir d'une compréhension commune des problèmes, de cheminer à l'intérieur d'un processus actif de recherches de solutions. Différente d'une négociation sur des positions ou négociation distributive centrée sur ses intérêts propres, cette méthode qualifiée par certains spécialistes de « négociation intégrative » (Bergeron et Bourque, 1994) repose sur l'expression de ses intérêts, en séparant les questions des personnes et de leur différend, et en imaginant des solutions satisfaisantes pour les deux parties à la suite d'un remue-méninges collectif. Après utilisation de critères objectifs communs formulés et acceptés préalablement et après évaluation des hypothèses émises, les parties prennent une décision, planifient l'action, procèdent à son exécution et en évaluent par la suite les résultats (Fisher et Ury, 1982 ; Ury, 1993 ; Bergeron et Bourque, 1994).

Théoriquement, cette méthode inverse le point de départ des discussions : plutôt que d'aborder la négociation par l'expression de leurs solutions respectives aux problèmes (les *demandes syndicales* versus les *offres patronales*), les parties concernées doivent échanger sur le problème pour le cerner dans toutes ses manifestations et exprimer leurs intérêts respectifs afin de trouver ensemble une solution acceptable pour chacune d'elles.

Dans le cadre d'une révision de l'organisation du travail impliquant les parties locales, cette façon de faire nous apparaissait intéressante et même essentielle. Elle permettait de rompre avec les pratiques de la plupart des employeurs qui consistent à entreprendre des discussions avec leurs interlocuteurs syndicaux une fois leur décision prise, ce qui rend évidemment difficile, voire impossible, toute modification à cette « solution » en plus d'engendrer beaucoup d'insatisfaction et de créer un climat d'affrontement.

7. Certains auteurs parlent de négociation « raisonnée ». En raison du jugement négatif implicite que comporte cette appellation par rapport aux méthodes classiques de négociation, nous préférons utiliser la désignation plus descriptive de « négociation par résolution de problèmes ».

Par ailleurs, comme cette approche comportait un certain nombre de nouveautés, il nous semblait nécessaire que toutes les personnes concernées reçoivent chacune, au niveau où elle se situe, une formation appropriée et ce, tant du côté syndical que du côté patronal, voire conjointement.

Soucieuse de s'équiper sur sa propre base, la CEQ se dotait aussi d'un plan de formation interne prévoyant «des activités de formation à l'intention des divers paliers de la structure syndicale : membres, instances fédératives, ressources internes et comités techniques» (Lefebvre, 1995).

Il était en effet essentiel que toutes les personnes syndiquées saisissent à la fois la démarche entreprise par leur fédération et la méthode de négociation utilisée pour qu'elles puissent jouer un rôle actif et responsable dans la révision de l'organisation du travail, selon leur degré d'engagement (membre, délégué syndical, membre de l'exécutif du syndicat, membre de l'instance fédérative, etc.).

LE BILAN

Nous exposerons brièvement ici les résultats de l'expérience que nous avons vécue en suivant deux fils conducteurs qui se sont entremêlés : les formations nécessaires et les travaux réalisés.

Sur le plan national

Dans un premier temps, une session conjointe de formation aux principes de la négociation par résolution de problèmes a eu lieu en décembre 1994. Cette session s'adressait aux équipes patronales et syndicales de négociation ainsi qu'aux personnes responsables sur le plan «politique» au sein des comités patronaux de négociation et aux responsables élus des fédérations syndicales CEQ. Organisée et animée par les professeurs Jean-Guy Bergeron et Reynald Bourque de l'École des relations industrielles de l'Université de Montréal, cette session se révéla positive quant à son rôle, à sa pertinence et à son contenu, en raison notamment du caractère pratique de la démarche.

Lors des rencontres de négociation qui suivirent, les équipes patronales et syndicales s'entendirent, selon la «méthode», pour s'échanger une liste de problèmes à traiter. Puis, elles entreprirent des discussions sur un sujet qu'elles avaient toutes deux retenu, soit l'aménagement du temps de travail. Déjà, des projets pilotes établissant une semaine de quatre jours pour les infirmières avaient été expérimentés pendant un an en 1992-1993 dans deux départements d'hôpitaux où les infirmières étaient représentées par l'UQII.

Le rapport du Comité paritaire mandaté pour en faire l'analyse[8] étant positif, il restait à intégrer ces projets pilotes dans les conventions collectives et à ouvrir les discussions sur d'autres modèles de réduction du temps de travail. Après quelques mois d'échanges, les projets pilotes furent finalement intégrés aux conventions collectives, et il devint possible, aux parties locales intéressées, de les mettre en œuvre dans les établissements. Les discussions entourant la création de nouveaux modèles de réduction du temps de travail achoppèrent, toutefois, sur la question du partage du travail. En effet, le droit de gérance sur la question du comblement (ou plutôt du non-comblement) des « heures de travail laissées disponibles par les personnes salariées qui acceptaient de réduire leur temps de travail » prit soudain aux yeux de la partie patronale une valeur d'autant plus grande qu'il se traduisait potentiellement par des réductions des coûts de main-d'œuvre. Alors que pour la partie syndicale, ces heures réduites volontairement par des salariées et salariés appartenaient à l'ensemble et se devaient d'être comblées par d'autres salariées et salariés précaires.

La négociation nationale des conventions collectives, commencée en août et septembre 1995, mit finalement un terme à l'accord-cadre et aux discussions en cours entre les parties. Cette négociation, plus que jamais traditionnelle, se déroula dans un contexte de reconfiguration du réseau, de restrictions budgétaires et de coupures draconiennes nous obligeant à des négociations d'urgence sur la base de nos positions syndicales, l'objectif étant de préserver les emplois de nos membres. Le résultat des échanges entre les parties nationales sur la réduction du temps de travail fut toutefois intégré aux nouvelles conventions collectives CEQ-SSS sous forme de balises encadrant l'instauration par les parties locales d'une semaine de quatre jours.

Sur le plan local

L'invitation lancée aux parties locales de s'inscrire dans la démarche proposée de révision de l'organisation du travail ne s'accompagnait pas, malheureusement, des moyens et des outils nécessaires pour que les parties locales puissent s'inscrire véritablement dans une approche de négociation par résolution de problèmes.

Et, contrairement aux pratiques qui ont eu cours dans les réseaux de l'éducation (scolaire et collégial) où des sessions conjointes de formation à la méthode de négociation par résolution de problèmes eurent lieu pour les

8. Comité paritaire sur le réaménagement de la semaine de travail. Rapport sur les projets pilotes réalisés dans le cadre de la lettre d'entente n° 8, CPNSSS / UQII / CEQ, mai 1994.

parties locales, avec l'accord du ministère et des fédérations patronales concernées, il n'y eut pas d'entente avec le CPNSSS pour l'organisation de telles sessions sur le plan local. Les représentants du CPNSSS refusèrent d'organiser et de structurer avec la partie syndicale de telles sessions, se limitant à informer les employeurs sur la démarche et sur la méthode de négociation retenues.

C'est sans doute ce qui explique en partie les difficultés qu'ont rencontrées par la suite certains syndicats locaux à travailler avec leurs vis-à-vis patronaux respectifs. Les attitudes des employeurs variaient d'un établissement à un autre. Certains ont carrément refusé de rencontrer les syndicats. Quelques-uns, adeptes de la culture de la «qualité totale», se sont limités à informer les syndicats qu'ils avaient déjà entrepris ou qu'ils entreprendraient des démarches de révision de l'organisation du travail et qu'ils avaient formé ou formeraient, avec des employées et employés, des groupes d'amélioration continue, des cercles de qualité ou autres nouveaux modes d'organisation du travail sur le modèle californien (processus de négociation individuelle de l'implication des travailleurs qualifiés) et ce, sans le syndicat, ce dernier n'ayant pas sa place, selon eux, dans le plan de travail prévu, etc.

D'autres, par contre, ont reconnu le syndicat comme le seul représentant des salariées et salariés habilité à entreprendre avec eux des discussions concernant la révision de l'organisation du travail, et ont accepté de siéger au comité local de relations de travail pour procéder à la révision de l'organisation du travail. C'est ainsi que plusieurs syndicats affiliés à la FPSSS et à la FSPPSSSQ ont pu aborder, avec leurs employeurs, des sujets dont ils n'avaient jamais pu discuter auparavant, tels que les modes de gestion et la structure hiérarchique. Toutefois, ce mouvement fut presque inexistant pour les syndicats d'infirmières où seulement 2 employeurs sur 45 ont accepté de s'inscrire dans la démarche. Est-ce attribuable au rapport de pouvoir et de sexe qu'entretiendraient les directions des hôpitaux avec cet important contingent de femmes? ou à l'aspect plus hiérarchisé et rigide des relations de travail particulières aux hôpitaux? ou aux secousses que subissaient les hôpitaux dans la transformation du réseau? Quoi qu'il en soit, en raison du refus des employeurs, les syndicats d'infirmières n'ont pu expérimenter dans les établissements la démarche convenue sur le plan national.

QUELLES LEÇONS POUVONS-NOUS TIRER DE CETTE COURTE EXPÉRIENCE?

À notre avis, les tentatives de divers employeurs pour changer le modèle de gestion existant sans y associer les syndicats sont vouées à l'échec. En effet, sans participation syndicale, sans branchement sur les relations de travail et sur les conventions collectives, la révision de l'organisation du travail ne peut se dérouler que dans la confusion, engendrer tensions et frustrations et être incomplète. Des règles du jeu claires, bien définies, connues et qui suscitent l'adhésion de toutes les parties concernées, employeur, syndicat, personnes salariées, sont nécessaires pour assurer le bon fonctionnement du processus. Les rôles et les responsabilités de chacun doivent être précisés avec soin. En outre, des mécanismes de gestion des conflits doivent être prévus, car les parties continuent d'avoir des intérêts opposés. Et bien que la révision proprement dite de l'organisation du travail relève du domaine local, puisqu'elle renvoie à la démocratisation des lieux de travail, nous demeurons convaincus qu'il faut définir, sur le plan national, les règles qui présideront au processus de révision sur le plan local. En effet, l'élaboration d'un modèle de production différent du taylorisme ou du modèle californien exige plus que l'implantation de projets pilotes balisés de critères nationaux sans toutefois les exclure. Elle requiert un cadre formel qui préserve les changements à intervenir et intervenus, assure les modalités de renouvellement et favorise le règlement des litiges éventuels tout en rassurant l'ensemble des intervenants (parties nationales, syndicats, employeurs, personnes salariées) sur la place et le rôle qu'ils occupent dans ce processus. Mais chose certaine, les syndicats doivent relever le défi, refuser que les changements se fassent sans eux et prendre leur place dans la démarche.

Quant à la méthode de négociation raisonnée, bien que nous n'ayons pu en expérimenter toutes les étapes faute de temps, nous en tirons un bilan positif. Le climat de discussion à la table nationale, discussion rendue possible par le recours à cette méthode, facilita les échanges et l'expression des intérêts des parties en présence. En outre, bien qu'elle recèle, selon nous, certaines limites, notamment dans les situations où des montants importants d'argent sont en jeu, nous croyons que cette méthode se prête bien à un processus de révision de l'organisation du travail.

Sur le plan local, dans les établissements où les représentantes ou représentants patronaux ont accepté d'entamer les discussions avec les syndicats, les conclusions sont aussi positives, les représentantes et représentants syndicaux appréciant l'ouverture manifestée par leurs vis-à-vis utilisant cette méthode.

Mais, pour reprendre les termes des conclusions préliminaires des recherches des professeurs Bourque et Bergeron sur l'amélioration des relations patronales et syndicales constatée par les utilisateurs de cette méthode (Bergeron et Bourque, 1995), l'administration de l'entreprise doit refuser de « croire en l'illusion qu'une participation des employées et employés aux prises de décisions de l'entreprise et la présence de meilleures méthodes de résolution de conflits rendront le syndicat inutile ».

D'autres conclusions s'imposent : il est nécessaire aussi que le syndicat, tout en poursuivant sa mission de défense des intérêts de ses membres, s'ouvre à un syndicalisme de proposition reposant sur sa capacité d'influencer l'organisation du travail, par le rapport de force qu'il peut instaurer. Les pratiques syndicales doivent aussi être revues. Si certaines doivent être maintenues, telles l'information aux membres et l'obtention de mandats clairs, de nouveaux comportements doivent aussi apparaître. Ainsi, les exécutifs syndicaux et les fédérations doivent reconnaître que l'expertise du travail appartient aux membres et qu'ils ne peuvent que les guider dans la démarche entreprise. De même, les membres ont à se responsabiliser et ne doivent pas laisser à l'exécutif le soin de tout régler et de tout gérer. La démocratie syndicale devra se redéfinir à la lumière des nouveaux besoins qui se feront jour.

Nous ne saurions terminer ce bilan sans jeter un bref regard sur la contrepartie patronale de la démarche que nous avons entreprise. Bien que l'État-employeur se soit commis en signant l'accord-cadre et les ententes qui en ont découlé, nous avons pu constater les contradictions et les résistances importantes qui l'habitaient au regard de la réorganisation du travail. Il serait sûrement fort intéressant d'approfondir, entre autres, la question du rejet de certaines directions d'établissements d'entrer dans la nouvelle forme proposée de rapport de travail. Mais ce serait là l'objet d'une autre étude, le présent texte se limitant à la présentation, du point de vue syndical, de l'expérience vécue.

CONCLUSION

La démarche amorcée par la signature d'un accord-cadre, en novembre 1993, a constitué une première expérience qui est à poursuivre, à certaines conditions. Plusieurs gestionnaires du réseau disposent présentement d'un vocabulaire et d'un discours participatif et reconnaissent théoriquement l'apport des salariées et salariés à l'accomplissement de leur mission. Toutefois, il y a loin de la coupe aux lèvres. Cette reconnaissance devra se traduire à l'avenir dans des gestes concrets ; sur le plan local, par la signature par les employeurs d'ententes de révision de l'organisation du travail avec les syndicats, par la formation conjointe à la méthode de négociation par résolution de problèmes et par la formation continue des salariées et salariés ; sur le plan national, par l'engagement réel et ferme des parties nationales pour dynamiser le processus, pour dégager des balises dans certains dossiers, pour développer les outils nécessaires au palier local pour effectuer la révision et, enfin, pour mettre en place des conditions favorables à l'implantation de nouveaux modèles d'organisation du travail.

Le réseau de la santé et des services sociaux a entrepris des transformations d'envergure. L'orientation que nous avions retenue en nous engageant dans une démarche nationale et locale de révision de l'organisation du travail à tous les salariés que nous représentons d'être associés à ces transformations et non d'en être les victimes. Les salariées et salariés ne sont pas responsables des graves problèmes posés au réseau et ne doivent pas, seuls, en faire les frais dans le contexte des coupures annoncées.

Les réformes en cours doivent servir les intérêts de la population et être introduites dans le respect de la contribution essentielle des membres que nous représentons. C'est dans cette double perspective que nous nous étions engagés dans une négociation ayant pour thème l'organisation du travail et que nous sommes prêts à expérimenter des approches différentes en négociation (Lefebvre, 1995).

Bibliographie

BÉLANGER, Paul R. (1994). « Après le taylorisme », *Options CEQ*, hiver, 23-26.

BÉLANGER, Paul R. (1991) « La gestion des ressources humaines dans les établissements de santé et de services sociaux : une impasse », *Nouvelles pratiques sociales*, vol. 4, nº 1, printemps, 132-140.

BÉLANGER, Paul R. et Benoît LÉVESQUE(1994). « La modernisation sociale des entreprises : diversité des configurations et modèle québécois », dans BÉLANGER, Paul R., GRANT, Michel et Benoît LÉVESQUE, *La modernisation sociale des entreprises*, Montréal, PUM, 17-52.

BÉLANGER, Paul R. et Benoît LÉVESQUE (1990). « Le système de santé et de services sociaux au Québec : crise des relations de travail et du mode de consommation », *Sociologie du travail*, nº 2, 231-244.

BÉLANGER, Jean-Pierre (1992). « De la Commission Castonguay à la Commission Rochon... Vingt ans d'histoire de l'évolution des services de santé et des services sociaux au Québec », *Service social*, vol. 41, nº 2.

BERGERON, Jean-Guy et Raynald BOURQUE (1996). « L'impact de la formation sur les pratiques de la négociation raisonnée », *Innover pour gérer les conflits*, Sainte-Foy, PUL, 83-104.

BERGERON, Jean-Guy et Raynald BOURQUE (1994). *Séminaire sur la négociation raisonnée*, École des relations industrielles, Université de Montréal.

BOUCHER, Jacques (1992). « Les syndicats : de la lutte pour la reconnaissance à la concertation conflictuelle », dans DAIGLE, Gérard et Guy ROCHER (sous la direction de), *Le Québec en jeu, comprendre les grands défis*, Montréal, PUM, 107-136.

COMMISSION DE COORDINATION DE LA NÉGOCIATION DANS LE SECTEUR DE LA SANTÉ ET DES SERVICES SOCIAUX (CEQ) [1996]. *Bilan de l'approche de négociation par résolution de problèmes*, A9596-CCNSSS-042, janvier, texte polycopié.

COMMISSION DE COORDINATION DE LA NÉGOCIATION DANS LE SECTEUR DE LA SANTÉ ET DES SERVICES SOCIAUX (CEQ) [1995]. *Les discussions au niveau local, le point*, A9495-CCNSSS-045, texte polycopié.

COMMISSION DE COORDINATION DE LA NÉGOCIATION DANS LE SECTEUR DE LA SANTÉ ET DES SERVICES SOCIAUX (CEQ) [1994a]. *Négocier l'organisation du travail, Proposition d'une démarche*, A9394, CCNSSS-034, février, texte polycopié, 25 pages.

COMMISSION DE COORDINATION DE LA NÉGOCIATION DANS LE SECTEUR DE LA SANTÉ ET DES SERVICES SOCIAUX (CEQ) [1994b]. *Démarche de révision de l'organisation du travail : partage des responsabilités et contrôle syndical*, septembre, texte polycopié.

DE SÈVE, Nicole (1994). « Santé et services sociaux. « Prendre en main l'organisation du travail », *Options CEQ*, hiver, 81-87.

DODDRIDGE, Bernard (1994). « Une nouvelle façon de faire en négociation », *Options CEQ*, hiver, 119-125.

DUBÉ, Jean-Louis et Pierre GINGRAS (1991). « Histoire et problématique du régime de négociation collective dans le secteur de la santé et des services sociaux », *Revue de droit de l'Université de Sherbrooke*, 519-565.

FISHER, Roger et William URY (1982). *Comment réussir une négociation*, Paris, Seuil.

HÉBERT, Gérard (1992). « La négociation collective : bilan », dans DAIGLE, Gérard et Guy ROCHER (sous la direction de), *Le Québec en jeu, comprendre les grands défis*, Montréal, PUM, 137-159.

JETTÉ, Christian (1997). « *Analyse des positions de la Fédération des affaires sociales en rapport avec les nouvelles formes d'organisation du travail* » (1970-1994), Montréal, LAREPPS, UQAM.

LAMOUREUX, Henri (1993a). « Réorganisation du travail et renouveau syndical », *Options CEQ*, automne, 31-37.

LAMOUREUX, Henri (1993b). « Une nouvelle utopie pour la gauche ? Entrevue réalisée avec Jacques Robin », *Options CEQ*, automne, 39-43.

LAPOINTE, Paul-André (1992). *Cercles de qualité, ISO 9001-2-3, Qualité totale, « réingénérie » et... quoi encore ?,* Conférence présentée au 50e Congrès des Relations industrielles, Université Laval, 1er et 2 mai.

LAPOINTE, Paul-André et Renaud PAQUET (1994). « Les syndicats et les nouvelles formes d'organisation du travail », *Relations industrielles*, vol. 49, no 2, 281-302.

LEFEBVRE, Pierre (1995). *Commentaires sur « les nouvelles approches de la négociation collective dans les secteurs public et parapublic : négocier de façon raisonnable ou négocier l'inévitable » ?,* émis dans le cadre du Congrès 1995 de l'Ordre professionnel des conseillers en relations industrielles de Québec.

PAGÉ, Lorraine (1994). « Donnons-nous les moyens de faire autrement », *Options CEQ*, hiver, 9-15.

PAYEUR, Christian (1994). « Pourquoi prendre l'initiative sur l'organisation du travail », *Options CEQ*, hiver, 17-22.

PAYEUR, Christian (1993). « L'organisation du travail : un défi incontournable », *Options CEQ*, automne, 11-29.

UNION QUÉBÉCOISE DES INFIRMIÈRES ET INFIRMIERS (CEQ), FÉDÉRATION DU PERSONNEL DE LA SANTÉ ET DES SERVICES SOCIAUX (CEQ) [1992]. *Rapport du comité de réflexion sur l'organisation du travail*, décembre, 74 pages.

URY, William (1993). *Comment négocier avec les gens difficiles ?,* Paris, Seuil.

❖ L'évolution des positions de la Fédération des affaires sociales par rapport aux nouvelles formes d'organisation du travail de 1970 à 1994

Christian JETTÉ
Laboratoire de recherche sur les pratiques et les politiques sociales
Université du Québec à Montréal

Jacques BOUCHER
Département de travail social
Université du Québec à Hull

Le secteur de la santé et des services sociaux a été le théâtre de nombreux conflits opposant patrons et syndicats au cours des 30 dernières années. Ces désaccords s'inscrivent historiquement dans le cadre plus général d'une crise du travail qui prend racine dans la résistance des travailleurs aux prescriptions d'inspiration tayloriste appliquées aux modes de production des services de santé et des services sociaux au Québec (Bélanger et Lévesque, 1990).

Cette crise reliée aux modes d'organisation du travail a pour cadre l'arrangement fordiste dans les rapports de travail et le providentialisme sur le plan de la consommation des services. Le compromis fordiste avait pour avantage de protéger les emplois et de favoriser l'intégration économique des travailleurs en leur permettant de participer à la société de consommation. En revanche, il les excluait des mécanismes décisionnels concernant l'organisation du travail et la finalité de la production. Le providentialisme, quant à lui, avait pour caractéristique de donner un accès universel et gratuit aux services de santé et d'éducation à la population alors que les usagers avaient bien peu à dire sur la gestion et l'organisation de ces mêmes services.

Cette crise a d'abord frappé les travailleurs du secteur privé au cours des années 1970. Dans le secteur public, c'est au début des années 1980 que cette crise prendra de l'ampleur et qu'on commencera à chercher des moyens de la résoudre. Ce retard tient, d'une part, à la rigidité de l'employeur concernant l'exclusivité des droits de gérance (Bélanger, 1991) et, d'autre part, aux stratégies mises de l'avant par plusieurs syndicats du secteur public qui ont centré leurs actions sur les revendications économiques et sur la lutte politique radicale en dehors des lieux de travail (Boucher et Jetté, 1996a, 1996b). Ce choix stratégique aura certes été progressiste sur le plan social au cours des années 1970, mais il a laissé du même coup aux administrateurs l'entière responsabilité de la gestion des services et de l'organisation du travail.

La Fédération des affaires sociales (FAS[1]) est un bel exemple d'une organisation syndicale qui a inscrit ses revendications dans la mouvance du compromis fordiste. Elle a amplement profité, au début des années 1970, de la mise en place d'un dispositif providentialiste dans le secteur de la santé et des services sociaux en devenant la principale composante de la CSN au regard du membership et de l'influence politique (Jetté, 1996).

Nous allons donc, dans cet article, brosser un tableau des transformations des positions de la Fédération des affaires sociales par rapport à la crise du travail – crise du travail qui est en même temps crise des modes de production d'inspiration tayloriste – et à l'émergence de nouvelles formes organisationnelles dans le procès de travail dans le secteur de la santé et des services sociaux de 1970 à 1994[2].

1. Avec ses quelque 700 syndicats locaux répartis à travers le Québec, qui regroupent près de 100 000 travailleurs issus du secteur de la santé et des services sociaux, principalement du réseau public (FAS, 1992 : 1), la FAS constitue la plus importante des neuf fédérations de la Confédération des syndicats nationaux (CSN).

2. Cet article s'appuie en partie sur le mémoire de maîtrise de Christian Jetté portant sur les transformations des positions de la FAS par rapport aux nouvelles formes d'organisation du travail

LES ANNÉES 1970 : LE SYNDICALISME DE COMBAT

Durant les années 1970, la FAS a suivi de près les grandes orientations prises par la CSN (Jetté, 1996). Elle endosse le projet politique de société socialiste même si cette position recueille finalement un appui plus symbolique que réel de la majorité des membres, compte tenu des préoccupations quotidiennes beaucoup plus terre à terre auxquelles doivent répondre, en priorité, les syndicats locaux (Grant, 1990 : 320-321). Suivant les orientations du « syndicalisme de combat » (Piotte, 1977), on investit néanmoins le terrain politique, mais on délaisse assez vite les revendications touchant l'organisation et la gestion des établissements de santé et de services sociaux, stratégie pourtant formulée en 1972 au moment de l'application de la Réforme Castonguay-Nepveu (Jetté, 1996).

Face au pouvoir exclusif de l'employeur en matière de droits de gérance, la FAS va prêcher en faveur d'un engagement plus grand des syndiqués dans l'action politique. Outre par les grands rassemblements intersyndicaux du secteur public, cet engagement va principalement se faire par l'entremise des conseils centraux (Boucher et Jetté, 1996a ; 1996b). Ce type de stratégie a pour principale caractéristique de se déployer à l'extérieur des lieux de travail et vise à agir sur les structures macro-économiques par le regroupement, dans une instance régionale, de syndicats en provenance du secteur privé et public (Boucher et Jetté, 1996b). Or, on sait maintenant que les organisations politiques de gauche, qui foisonnaient au Québec durant cette période, ont exercé une influence non négligeable sur certains militants et syndicats du secteur public (Boucher et Jetté, 1994 : 8-9). Ainsi, par leur position et leur discours radical, ces organisations ont contribué à antagoniser davantage les rapports de travail entre l'État et ses travailleurs dans le secteur de la santé et des services sociaux et perpétué un militantisme syndical qui accorde peu d'ouverture à la négociation de nouveaux compromis, y compris sur la question de l'organisation du travail[3].

(JETTÉ, 1996), mais aussi sur un certain nombre d'entrevues réalisées dans le cadre d'un projet de recherche intitulé : « 30 ans de développement des pratiques en travail social au Québec (1960-1990) ». Ce projet fut réalisé grâce à l'attribution de ressources financières en provenance du Conseil de la recherche en sciences humaines du Canada (CRSHC) et du Fonds de développement académique du réseau de l'Université du Québec (FODAR).

3. Dans un document portant sur ce type de militantisme au Québec, Jean-Marc Piotte démontre bien les liens qui unissent le militant syndical et le militant politique : « il [le syndicalisme de combat] sait bien que la lutte syndicale, seule, ne peut pas renverser la bourgeoisie. » Il travaillera donc à ce que « [...] les travailleurs prennent conscience de l'exploitation et œuvrera, par ses actions et son travail éducatif, à la naissance d'un parti ouvrier qui lui, cherchera à abattre le capitalisme » (PIOTTE, 1977 : 36).

Le deuxième volet de cette stratégie visait à investir les conseils d'administration des établissements publics du réseau de la santé et des services sociaux et ainsi tenter d'intervenir sur les lieux mêmes du procès de travail (Gagnon, 1991). Or, les événements démontrent que progressivement, au cours de cette période, la FAS en est venue à laisser tomber cette implication institutionnelle pour ne retenir que celle de l'action politique dans un contexte de relations de travail marqué par l'affrontement avec l'employeur (Jetté, 1996). Malgré un vote majoritaire des délégués sur cette question au Congrès, en 1977, ce débat fait apparaître des tensions importantes entre certaines fractions de militants au sein de la Fédération.

Par ailleurs, les positions radicales adoptées par les centrales syndicales québécoises au cours des années 1970 (CSN, CEQ et FTQ), notamment lors du premier Front commun en 1972, ainsi que l'arrivée massive de travailleurs du secteur public, auront pour effet de provoquer des dissensions importantes au sein de la CSN qui perdra près de 100 000 membres de 1972 à 1974 (Boucher, 1992 ; Grant, 1990 ; Favreau et L'Heureux, 1984). Ébranlée par cette crise, même si le mouvement de désaffiliation affecte peu ses effectifs, la FAS se réfugie pendant quelques années (1973-1975) dans un syndicalisme porté presque exclusivement sur la défense de ses membres, délaissant ainsi peu à peu son rôle d'acteur de changement social (Jetté, 1996). Au congrès de 1974, l'exécutif de la FAS invite ainsi ses membres à mettre de côté les renvendications liées à l'amélioration des conditions de vie de la population pour se concentrer sur le relèvement des salaires des plus bas salariés de la FAS :

> Que l'on prenne le cas des vieillards, des assistés sociaux, le problème des enfants retardés et combien d'autres. De par notre engagement, nous sommes en mesure, chaque jour, d'être au fait de ces situations. Notre réflexe en est un de rage et de révolte. Ces causes sont bonnes mais sommes-nous en mesure de porter seuls ce fardeau ? Avons-nous les mesures nécessaires pour défendre et mener à bien de telles causes ? Aussi, prioritairement, tenant compte de nos ressources et de notre mandat, ne devrions-nous pas nous acharner à régler d'abord le sort et les conditions de vie de milliers de travailleurs de la FAS qui ne gagnent même pas 85 $ par semaine, déductions faites (FAS, 1974 : 17).

Pendant le reste de la décennie, la FAS adoptera des stratégies plus radicales (Jetté, 1996). Or, à cause de ce radicalisme, les positions de la FAS tout comme de la CSN (Boucher, 1994 ; Boucher et Favreau, 1994) ne sont pas exemptes de contradictions. Car, si au plan du discours, on affirme vouloir contraindre la partie patronale à céder du terrain sur la question du droit de gérance, dans la pratique, le style même de militantisme pratiqué par la FAS rend impossible l'atteinte de cet objectif. Pourtant, ces pratiques vont se cristalliser au cours des années 1980 et devenir une caractéristique prégnante de l'action syndicale de la FAS (Jetté, 1996).

LES ANNÉES 1980: LA DÉFENSE DES ACQUIS

Les années 1980 ont représenté des années difficiles pour la FAS à plusieurs points de vue. Les actions menées par le gouvernement pour réduire son déficit et rationaliser les services étaient en totale contradiction avec le modèle de développement fordiste défendu par la FAS qui voyait, dans la consommation croissante des services publics, le seul moyen d'assurer le bien-être et la santé de la population (Boucher et Jetté, 1996b). Les décrets imposés aux syndicats par le gouvernement vont ébranler les syndicats qui voudront, par la suite, rétablir leur crédibilité auprès de l'opinion publique afin d'instaurer un nouveau rapport de force et de regagner le droit à une convention négociée (Dionne, 1991 ; Rouillard, 1989).

Face à la crise du travail, la FAS a du mal à se défaire de sa vision structuraliste des rapports sociaux qui apparaissent figés dans une relation uniquement de domination où les acteurs sont dépossédés de leur potentiel d'action. Elle perçoit l'État comme une entité homogène qui s'est alliée au patronat pour exploiter les classes populaires. D'ailleurs, malgré tous ses efforts, la FAS n'arrivera pas à regrouper de nouveau les travailleurs des secteurs public et privé dans une action commune, mobilisation qui avait représenté un élément central de la stratégie syndicale dans la première moitié des années 1970. Elle imputera cet échec aux manipulations gouvernementales, tout comme l'écart qui s'est creusé au cours des années 1980 entre les orientations syndicales du secteur privé et celles du secteur public (Jetté, 1996). Pourtant, des considérations objectives permettaient déjà de constater à l'époque les causes profondes de la crise qui frappait le monde du travail et le système sociosanitaire québécois : baisse des gains de productivité, épuisement des modes de production traditionnels, montée des nouveaux mouvements sociaux, etc.

En ce qui concerne l'organisation du travail, la FAS et la CSN ont adopté des positions divergentes au cours de cette période. Alors qu'à la CSN, sous l'impulsion du secteur privé, on prenait les devants sur cette question (Boucher, 1994), à la FAS, échaudés par des expériences plus ou moins concluantes, on craignait de voir la CSN, tout comme l'ensemble du mouvement syndical d'ailleurs, se faire récupérer par le patronat (Loumède, 1994 : 20). Dans ce contexte, il n'est pas étonnant que la FAS ait refusé de s'engager dans des expériences de cet ordre et qu'elle ait été en désaccord avec la CSN sur cette question. Pourtant, les événements l'ont amenée graduellement à nuancer sa position, ou du moins à amorcer une réflexion sur l'organisation du travail, d'autant plus que des demandes en ce sens arrivaient en provenance des syndicats locaux (Jetté, 1994). Finalement, il semble que la FAS n'a pas eu d'autres choix que de s'interroger à ce sujet, même si elle ne s'est jamais positionnée formellement en faveur d'une révision des pratiques en milieu de travail (Jetté, 1996).

En outre, il semble que ce ne soit pas uniquement sur la question de l'organisation du travail que les militants de la CSN et de la FAS n'aient pas été au même diapason. Les approches adoptées au regard des négociations dans le secteur public ont également été un sujet important de discorde entre les deux organisations alors que chacune des organisations cherchait à se repositionner et à trouver des solutions à la crise du travail et du syndicalisme (Loumède, 1994).

Mais ce qu'il faut surtout retenir, c'est la poursuite par la FAS, tout au long des années 1980, d'une stratégie d'affrontement basée sur un syndicalisme défensif et qui s'est employé à protéger les acquis du compromis fordiste. Cette attitude avait également pour effet de remettre à l'employeur l'entière responsabilité de trouver des solutions à la crise du travail. Et même s'il y a eu des appels au changement pour dépasser la simple protection des droits acquis, il semble qu'au bout du compte, la très grande majorité des syndiqués s'en soient tenus à des revendications traditionnelles portant sur les salaires et la sécurité d'emploi (Jetté, 1996).

Avancées et reculs caractérisent ainsi les positions de la FAS au cours de cette période. Si, à certains moments, on semble vouloir remettre en question certaines orientations syndicales, à d'autres, on préfère s'en remettre aux règles de la doctrine marxiste et revenir aux pratiques du « syndicalisme de combat » (Jetté, 1996). Si ces contradictions et ces volte-face sont l'indice de tiraillements et d'hésitations de la part de la Fédération, elles sont néanmoins précurseurs des changements qui se profilent à l'horizon des années 1990.

LES ANNÉES 1990 : RUPTURES ET CONTINUITÉS

Amorcée au cours des années 1980, la crise que vit le mouvement syndical dans le secteur de la santé et des services sociaux prend de l'ampleur au début des années 1990. Le congrès de 1990 marque ainsi un changement de discours de la part de la Fédération qui va chercher des solutions de rechange et même remettre en question certains principes du syndicalisme propre à la période fordiste comme la négociation centralisée. Or, ce vent de changement est loin de souffler sur l'ensemble de l'organisation. Certains sont inquiets, au sein de la FAS, de la récupération qui pourrait être faite par l'employeur de la décentralisation des négociations, mais aussi de la régionalisation des services telle qu'elle est proposée par le gouvernement. Au congrès de 1991, un nouvel exécutif est élu qui fait marche arrière pour revenir aux positions défendues depuis des années par la Fédération, c'est-à-dire un régime de négociations centralisées, la prise en charge de tous les besoins de santé et de bien-être de la population par le secteur public, etc. (Jetté, 1996).

Or, la lourdeur et la complexité de ce régime de négociation font en sorte que, non seulement il ne permet plus de réaliser des gains substantiels pour les syndiqués, mais au surplus, il monopolise la majeure partie des ressources de la Fédération. Ainsi, le maintien de ce régime a eu pour effet de subordonner les autres dimensions de l'action syndicale au processus de négociation. Concrètement, cela a signifié le renvoi aux calendes grecques de la mise en application de la politique de la santé et des services sociaux (PSSS) telle qu'elle avait été adoptée par la CSN et la FAS en 1987.

Cependant, la conjoncture va forcer la FAS à s'adapter et on relève les premiers signes d'un certain assouplissement, notamment au chapitre des relations de travail. On fait des efforts également en vue de syndiquer les travailleurs qui œuvrent dans le secteur privé (Jetté, 1996). Ainsi, l'émergence de nouvelles dynamiques tant au sein du rapport salarial que du rapport de consommation tend à imposer une révision des pratiques syndicales et l'instauration de nouveaux rapports de travail qui, sans être complètement dénués d'antagonisme, permettent tout de même l'établissement d'un certain degré de concertation indispensable à l'amorce d'un processus de réorganisation du travail.

Malgré un changement notable du discours de la FAS concernant les mécanismes de négociations et l'organisation du travail lors du congrès de 1990, les transformations des positions de la FAS au début des années 1990 (congrès de 1990 et de 1991) ont cependant été insuffisantes pour enclencher un processus de révision des modes d'organisation du travail. Plusieurs militants de la FAS associaient encore la concertation avec un recul des idéaux propres au mouvement syndical. Rupture et continuité caractérisent donc les positions de la FAS au cours de cette courte période (Jetté, 1996). Néanmoins, les positions du syndicat progressent lentement pour finalement en arriver, au congrès de 1992, à l'annonce de propositions concrètes sur l'organisation du travail.

Ce congrès constitue d'ailleurs un événement important en ce qui a trait à la question de l'organisation du travail dans le secteur de la santé et des services sociaux. En effet, c'est au cours de cette réunion de travail que les militants ont adopté une entente type concernant le processus de révision conjointe de l'organisation du travail et qu'ont été mises de l'avant des revendications en matière de réorganisation du travail. Malgré tout, des positions défensives continuent de cohabiter avec des propositions plus audacieuses au sein de la Fédération concernant le renouvellement des modes d'organisation de la production des services (Jetté, 1996).

La persistance de ces ambiguïtés ne peut être dissociée du fait qu'on a de la difficulté à prendre acte de la crise du fordisme et des conséquences qui en découlent. Ainsi, malgré un discours favorisant la réorganisation du travail, on semble attacher peu d'importance aux causes de la crise du travail et à ses répercussions sur l'application des conventions collectives, sur les relations de travail et sur les mécanismes de négociation.

Par ailleurs, la Fédération doit faire face au scepticisme grandissant de ses membres concernant sa capacité de négocier un contrat de travail et d'assurer la protection des emplois. Pour remédier à cette crise et parer aux nombreuses lois spéciales décrétées par le gouvernement (Loi 102, Loi 198), la FAS adoptera une plate-forme de revendication dont le principal élément sera le plancher d'emploi régional (Jetté, 1996). Or, même si une entente a finalement été conclue entre le syndicat et le gouvernement sur cette question, les nombreuses réformes apportées au réseau au cours des dernières années ont mis à rude épreuve la confiance du personnel envers, non seulement le gouvernement, mais aussi envers leur propre fédération. Il semble que les syndiqués « s'attendaient à peut-être plus de leur organisation syndicale » dans les circonstances (Roy, 1996 : 12).

Du côté de l'organisation des services, on en vient à la conclusion qu'il serait difficile de défendre le statu quo, mais on n'élabore pas vraiment de propositions de rechange. Ces propositions auraient pu émerger d'une meilleure appropriation par les militants et les membres de la fameuse politique syndicale de la santé et des services sociaux (PSSS). Mais encore une fois, le processus de négociation est venu drainer les forces vives de l'action syndicale et les militants responsables de faire connaître cette politique n'ont pu que constater, lors du congrès de 1994, le peu d'intérêt de l'exécutif et des membres pour cette question (Jetté, 1996).

Ainsi, malgré les transformations des positions de la FAS sur l'organisation du travail, cette évolution semble se faire davantage sous la pression de circonstances environnantes plutôt que par une volonté nette de l'exécutif de renouveler à la fois les pratiques de travail et les pratiques syndicales. On peut penser également que face aux prises de position de la CSN en matière d'organisation du travail et à certaines expérimentations locales dont l'initiative revient à ses propres syndicats, il était difficile pour la FAS de demeurer silencieuse sur cette question. Le retour à des revendications axées presque exclusivement sur la protection de l'emploi au congrès de 1994 tend ainsi à démontrer que les engagements de la FAS concernant la réorganisation du travail sont toujours soumis aux aléas de la conjoncture bien que l'on puisse conclure à un changement de position bien réel.

DE LA DIFFICULTÉ DE PASSER À L'OFFENSIVE...

Si au cours des années 1970 et 1980, le projet de révision des modes d'organisation du travail ne recueillait l'appui que d'un nombre restreint de responsables syndicaux à la FAS, ce sera différent au cours des années 1990 alors que les travailleurs du réseau vont faire preuve de plus d'ouverture étant donné la crise qui frappe le monde du travail et le système sociosanitaire. Cette ouverture se manifeste de diverses façons : initiatives locales de réorganisation du travail, participation plus soutenue des travailleurs aux conseils d'administration d'établissement, volonté d'être intégré à des équipes de travail autonomes ou semi-autonomes, etc. Or, ce processus ne pourra être achevé sans une responsabilisation accrue des travailleurs à l'égard de la production qui, elle-même, commande une transformation des mentalités. « Cette révolution culturelle syndicale n'est pas faite et ne peut se faire d'un coup, à travers un congrès qui le déciderait. Elle se fera progressivement dans la pratique. » (Aglietta, 1987 : 183) On comprend donc, ici, que le congrès de 1992, s'il marque une percée intéressante du point de vue de la transformation des positions de la FAS, ne peut se substituer aux forces évolutives de la réalité quotidienne du travail. Évidemment, ce processus peut être long, surtout s'il est appuyé mollement par les plus hautes instances syndicales.

Ainsi, l'échec de la FAS à mobiliser ses membres et à agir efficacement sur toute la question de l'organisation du travail, c'est aussi l'échec du syndicalisme d'affrontement en tant que stratégie unique pour influer de manière significative sur les rapports de travail dans un contexte de profonde mutation sociale. C'est aussi l'échec de l'acteur syndical prêt à repenser le social, à s'insérer dans un projet de société autre que celui s'appuyant sur les modes de régulation étatique tels qu'on les a connus au Québec depuis les années 1960. Le mouvement syndical doit donc repenser l'État-providence à l'aune d'« une redéfinition d'ensemble des valeurs et des méthodes du progrès social » (Rosanvallon, 1995 : 221).

On peut penser que le renouvellement de la pensée et de la pratique syndicale souffre également d'un manque de relève du côté du membership du fait des mises à pied qui affectent les plus jeunes (Gagnon, 1994 : 88) ainsi que du moratoire plus ou moins en vigueur dans le réseau public concernant le recrutement de nouvelles ressources humaines. La génération des 18-35 ans aurait une approche plus pragmatique que ses aînés sur la question des relations de travail, « les jeunes ne (voyant) pas nécessairement l'antagonisme entre patrons et employés » (Lachance, 1996 : 14). Car, si à la FAS, on déplore le profil de formation des administrateurs actuels qui accorde peu d'intérêt aux notions de gestion participative et coopérative (Roy, 1996), on est en droit de s'interroger également sur l'impact d'un type de militantisme pratiqué par toute une génération de militants fortement influencés par les idées gauchistes des années 1970 (Boucher et Jetté, 1994) et qui occupent encore, pour la plupart, des postes clés au sein des organisations syndicales. Le choc culturel qui résulte de la rencontre de ces deux projets politiques, diamétralement opposés, ne peut que favoriser la rigidité des rapports de travail dans le secteur public.

Enfin, il faut souligner l'incidence non négligeable de la composition même du membership de la Fédération sur la transformation de ses positions par rapport au procès de travail. Près de 50 % des postes détenus par les syndiqués de la Fédération se retrouvent en milieu hospitalier (MSSS, 1989 : 235). Or, les hôpitaux représentent un type d'établissement dans lequel il est particulièrement difficile d'entamer un processus de révision des modèles d'organisation du travail étant donné la multiplicité des allégeances syndicales, la divergence des intérêts syndicaux et corporatistes et la mainmise des autorités médicales sur tout le processus d'intervention auprès de la clientèle. Conjugué au fait que la grande majorité des membres de la FAS (81 %) sont répartis dans des catégories d'emploi non professionnels (MSSS, 1989 : 201), donc dans des champs d'activité où historiquement les travailleurs ont été peu impliqués dans les débats touchant la démocratisation des lieux de travail, il n'est peut-être pas si surprenant de constater la lenteur avec laquelle s'effectuent les transformations culturelles et syndicales nécessaires à l'amorce d'un processus de révision des modes de production dans le système sociosanitaire.

CONCLUSION

L'étude que nous avons réalisée démontre que la transformation des positions de la FAS concernant la crise du travail et les nouvelles formes d'organisation du travail ne s'est opérée que récemment. Ce changement de discours n'a cependant pas été porteur d'une mobilisation importante en faveur d'un renouvellement des pratiques syndicales. Ce hiatus entre le discours et l'action syndicale peut s'expliquer de plusieurs manières. Outre le fait qu'il peut apparaître des écarts entre les positions endossées par la Centrale et les stratégies des fédérations, compte tenu de la relative autonomie dont elles jouissent à l'intérieur des structures CSN, il faut retenir que le type d'analyse que fait la FAS de la crise du travail se répercute sur les différentes dimensions de l'action syndicale en figeant celle-ci dans les limites du paradigme fordiste. Or, si certaines revendications ont pu procurer des gains indéniables aux travailleurs syndiqués au cours des années 1970, dans le cadre de la mise en place d'un dispositif providentialiste dans le secteur de la santé et des services sociaux, la poursuite de telles stratégies au cours des années 1980 et 1990 va se révéler contre-productive tant pour les travailleurs que pour les usagers.

Évidemment, ces réserves quant à la capacité et à la volonté d'implication véritable de la FAS sur le dossier de l'organisation du travail ne doivent pas nous faire oublier qu'au cours des années 1990, les positions officielles de la FAS ont tout de même évolué. Cette transformation était peut-être davantage le fruit de contraintes socio-économiques et politiques que le résultat d'un engagement ferme des principaux responsables syndicaux à revoir les formes institutionnelles qui président aux rapports de travail dans le secteur de la santé et des services sociaux. Néanmoins, l'étude des positions de la FAS de 1970 à 1994 nous a permis de constater que certains facteurs liés à la crise du travail (perte de légitimité de l'acteur syndical, émergence de nouvelles demandes sociales, régionalisation des services, redécouverte de l'économie sociale, etc.) ont eu une incidence sur l'action syndicale et ont conduit la Fédération des affaires sociales à endosser des positions plus favorable à un renouvellement des modes de production dans le secteur de la santé et des services sociaux.

Bibliographie

AGLIETTA, Michel (1987). «Les métamorphoses de la société salariale», *Interventions économiques*, n° 17, hiver, 169-184.

BÉLANGER, Paul R. (1991).«La gestion des ressources humaines dans les établissements de santé et de services sociaux: une impasse», *Nouvelles pratiques sociales*, vol. 4, n° 1, 133-140.

BÉLANGER, Paul R. et Benoît LÉVESQUE (1992). «La "théorie" de la régulation, du rapport salarial au rapport de consommation. Un point de vue sociologique», *Cahiers de recherche sociologique*, n° 17, hiver, 19-61.

BÉLANGER, Paul R. et Benoît LÉVESQUE (1990). «Le système de santé et de services sociaux au Québec: Crise des relations de travail et du mode de consommation», *Sociologie du travail*, n° 2, 231-244.

BOUCHER, Jacques (1994). *Transformation du discours de la CSN sur la modernisation sociale des entreprises (1970-1992)*, Thèse de doctorat, Montréal,UQAM, Département de sociologie, 373 pages.

BOUCHER, Jacques (1992). «Les syndicats: de la lutte pour la reconnaissance à la concertation conflictuelle», dans DAIGLE, Gérard et Guy ROCHER (sous la direction de), *Le Québec en jeu*, Montréal, PUM, 107-136.

BOUCHER, Jacques et Louis FAVREAU (1994). «L'évolution du discours de la CSN sur les stratégies syndicales (1970-1990)», dans BÉLANGER, Paul R., LÉVESQUE, Benoît et Michel GRANT (sous la direction de), *La modernisation des entreprises*, Montréal, Les Presses de l'Université de Montréal, 259-278.

BOUCHER, Jacques et Christian JETTÉ (1996a). «Développement du syndicalisme en travail social au Québec (1960-1980)», *Nouvelles pratiques sociales*, vol. 8, n° 2, printemps, 105-121.

BOUCHER, Jacques et Christian JETTÉ (1996b). « La syndicalisation des organisateurs communautaires des CLSC : un rendez-vous manqué entre exigences professionnelles et solidarités salariales et sociales », à paraître dans les *Actes du colloque du RQIIAC* tenu à Jonquière en juin 1996.

BOUCHER, Jacques et Christian JETTÉ (1994). « Entrevue avec un salarié de CLSC », réalisée le 18 novembre 1994 et validée le 6 février 1995, Montréal, UQAM, Département de travail social, LAREPPS, 17 pages.

CSN (1993). *L'organisation du travail dans le réseau de la santé et des services sociaux. Guide d'information et d'intervention à l'intention des syndicats de la Fédération des affaires sociales (CSN)*, Montréal, Service de recherche, avril, 78 pages.

CSN (1992). *Une démarche syndicale pour prendre les devants dans l'organisation du travail*, Montréal, CSN, 21 pages.

CSN (1991). *Prendre les devants dans l'organisation du travail*, Montréal, CSN, 78 pages.

DIONNE, Bernard (1991). *Le syndicalisme au Québec*, Montréal, Boréal, 127 pages.

FAS (1992). *Pour mieux connaître la FAS*, Comité d'éducation de la FAS, janvier, 8 pages.

FAS (1974). « Rapport du président », Allocution prononcée par Renaud Flynn lors du 25e congrès de la Fédération des affaires sociales tenu à Montréal du 19 au 25 mai, 19 pages.

GAGNON, Mona-Josée (1994). *Le syndicalisme : état des lieux et enjeux*, Québec, Institut québécois de la recherche sur la culture, 140 pages.

GAGNON, Mona-Josée (1991). « La participation institutionnelle du syndicalisme québécois : variations sur les formes du rapport à l'État », dans GODBOUT, J. (sous la direction de), *Questions de culture*, n° 17, Institut québécois de recherche sur la culture, 173-204.

GRANT, Michel (1990). « Vers la segmentation du syndicalisme au Québec (de la radicalisation au ressac : 1964-1989) », dans BLOUIN, Rodrigue (sous la direction de), *Vingt-cinq ans de pratique en relations industrielles au Québec*, Cowansville, Yvon Blais, 309-341.

FAVREAU, L. et P. GAGNON L'HEUREUX (1984). *Le projet de société de la CSN*, Montréal, CFP / Vie Ouvrière.

JETTÉ, Christian (1996), *Analyse des transformations des positions de la Fédération des affaires sociales en rapport avec les nouvelles formes d'organisation du travail*, Mémoire de maîtrise (en préparation), Montréal, UQAM, Département de sociologie, 169 pages.

JETTÉ, Christian (1994). *Entrevue avec un informateur de la CSN*, UQAM, Département de sociologie, 12 pages.

LACHANCE, Élaine (1996). *Les jeunes et le syndicalisme : Recension des écrits*, CEQ / Service aux collectivités, avril, 24 pages.

LOUMÈDE, Catherine (1994). *Entrevue avec Catherine Loumède*, réalisée à Montréal par Christian Jetté, UQAM, Département de sociologie, 22 pages.

MSSS (1989). *Statistiques sur le personnel de la santé et des services sociaux, 1986-1987*, Québec, MSSS, Direction générale des relations de travail, 299 pages.

PIOTTE, Jean-Marc (1977). *Le syndicalisme de combat*, Montréal, Éditions Albert Saint-Martin, 268 pages.

POULIN SIMON, Lise et Diane-Gabrielle TREMBLAY (1984). *Le programme de travail partagé : une expérience utile mais... : une évaluation des expériences des travailleurs et travailleuses du Québec,* Montréal, Institut de recherche appliquée sur le travail, 80 pages.

RODRIGUE, Norbert (1994). *Entrevue avec Norbert Rodrigue*, réalisée à Montréal par Christian Jetté et Jacques Boucher le 28 octobre, Montréal, UQAM, Département de travail social, LAREPPS, 30 pages.

ROSANVALLON, Pierre (1995). *La nouvelle question sociale. Repenser l'État-providence*, Éditions du Seuil, 107-223.

ROUILLARD, Jacques (1989). Histoire du syndicalisme québécois, Montréal, les Éditions du Boréal, 535 pages.

ROUILLARD, Jacques (1981). *Histoire de la CSN (1921-1981)*, Montréal, Boréal Express / CSN, 335 pages.

ROY, Louis (1996). *Entrevue avec Louis Roy*, réalisée à Montréal par Christian Jetté le 13 août, UQAM, Département de sociologie, 14 pages.

L'organisation du travail dans des groupes de femmes[1]

Danielle FOURNIER
École de service social
Université de Montréal

Nancy GUBERMAN
Département de travail social
Université du Québec à Montréal

Jennifer BEEMAN
Professionnelle de recherche

Lise GERVAIS
Centre de formation populaire

À partir des données préliminaires d'une recherche en cours sur la culture organisationnelle des groupes de femmes, nous verrons en quoi leurs valeurs et leurs pratiques organisationnelles pourraient apporter une contribution importante aux réflexions actuelles sur les transformations de l'organisation du travail. L'article qui suit se divise en trois sections traitant : 1) de la méthodologie de la recherche ; 2) de l'organisation du travail dans les groupes, du contrôle sur le processus du travail et de l'humanisation des rapports de travail ; 3) de certains paradoxes découlant de cette organisation du travail.

1. La recherche sur laquelle est basé cet article est financée par une subvention stratégique du Conseil de recherche en sciences humaines du Canada. Nous remercions les évaluateurs anonymes de leurs judicieux commentaires qui nous ont aidées à améliorer cet article. Cependant, nous tenons à préciser qu'il a été écrit il y a presque deux ans ; l'analyse a évoluée depuis.

Il est généralement admis que les organismes communautaires et les groupes de femmes ont développé des pratiques organisationnelles spécifiques et novatrices. L'étude sur laquelle se base cet article vise à documenter ces pratiques chez les groupes de femmes. Comme point de départ, nous avançons l'idée qu'à travers leurs diverses pratiques auprès des femmes, ces groupes sont devenus de véritables laboratoires d'expérimentation de nouvelles valeurs et de pratiques découlant de l'idéologie féministe et façonnant leur culture organisationnelle. Cependant, cette culture organisationnelle est peu documentée et il existe peu de recherches empiriques à ce sujet.

Les écrits existants sur les organismes communautaires et les groupes de femmes conviennent que ces associations ont une organisation du travail qui les distingue de l'appareil public. On parle notamment de marge de manœuvre plus grande des intervenants communautaires dans l'organisation et le contrôle sur leur travail, et de l'humanisation des rapports de travail (Lazure, 1987 ; Riger, 1984 ; Godbout, 1990).

L'analyse des conditions qui prévalent dans les organismes communautaires est particulièrement intéressante, car les écrits sur la santé mentale au travail démontrent une fonction inverse entre le degré de satisfaction et de motivation au travail et celui de l'épuisement professionnel (Vézina *et al.* 1992 ; Desjours, 1993). Dans une enquête menée en 1989 sur les conditions de travail des travailleurs et travailleuses au sein des groupes populaires, on a effectivement trouvé un taux élevé de satisfaction au travail, malgré des salaires dérisoires et des conditions de travail précaires. Les auteurs postulent donc que la satisfaction au travail provient d'autres éléments tels que l'organisation du travail, le mode de gestion et l'adhésion au projet social (Dumais et Côté, 1990).

C'est à partir des conclusions de cette dernière étude qu'il nous a semblé important, dans le cadre du présent projet de recherche, d'analyser l'expérience des groupes, dont celle des groupes de femmes, et de se demander en quoi leurs expériences peuvent inspirer les pratiques d'autres secteurs du travail, notamment le secteur public.

L'article qui suit se divise en trois sections traitant : 1) de la méthodologie de la recherche ; 2) de l'organisation du travail dans les groupes à l'étude, du contrôle sur le processus du travail et de l'humanisation des rapports de travail ; 3) de certains paradoxes et contradictions découlant de l'organisation du travail.

MÉTHODOLOGIE

Pour effectuer notre recherche, nous avons utilisé une méthode d'enquête empirique et qualitative qui s'inspire de la méthode de la « construction empirique de la théorie » (*grounded theory*) [Strauss, 1987] et de l'ethnographie

(Hammersley et Atkinson, 1983 ; Burgess, 1982 ; Lofland, 1971). Dans le but de répondre aux objectifs de recherche, nous avons eu recours à trois techniques ethnographiques habituelles de collecte de données : l'analyse documentaire, l'observation participante et l'entrevue.

L'échantillon sur lequel se base cet article est composé de huit groupes de femmes qui ont été étudiés entre 1993 et 1996[2]. Ces groupes ont été choisis en fonction de leur représentativité théorique (CALACS, Centre de femmes, trois maisons d'hébergement, groupe de défense des droits, groupe d'autosanté). Nous ne visions pas à stratifier l'échantillon selon ces variables pour comparer les diverses dimensions, mais plutôt à faire émerger le plus de diversité et d'hétérogénéité de situations possible, ce que Strauss (1987) appelle « rechercher l'univers des possibles ».

En nous basant sur une analyse du contenu des documents internes des groupes, des notes prises pendant des périodes d'observations (journées libres, activités d'intervention, réunions d'équipe, réunions du CA, entrevues informelles, etc.) et des *focus groups* effectués avec l'équipe de travail de chaque groupe, nous présentons une partie de nos données préliminaires sur l'organisation du travail dans les huit groupes étudiés.

CONTRÔLE SUR LE PROCESSUS DE TRAVAIL

Selon les théories sur la motivation des travailleurs, certains facteurs, dont l'accomplissement de soi, la reconnaissance par autrui des résultats obtenus, le travail lui-même et la progression ou l'avancement, seraient à la base de la motivation et aussi la cause principale de la satisfaction (Herzog cité dans Plante, 1994). D'autres incluent dans les facteurs contribuant à la satisfaction au travail le sentiment de congruence entre les buts de l'organisation et ceux de l'individu, le degré de participation dans les décisions importantes et la clarté dans la définition de la tâche à accomplir (Fawzy *et al.* et Locke, Schaubroeck et Jenning, cités dans Schulz, Greenley et Brown, 1995). Dans cet article, nous renverrons à ces facteurs selon leur pertinence pour comprendre l'organisation et le rapport au travail dans les groupes de femmes étudiés.

Nos études empiriques des huit groupes de femmes nous permettent d'affirmer que ce qui ressort comme caractère fondamental de l'organisation du travail est le contrôle sur le travail exercé par les employées régulières (nous reviendrons sur la situation des employées contractuelles plus loin).

2. La recherche étant encore en cours, nous projetons d'augmenter l'échantillon à douze groupes d'ici la fin du projet.

Selon les écrits, le contrôle sur le processus de travail, ou ce que certains appellent « l'autonomie décisionnelle », s'avère un facteur très important dans la satisfaction au travail et une protection contre des problèmes de santé mentale liés au travail (Herzberg, cité dans Plante, 1994 ; Darveau, 1991 ; Vézina *et al.* 1992). Selon Vézina *et al.* l'autonomie décisionnelle engloberait deux réalités : « l'une concerne l'autonomie de compétence, c'est-à-dire la capacité d'utiliser ses habiletés et ses qualifications et d'en développer de nouvelles ; l'autre se rattache au pouvoir décisionnel, c'est-à-dire à la possibilité de choisir comment faire son travail et de participer aux décisions qui s'y rattachent » (*Ibid*,. 24). Ces deux niveaux renvoient justement aux deux caractéristiques des groupes communautaires relevées dans la littérature : l'humanisation des rapports de travail (nous élargissons cette dimension pour y inclure, en plus de l'autonomie de compétence, le climat de travail, l'importance de l'informel et des rapports interpersonnels) et la grande marge de manœuvre.

En effet, dans les organismes étudiés, le pouvoir décisionnel accordé aux permanentes s'exerce tant sur l'orientation et l'organisation du travail que sur la définition des conditions qui le régissent, l'équipe des permanentes étant, dans la plupart des cas, l'instance centrale dans la structure décisionnelle. Par ailleurs, la réalisation de soi, la créativité, la mise en valeur de ses compétences et la reconnaissance professionnelle semblent faire partie intégrante de la vie organisationnelle des groupes étudiés.

Le pouvoir décisionnel et l'organisation du travail

Les huit groupes observés présentent diverses structures organisationnelles incluant la cogestion entre l'équipe de travail et le CA, avec ou sans directrice ayant un rôle de gestion, et l'autogestion par l'équipe de travail. Cependant, peu importe la structure choisie, la prédominance de l'équipe dans la structure décisionnelle ressort clairement.

Les équipes seules ou dans certains cas, en collaboration avec le CA ou après consultation auprès des membres déterminent l'orientation et la philosophie de l'organisme, ses priorités et sa programmation. L'équipe est généralement responsable de l'évaluation du travail. Dans quelques groupes, certaines zones du pouvoir décisionnel sont partagées soit avec une directrice, soit avec un CA. Dans quelques maisons d'hébergement, par exemple, le CA ou certains de ses membres, joue un rôle de consultant sur les orientations et l'intervention du groupe.

Par ailleurs, dans tous les groupes, l'équipe joue un rôle prépondérant dans les décisions concernant l'intervention, le fonctionnement quotidien de l'organisme et l'organisation du travail. Même là où le CA partage certaines décisions, l'équipe a une grande latitude dans leur mise en pratique. C'est à elle que revient l'élaboration du plan de travail de l'année et l'attribution des responsabilités entre les employées. Sur ces questions, toutes les équipes observées fonctionnent par consensus. Selon la structure de l'équipe et le degré de différenciation dans les tâches, ces décisions sont prises de façon très horizontale, c'est-à-dire que le pouvoir semble circulaire et bien partagé entre tous les membres, ou bien cela se fait autour de propositions amenées par la directrice ou coordinatrice.

Tous les groupes n'organisent pas la division du travail de la même façon. Ainsi, certains ne font aucune différenciation entre les travailleuses tandis que d'autres fonctionnent selon des postes plus spécialisés. Dans le premier cas, chaque travailleuse possède le même statut d'intervenante et il y a peu de spécialisation dans les tâches, malgré l'attribution de dossiers spécifiques à l'une ou à l'autre. En outre, il y a souvent une rotation dans les tâches pour que chacune puisse toucher à un peu de tout, pour que personne ne se retrouve toujours avec un dossier particulièrement lourd et pour équilibrer la répartition du travail entre les travailleuses. Par contre, dans d'autres groupes, il y a une plus grande division du travail et une certaine spécialisation selon le secteur d'intervention. Notons toutefois, qu'aucun des statuts ne semble investi d'une autorité particulière et on peut considérer que l'égalité entre les travailleuses dans la prise de décision existe en dépit de cette spécialisation. C'est aussi parmi ces groupes que nous trouvons des postes de coordinatrice ou de directrice, cette personne pouvant jouer un rôle particulier lors des réunions d'équipe. C'est souvent elle qui émet des propositions et qui est en mesure d'alimenter la discussion avec les informations qu'elle détient. Par ailleurs, la directrice ou la coordinatrice travaille en étroite collaboration avec l'équipe qu'elle consulte régulièrement, et le fonctionnement par consensus dans les prises de décisions est encore la règle. On peut donc dire que les directrices ou les coordinatrices, là où ce poste existe, n'ont pas un pouvoir constitué d'une autorité formelle et d'un contrôle qui supposent une hiérarchisation dans la distribution du pouvoir entre les individus, mais plutôt un pouvoir d'influence du fait de leur place dans la division du travail (Aubert et Laroche, 1991 ; Plante, 1994[3]. Signalons que différents membres de l'équipe peuvent exercer, à des moments différents, un pouvoir

3. Selon ces auteurs, le pouvoir formel repose sur les ressources formelles qu'un individu contrôle, incluant le contrôle des moyens de l'organisation – budget, équipement ; l'autorité légale – capacité de donner des ordres et d'être obéi ; la coercition – capacité à exercer des sanctions y inclus le licenciement ; la récompense – capacité à attribuer des ressources rares ; l'information. Dans les cas des groupes étudiés, les directrices ou les coordinatrices n'auraient accès qu'à une ressource qui est l'information qu'elles détiennent, mais nous n'avons pas observé ni eu écho d'abus découlant de cette situation.

informel résultant de leur ancienneté, de leur compétence, de leur niveau d'articulation, etc. Dans ce sens, le pouvoir dans tous les groupes est horizontal et partagé entre toutes les travailleuses plutôt que hiérarchique et imposé.

Il ressort clairement de nos observations que la réunion d'équipe est un lieu clé pour actualiser le contrôle des travailleuses sur le processus du travail et ses finalités. À cette fin, tous les groupes ont une réunion statutaire hebdomadaire. Par ailleurs, le consensus semble plus facile à atteindre dans les équipes où il y a une forte cohésion idéologique entre les membres, ce qui est le propre de la majorité des groupes de l'étude. Dans un groupe où nous avons constaté une cohésion de base mais certaines différences quant à l'opérationalisation de leur orientation, le consensus se fait plutôt en raison d'un esprit de confiance mutuelle, par le ralliement de certaines intervenantes au point de vue des autres. « On tente de trouver des terrains d'entente. Peut-être notre point de vue n'est pas celui qui a été choisi. Par contre, après discussion, après négociation, on se dit : Pourquoi pas. On pourrait peut-être essayer ça ! » (A)

Mais le consensus n'est pas toujours facile à atteindre et parfois les intervenantes ont tendance à s'en remettre à la directrice pour faire la médiation lors des conflits. Malgré l'existence de diverses structures formelles de prise de décision dans les divers groupes à l'étude, nous remarquons l'implication importante des permanentes dans le processus décisionnel et particulièrement dans les décisions les concernant.

L'autonomie dans le travail

Nous avons observé une grande autonomie de chacune des travailleuses. Sans égard aux niveaux de spécialisation qui existent dans la division du travail, chaque permanente de chaque groupe est responsable des mandats qui lui sont confiés par l'équipe. Chacune assure toute l'intervention liée à son dossier, de la conception à la réalisation et l'évaluation, même si certaines des étapes peuvent être réalisées en étroite collaboration avec l'équipe. Aucune des permanentes ne se voit comme une simple exécutante.

Pour les huit groupes étudiés, cet aspect est perçu comme partie intégrante de l'organisation de leur travail, ce qui les distingue, entre autres, des institutions du réseau. Nous avons constaté que dans les huit groupes observés l'organisation du travail n'est pas strictement subie par les travailleuses ; au contraire, elles ont la possibilité et le pouvoir de réinterpréter et de reconstruire les consignes ou politiques en tenant compte de l'ensemble des facteurs propres à chaque situation ou problème. Par exemple, la reprise de temps supplémentaire de même que certains congés se font en tenant compte des besoins de chaque travailleuse et nous sommes loin d'une application stricte et légaliste du contrat de travail.

De plus, l'absence de programmes imposés par une instance supérieure, comme c'est le cas dans les CLSC par exemple, au sein des groupes étudiés facilite leur renouvellement tant au regard du contenu que des outils pédagogiques. Nous avons observé l'existence d'un espace d'expérimentation permanent. L'équipe de travail peut faire des ajustements continus, car elle a un contrôle direct sur la programmation, y compris la capacité de la modifier en fonction de l'émergence de nouvelles idées, de l'apparition de nouveaux besoins, de changement de la conjoncture ou du désir d'introduire des innovations pédagogiques. D'ailleurs, ce processus est fortement encouragé dans tous les groupes étudiés et s'appuie sur la capacité de créativité de chacune.

L'humanisation des relations de travail

Nos études empiriques des huit groupes de femmes révèlent la place centrale qu'occupe la dimension humaine au sein de ces groupes. La possibilité de s'impliquer, d'être entendue, de mettre à contribution les ressources de leur intelligence et de leur personnalité semble un élément clé de leur culture organisationnelle. Ces éléments contribuent à donner un sens au travail réalisé par les intervenantes malgré le contexte de précarité et les conditions de travail nettement déficientes. Elles y trouvent aussi une reconnaissance de la part des autres et soulignent que leur travail est une source de valorisation personnelle.

De nombreuses études en analyse psychodynamique du travail (Desjours, 1993) démontrent que l'ensemble des éléments décrits par les intervenantes correspond à la dimension humaine du travail, à savoir *celle qui n'est pas décrite dans les normes et les règles prescrites*. Il s'agit de l'activité déployée par les hommes et les femmes pour faire face à ce qui n'est pas donné par l'organisation prescrite du travail (Davezies, 1991). C'est cet espace qui permet l'expression de la créativité dans un milieu de travail.

La valorisation de l'humanisation du travail favorise aussi l'actualisation de la reconnaissance qui s'attache au travail. Nous avons observé, dans les huit groupes étudiés, l'importance accordée au savoir-faire de chaque intervenante et la conviction de faire quelque chose d'utile pour l'autre. De plus, les intervenantes nous ont fait part qu'elles tirent une grande satisfaction de leur travail. Il nous semble que la dimension humaine des relations de travail devient un élément qui permet l'expression de la dignité et de la fierté d'une travailleuse.

C'est pourquoi les groupes étudiés visent un travail efficace et une intervention de qualité, mais ils sont tout aussi soucieux du processus dans lequel se déroule l'ensemble des activités. Ils visent un équilibre entre la productivité et le respect du processus de travail. Cette façon de faire se veut en accord avec les valeurs prônées par le groupe. De plus, le contrôle que chaque équipe a sur l'organisation du travail lui permet de se réajuster continuellement entre ces deux pôles.

Le rôle central de l'équipe

Nous avons repéré qu'une condition de l'actualisation de la dimension humaine des relations de travail est la présence d'une équipe stable et cohérente. Celle-ci dépend en grande partie d'un financement continu et récurrent qui procure un certain degré de formalisation au sein de l'organisation. En effet, la constitution d'une véritable équipe de travail prend du temps et exige une certaine continuité.

Nous avons constaté la présence et l'importance de celle-ci dans les huit groupes étudiés. Tant l'observation directe que l'entrevue collective auprès des équipes de travail nous amènent à constater qu'elles possèdent beaucoup de caractéristiques propres aux petits groupes (Mucchielli, 1989 ; Home, 1983 ; Anzieux, 1991). Ainsi, on y retrouve une adhésion commune à certaines valeurs, entre autres, la valorisation d'une gestion humaniste, souple, indirecte, l'importance des relations interpersonnelles, l'égalitarisme entre les travailleuses, de même que des rapports d'entraide et de complicité.

De plus, la présence des liens affectifs au sein des équipes est très palpable. Certains rituels « le comment ça va[4] ? », les appréciations, l'anniversaire des travailleuses, etc., démontrent un souci de l'autre et l'importance accordée au bien-être des travailleuses ; les relations personnelles sont directes et personnalisées. Nous avons observé que malgré l'ampleur des questions à discuter ou du travail à faire, on semble prendre le temps d'écouter et de soutenir quelqu'un en difficulté. « Puis on travaille beaucoup, beaucoup, beaucoup, mais on a ben du fun aussi, tu sais... On s'aime beaucoup, on est très attachées les unes aux autres... »

Nous avons aussi remarqué que le rythme du début des réunions est plus lent. Elles prennent le temps de se faire un café, de jaser informellement du travail, mais aussi de leur vie hors du travail. Elles ne semblent pas pressées de commencer ni tenues de respecter l'heure précise de la convocation. Cela illustre bien la valorisation de l'informel, des rapports affectifs. Nous avons

4. Moment privilégié au début d'une réunion pour échanger sur l'état d'esprit des travailleuses.

constaté que les travailleuses (ou, dans le cas d'activités, les participantes) ne semblent pas avoir l'impression de perdre leur temps dans ces discussions non structurées. Au contraire, il paraît important d'y consacrer le temps. On peut même faire l'hypothèse que ces moments et particulièrement le « comment ça va ? », constituent des rituels structurants qui créent le climat nécessaire à un bon fonctionnement d'équipe ou d'activité et en faire l'économie pourrait le perturber. Nous pouvons témoigner que cet aspect de la vie de groupe n'existe pas au détriment d'un fonctionnement efficace. Les rencontres sont en général bien préparées et structurées avec procès-verbal, ordre du jour, nomination d'une animatrice et secrétaire et des discussions approfondies des points importants.

En plus des rapports affectifs, nous avons observé que les travailleuses ont des intérêts communs. Elles travaillent toutes dans une perspective de défense et d'amélioration des conditions de vie des femmes. Il existe donc une cohérence entre les objectifs personnels et les objectifs du groupe. « [...] ma grosse motivation à travailler ici, ma première motivation, ç'a été de travailler avec des femmes agressées sexuellement puis de faire changer des choses. »

Par cette façon de travailler en équipe (soutien, partage, échange et rencontres régulières), on reconnaît que chaque intervenante existe en tant qu'individu à part entière avec ses habiletés et sa logique personnelle. C'est le seul moyen, malgré les tensions qu'elle suscite, de permettre l'actualisation de l'identité personnelle à travers les rapports de travail (Sainsaulieu, Tixier et Marty, 1983). Nous l'avons observé à plusieurs reprises au sein des groupes étudiés : « Il y a de la place aussi pour dire, je suis essoufflée, telle affaire, je peux plus. Il y a de la place pour m'écouter, m'amener, pour entendre que moi, je suis rendue là puis ça va être entendu, respecté. Je vais me sentir soutenue. »

Selon les auteurs (Desjours, 1993 ; Davezies, 1991), une grande implication et une grande mobilisation des travailleuses exigent en retour une reconnaissance de la contribution du sujet à l'organisation du travail et une certaine valorisation de son apport. Pour Desjours, la reconnaissance vise d'abord le travail accompli. Les travailleuses des groupes étudiés nous ont confirmé la présence de cette reconnaissance. Les bilans sont des moments privilégiés pour reconnaître le travail fait par les intervenantes. Elles ne craignent pas de faire part à l'équipe des problèmes liés à leurs dossiers, car l'équipe est là pour les soutenir dans leur recherche de solutions possibles et non pour poser un jugement personnel sur les capacités de l'intervenante. Elles affirment d'ailleurs que leur travail est aussi une source de valorisation, une façon de se réaliser.

Soulignons également la reconnaissance du principe d'une formation continue et du ressourcement des intervenantes. Nous avons remarqué que le choix des formations se fait toujours à partir de l'identification des besoins de l'équipe ou d'une des intervenantes et ce, à tous les niveaux – intervention, analyse ou conditions de travail. Le ressourcement d'une intervenante est un moyen concret pour nourrir l'équipe et devient un outil pour assurer une réflexion collective.

Par ailleurs, nous constatons que des efforts importants sont déployés par les groupes au regard des avantages sociaux afin de reconnaître l'engagement social des travailleuses et leur niveau de responsabilités et de maximiser leur satisfaction au travail.

Il est clair que l'ensemble des éléments présents au sein des équipes de travail permet à leurs membres d'augmenter leur qualité de vie au travail et d'y trouver du plaisir. Cela peut expliquer en partie le désir exprimé par les intervenantes de poursuivre leur implication au sein des groupes étudiés. La créativité, la marge de manœuvre, l'autonomie, la possibilité de faire part de ses idées, la façon d'arbitrer les conflits et de régler les problèmes, la relation de confiance entre les travailleuses sont, en effet, des éléments qui suscitent une mobilisation et développent un grand sentiment d'appartenance tout en augmentant le désir de coopération.

> [...] J'aime travailler auprès des femmes, j'aime l'équipe de travail qui est ici actuellement, j'aime la place que je peux prendre dans cette équipe-là, être exactement moi-même, on me prend comme je suis. Puis je peux pleurer, comme je peux être choquée puis... j'aime le salaire... En plus, on va s'augmenter, c'est encore mieux. J'aime les congés auxquels j'ai droit, j'aime l'implication... j'aime travailler.

Leur travail représente donc beaucoup plus qu'un emploi. C'est un lieu où elles peuvent expérimenter les valeurs auxquelles elles adhèrent. « C'est plus qu'un milieu de travail, c'est un milieu de vie ! »

Taille de l'équipe

Dans les huit groupes étudiés, nous avons affaire à des petites équipes de travail (3 à 12 personnes), ce qui favorise énormément la confiance mutuelle et le sentiment d'appartenance. Il existe donc une grande proximité entre les intervenantes et cela permet de développer des communications ouvertes (Anxieux et Martin, 1971). Selon Mucchielli (1989), le nombre idéal dans une équipe se situe autour de sept personnes ; il permet une meilleure cohésion, une richesse des interactions qui facilite la division du travail et maintient une vision globale. Au-delà de douze personnes, cette unité est affectée.

La présence de petites équipes de travail nous amène à poser les questions suivantes. S'agit-il d'un choix explicite et qu'est-ce qui motive ce choix ? Nous ne sommes pas convaincues à ce moment-ci de notre recherche que l'insuffisance de financement soit la seule réponse. Nous nous demandons si l'existence d'une petite équipe de travail fait partie intégrante de la culture organisationnelle ou si c'est un mécanisme pour maintenir cette culture organisationnelle. Nous tenterons de répondre à ces questions lors de la poursuite de nos travaux de recherche. Une telle équipe a la possibilité d'intervenir rapidement sur le climat de travail, sur le programme d'activités ou dans les conflits.

PARADOXES RELIÉS À L'ORGANISATION DU TRAVAIL

La plupart des paradoxes adhérant de l'organisation du travail que nous venons de décrire trouvent leur source dans les contradictions entre les valeurs mises de l'avant par le féminisme (notamment l'égalité) et la tendance à la hiérarchisation à l'intérieur de ces groupes.

Se définissant comme appartenant aux mouvements féministes et communautaires, les intervenantes des huit groupes prônent des valeurs associées à ces mouvements. Or, le féminisme est défini comme une idéologie visant l'égalité, l'élimination des barrières artificielles fondées sur le sexe, le changement fondamental de la société à tout niveau, l'*empowerment* et la revalorisation des femmes (Ryan, 1986). En ce qui concerne le mouvement communautaire, deux auteurs québécois ont décrit son projet comme nécessitant une redéfinition des rapports de pouvoir, le développement de modèles d'organisation sociale en remplacement de la gestion technocratique de l'État et la remise en question du contrôle étatique du social (Hamel et Léonard, 1981).

Or, avec la place importante accordée à l'équipe telle qu'elle est décrite et la complexification du travail des intervenantes, les groupes assistent au développement d'un certain nombre d'effets « pervers » liés à leur organisation du travail à plusieurs niveaux.

Les rapports intenses à l'intérieur de l'équipe de permanentes

Étant donné la grande convivialité et la grande complicité dénotées au sein de l'équipe de travail, nous avons observé que la résolution des conflits à l'intérieur de l'équipe pose souvent de sérieuses difficultés. Plusieurs groupes ont fait appel à des médiatrices extérieures pour les aider à régler leurs conflits. Nous nous demandons si l'importance de l'entraide et des rapports amicaux à l'intérieur de l'équipe peut empêcher les travailleuses de distinguer les conflits qui relèvent du travail de ceux plutôt reliés à la personnalité ou à l'orientation. Certaines auteures féministes trouvent que l'accent que mettent les groupes sur l'entraide et le *nurturing* empêche la confrontation et des discussions franches sur la base des différences (Hooks, 1984). Nous n'avons pas noté l'absence de débats francs, en revanche, nous avons remarqué une homogénéité dans la composition des équipes de permanentes. De plus, nous nous interrogeons sur les dangers liés, d'une part, à l'incapacité de régler des conflits de façon plus positive et, d'autre part, à celle de les voir comme source d'innovation ou de création. Si les équipes font l'effort de prévenir les conflits, elles risquent de n'y intégrer que des personnes qui se ressemblent.

Fermeture de l'équipe de travail

Dans la majorité des groupes, nous avons relevé une tendance de fermeture ou d'exclusion au niveau de l'équipe. Les membres des équipes de permanentes accordent beaucoup d'attention à la composition de l'équipe étant donné son importance. Dans un groupe observé, les travailleuses ont avoué chercher des personnes qui cadrent bien avec l'optique développée par l'équipe.

> Ça, je trouve que c'est féministe dans notre façon d'engager maintenant ; c'est qu'on se fie au feeling, c'est-à-dire ça va bien, mais se permettre au niveau des vibrations, qu'on pense que la personne ne ferait pas l'affaire au niveau de l'équipe, on écoute ça aussi.

Nous ne pouvons réprimer un certain scepticisme au regard de la subjectivité des décisions basées sur des *feelings* qui ne peuvent pas être clairement nommés et devant la possibilité d'une fermeture idéologique conséquente. De plus, un autre élément de la fermeture de l'équipe concerne le fait que les femmes-membres des organismes ne sont pas admises aux réunions d'équipe, ce qui les exclut d'une instance décisionnelle centrale (l'autre instance décisionnelle étant, en général, le conseil d'administration dont nous allons traiter plus loin).

L'exclusion des travailleuses temporaires de l'équipe

En plus des membres de leurs groupes, la majorité des équipes excluent de leurs réunions les personnes travaillant sur les projets d'employabilité. Elles se justifient en disant que ces personnes travaillent pendant une période limitée et leur intégration à l'équipe est trop lourde à assumer. Exclues des réunions, ces dernières ne sont pas invitées non plus à participer aux sessions de formation offertes à l'équipe, ni aux consultations informelles entre les membres de l'équipe.

Sept des huit groupes ont eu recours aux programmes d'employabilité, soit de l'assurance-emploi, soit de l'aide sociale, pour embaucher du personnel. Dans seulement deux groupes, les personnes embauchées sont intégrées à l'équipe de travail. L'exclusion de ces travailleuses a de nombreuses conséquences : d'abord, elles ne peuvent pas bénéficier comme les autres du soutien, de l'entraide et de la formation, ensuite, leur effort n'est pas reconnu au même titre que celui des membres permanentes de l'équipe. De plus, ces femmes deviennent souvent de simples exécutantes de tâches que l'équipe n'a pas pu ou n'a pas voulu faire, mais dont elle a déterminé les orientations. Cependant, la plupart des équipes reconnaissent les contradictions qu'elles vivent par rapport à leurs valeurs, mais avouent que l'intégration de ces employées dans les réunions d'équipe leur semble une tâche trop lourde.

> Pour moi, ça prend beaucoup d'énergie pour intégrer quelqu'un [...] et c'est pas nécessairement toujours quelqu'un qui a le goût de la vie d'équipe. [...] Quelquefois, on se sent mal à l'aise, ou quelquefois la personne se sent frustrée et les choses ne sont pas claires. Pour intégrer quelqu'un dans l'équipe, nos choses sont tellement complexes. Que ça serait impossible vraiment ! Et une réunion où tu ne participes pas vraiment... Que tu es là juste pour être là et que peut-être même tu ne fais pas un apprentissage. On intégrait B à la première partie de notre réunion d'équipe qui concernait la partie téléphone, accueil, et tout ça. Elle pouvait participer aux décisions ; on a essayé par tous les moyens d'aller chercher si elle avait des suggestions à faire.

Devant la complexité et l'ampleur du travail et compte tenu de l'importance de créer une équipe qui fonctionne bien, les équipes de permanentes semblent coincées entre l'idéal des groupes de femmes, où tout le monde a le même statut et participe de façon égalitaire au travail et à la gestion du groupe, et les compétences exigées par la complexité et l'ampleur du travail à accomplir. Cette réalité devient un frein à la participation.

Les instances décisionnelles inaccessibles aux membres

Nous venons d'invoquer la complexité du travail dans les groupes de femmes. Ce phénomène est très réel et ce, à tous les niveaux d'activité. Les groupes de femmes se donnent en principe les objectifs généraux de promouvoir l'égalité des femmes et d'associer les membres au contrôle des orientations des groupes. Or, tous les groupes avec des conseils d'administration, sauf un, avouent que les membres de leur CA ne sont pas représentatives des membres « typiques » de leurs groupes. (Deux des huit groupes n'ont pas de membres.) Cela veut dire que même dans les instances fondées sur la participation des membres, ces dernières ont de la difficulté à accéder à ces postes. L'accès difficile aux postes du conseil d'administration pour la plupart des femmes-membres réduit encore le peu de contrôle qu'elles ont sur ces groupes. Malgré tout, nous avons observé que les travailleuses demeurent très accessibles, développent des rapports chaleureux avec les femmes et travaillent à démystifier le rôle d'experte.

Par ailleurs, nous avons observé des décisions prises dans plusieurs groupes par le conseil d'administration avec l'équipe où l'intérêt des travailleuses a eu préséance sur les intérêts des membres, par exemple, au regard des heures d'ouverture de l'organisme ou de l'accès des membres à certaines ressources du groupe.

En somme, peu d'équipes ont su développer ou maintenir des moyens appropriés pour favoriser l'accès des membres aux instances des groupes et leur permettre d'assumer conjointement, avec les travailleurs, la gestion des groupes. De plus, la majorité des équipes exclut les travailleuses non permanentes de leurs réunions et, donc, de la prise de décision. Par conséquent, la prédominance de l'équipe des permanentes sur tout ce qui se fait dans les groupes soulève des questions importantes concernant la vie démocratique, l'égalité entre les femmes et le contrôle des groupes par leurs membres.

CONCLUSION

La culture organisationnelle des groupes de femmes à l'étude, dont l'organisation du travail que nous avons décrite dans cet article, est ancrée dans leur positionnement idéologique, politique et social, et dans leur appartenance au tiers secteur de l'économie. Les travailleuses des groupes adhèrent à un projet social et à une orientation commune d'intervention. Nous avons vu l'importance de la petitesse de la taille des équipes comme facteur permettant cette forte cohésion, en plus d'assurer aux travailleuses un lieu de contrôle collectif sur le processus de travail.

De toute évidence, cette culture est propre à une organisation autogérée, de taille réduite, adhérant à un projet social et comme telle n'est pas transférable aux secteurs public et marchand. Par ailleurs, les études sur la santé mentale au travail, ainsi que celles sur la motivation au travail, soulignent que les éléments qui caractérisent les pratiques organisationnelles des groupes de femmes, à savoir la mise en œuvre de ses habiletés et qualifications, la reconnaissance, l'accomplissement de soi, la possibilité de choisir comment faire son travail et de participer aux décisions qui s'y rattachent, la formation et l'encadrement (Vézina *et al.*, 1992 ; Herzog, cité dans Plante, 1994) représentent aussi des facteurs de prévention de l'épuisement professionnel et de promotion de la satisfaction au travail. Il y a sûrement là matière à réflexion pour les gestionnaires du secteur public avec l'augmentation des congés pour épuisement professionnel et l'insatisfaction grandissante des employés et employées, notamment dans les établissements de santé et de services sociaux[5].

Selon Vézina *et al.* (1992), plusieurs résultats de recherche confortent l'idée que le problème d'épuisement professionnel dans les établissements de santé et de services sociaux ne peut être résolu qu'en effectuant des changements organisationnels dans le sens de la gestion participative. L'autonomie décisionnelle des employés et employées, leur contribution à l'évaluation de l'organisation du travail, ainsi que l'aide et la reconnaissance au travail, sont déterminants pour la création d'un milieu de travail favorisant la santé mentale.

Même si la santé mentale des travailleuses des groupes de femmes n'était pas l'objet de notre étude, à travers nos observations et entrevues, nous avons cru déceler une passion pour le travail et un plaisir dans les rapports au travail peu communs. Nous ne pouvons pas nous empêcher de les relier à leur organisation du travail.

Bibliographie

ANXIEUX, D. et J.-Y. MARTIN (1971). *La dynamique des groupes restreints*, Paris, Presses universitaires de France.

AUBERT, N. et H. LAROCHE (1991). *Management, aspects humains et organisationnels*, Paris, Presses universitaires de France.

BILODEAU, D. (1990), « L'approche féministe en maison d'hébergement : quand la pratique enrichit la théorie », *Nouvelles pratiques sociales*, vol. 3, n° 2, 45-55.

BURGESS, R.G. (1982). *Field Research : A Sourcebook and Field Manual*, Mass., Allen & Unwin.

COMMISSION ROCHON (1988). *Rapport de la Commission d'enquête sur les services de santé et les services sociaux au Québec*, Gouvernement du Québec.

DARVEAU, Aldéis (1991). « Le design des systèmes sociaux, l'école sociotechnique », dans TESSIER, R. et Y. TELLIER, *Changement planifié et développement des organisations*, tome 5, Sillery, Presses de l'Université du Québec, 97-139.

DAVEZIES, P. (1991). *Éléments pour une clarification des fondements épistémologiques d'une science du travail*, Communication au Colloque national de la société française de psychologie, Clermont-Ferrand, décembre.

DESJOURS, C. (1993). *Travail : usure mentale*, Paris, Bayard Éditions.

5. L'Association des hôpitaux du Québec est citée à ce sujet dans un article publié dans *Le Devoir*, en mars 1997. Une étude effectuée par la FAS et la Régie régionale du Montréal-centre sur l'impact du virage ambulatoire à Montréal réfère aussi à ces problèmes.

DESSORS, D. et J. SCHRAM (1992). *Le travail social. La peur au cœur,* Informations sociales.

DUMAIS, S. et R. CÔTÉ (1990). *Enquête sur les conditions de salaire et les conditions de travail des travailleuses et des travailleurs au sein des groupes populaires,* Montréal, Services aux collectivités de l'UQAM.

GODBOUT, J.T. (1990). « Le communautaire et l'appareil », dans BREAULT, M.-M.T. et L. ST-JEAN, *Entraide et associations,* Québec, Institut québécois de recherche sur la culture.

HAMEL, P. et J.-F. LÉONARD (1981). *Les organisations populaires, l'État et la démocratie,* Montréal, Nouvelle Optique.

HAMMERSLEY, M. et P. ATKINSON (1983). *Ethnography : Principles in Practice,* New York, Tavistock.

HOME, Alice (1983). « Les femmes et les groupes de changement social », *Service social,* vol. 32, n°s 1-2, janvier-juin.

HOME, A. (1987). *Les femmes, le sexisme et les petits groupes : réflexions sur la théorie des groupes,* Québec, Cahiers de recherche du groupe de recherche multidisciplinaire féministe.

HOOKS, B. (1984). *Feminist Theory : From Margin to Center,* Boston, South End Press.

LAMOUREUX, J. et F. LESEMANN (1988). *Les filières de l'action communautaire,* Québec, Commission d'enquête sur les services de santé et les services sociaux.

LAZURE, J. (1987). « Le sens des nouvelles pratiques », *Animation et culture en mouvement. Fin ou début d'une époque ?,* Sillery, PUQ, 291-302.

LOFLAND, J. (1971). *Analyzing Social Settings,* Belmont, Ca.,Wadsworth Publishing Co.

MAILHIOT, Bernard (1966). « Autorité et tâches dans les petits groupes », dans DUMONT, F. et J.-P. MONTMIGNY (dir.), *Le pouvoir dans la société canadienne-française,* Québec, Presses de l'Université Laval, 183-209.

MUCCHIELLI, Roger (1989). *Le travail en équipe,* 5e édition, Paris, Les Éditions Sociales Françaises.

OUELLETTE, F.-R. (1985). *Les groupes de femmes au Québec en 1985 : champs d'intervention, structures et moyens d'action,* Québec, Conseil du statut de la femme.

PLANTE, M.-H. (1994). « Intervention au Syndicat MNDE (CSN) en organisation du travail », Rapport de stage, Université du Québec à Montréal, document miméo.

RIGER, S. (1984). « Vehicles for Empowerment : The Case of Feminist Movement Organisations », *Prevention in Human Services,* vol. 3, nos 2 et 3, 99-117.

RYAN, B. E. (1986). « New Considerations of a Multi-group Movement », dans *Dynamics of Change in Social Movement Ideology and Activism : Feminism and the Women's Movement,* 132-159.

SAINSAULIEU, R., TIXIER P.E. et M.O., MARTY (1983). *La démocratie en organisation,* Paris, Librairie des Méridiens.

SCHULZ, R., GREENLEY, J.R. et R. BROWN (1995). « Organization, Management, and Client Effects on Staff Burnout », *Journal of Health and Social Behavior,* vol. 36, 333-345.

STRAUSS, A. L. (1987). *Qualitative Analysis for Social Scientists,* Cambridge, Cambridge University Press.

VÉZINA, M. *et al.* (1992). *Pour donner un sens au travail,* Boucherville, Gaëtan Morin Éditeur.

La transformation de l'organisation du travail vécue par des travailleurs sociaux québécois

Claude LARIVIÈRE
Diane BERNIER
École de service social
Université de Montréal

Dans le contexte actuel de turbulence, la nécessité de repenser l'organisation du travail et d'adopter une approche radicalement différente de la gestion pour bâtir des « organisations en santé » s'impose. Malheureusement, les préoccupations pour offrir du soutien organisationnel au personnel et associer leur contribution à la redéfinition du mode de fonctionnement semblent céder le pas aux transformations imposées. L'exemple des travailleurs sociaux montre que les coûts à moyen terme pourraient dépasser les gains à court terme.

Triste fin de siècle ! Toute une génération a espéré réduire, à défaut d'éliminer, la pauvreté et les problèmes sociaux grâce à un meilleur partage des connaissances et de la richesse. Du côté des pratiques sociales, les efforts en vue d'améliorer les interventions en amont des problèmes (prévention / promotion, meilleure connaissance des facteurs de risque et des stratégies d'intervention, intervention précoce) et d'obtenir des résultats tangibles (objectifs de santé et de bien-être, plans régionaux, approche par programme-clientèle, modèles de pratique, protocoles, plan de services) semblent menacés par l'immense brassage actuel des ressources organisationnelles et de leurs personnels. Ce dernier introduit insécurité et désorganisation là où, justement, une approche de gestion différente et beaucoup de soutien organisationnel apparaissent actuellement prioritaires. Cet article rapporte des éléments vécus par des travailleurs sociaux affectés par la Réforme Côté (1991) et les transformations du travail qui sont survenues depuis lors dans le réseau québécois de services de santé et de services sociaux. Il vise à montrer que les organisations doivent modifier leur style de gestion et apporter un réel soutien à leur personnel si elles veulent être des organisations en santé.

INTRODUCTION

Ce contexte de changements imposés par l'agenda politique est une conséquence directe de la mondialisation de l'économie (qui ne semble faire que peu de cas des limites inhérentes à la compétitivité effrénée, comme le soulignait le Groupe de Lisbonne, 1995) et d'une vision économiste de l'État se traduisant par une offre de plus en plus limitée de services sociosanitaires alors que les besoins augmentent, en raison d'un appauvrissement accru et d'une complexification des interventions avec les clientèles multiproblématiques.

Cette période de turbulence peut représenter une occasion importante de renouvellement des pratiques (ouverture accrue sur la communauté, développement du travail concerté et mise en place d'une véritable perspective intersectorielle) et du mode de gestion (redéfinition du rôle des gestionnaires, association du personnel aux prises de décision, mise en place d'équipes semi-autonomes et développement de mécanismes de soutien organisationnel). Mais cela peut également être l'occasion de briser les espoirs qui restent en livrant la maîtrise de ces changements à des technocrates imbus de la « réingénierie des processus », peu préoccupés des besoins de soutien des intervenants et du fait que le maintien de bonnes relations entre l'ensemble des personnels d'une organisation est fondamental pour offrir des services de qualité à la clientèle.

La pression aveugle sur les dépenses publiques conduit à des transformations dont on ne mesure pas réellement ou plus du tout l'impact. Beaucoup d'intervenants et de gestionnaires pensent qu'il faudra encore éponger les dommages dans trois, cinq et même dix ans. Si la volonté de rationaliser s'avère saine, la recherche de cette efficacité organisationnelle accrue doit impérativement s'assurer que les enseignements tirés de la littérature et des pratiques observées ailleurs (et notamment dans le secteur privé) servent de guide aux changements entrepris. Alors que les firmes de consultants (Baron *et al.*, 1995) continuent de vendre leurs services de réingénierie des processus et d'amélioration continue de la qualité, les cris d'alarme se multiplient. Une étude menée dans dix hôpitaux ontariens montre que la quincaillerie des techniques d'affaires n'est pas facilement adaptable au contexte hospitalier et qu'il est urgent de ralentir l'importation de concepts étrangers à ce milieu (Coutts, 1996).

Même dans le secteur privé, des gourous du changement ont mis en évidence les conséquences critiques des vagues successives de compressions des effectifs. Handy, pourtant le chantre des bénéfices des restructurations (*The Age of Unreason*, 1992), reconnaît dans son dernier ouvrage (*Le temps des paradoxes*, 1995) que « ce qui est en train de se produire dans nos sociétés évoluées est bien plus fondamental, bien plus déstabilisant et bien plus affligeant que je ne m'y attendais » (Handy, 1995 : 7). Pour leur part, Rolland et Sérieyx, dans *Colère à deux voix,* font le bilan des changements actuels : « Le culte de la compétitivité nous fait déboucher sur une société à la fois moins démocratique, moins heureuse et plus pauvre. » (1995 : 119) L'utilisation optimale des ressources d'une organisation passe par la mise en valeur du potentiel de son personnel et non par des mises à pied massives et des regroupements qui dénaturent les missions.

Au Québec, la Réforme Côté (1991) a modifié sensiblement le paysage organisationnel en faisant disparaître près du tiers des quelque 900 établissements publics. La tendance amorcée s'est poursuivie avec le regroupement forcé d'établissements hospitaliers desservant un même bassin démographique dans les centres urbains, la poursuite du virage ambulatoire et les nouvelles compressions dans le secteur public. Depuis lors, le mouvement s'est encore accéléré. L'ancien sous-ministre Luc Malo a, lui-même, annoncé que le ministère prévoyait diminuer le nombre d'établissements autonomes de 495 (au début de 1995) à un maximum de 300 (Malo, 1995).

Malheureusement, la littérature indique que de telles transformations, davantage décrétées que préparées, tant dans le secteur privé que dans le secteur public, ne se traduisent pas par des gains appréciables (tout au plus des économies en raison du regroupement de certaines fonctions) alors que les effets à moyen et à long terme sont souvent dévastateurs : perte des compétences du personnel dont on se défait, perte d'identité et baisse catastrophique du moral de ceux qui restent au point où l'on parle couramment du « syndrome du survivant » (Gendron et Gagnon, 1996), épuisement rapide des meilleures ressources parce qu'elles tentent de pallier les carences engendrées par les changements, etc. Sous un autre angle, la place des problématiques et des pratiques sociales sera aussi grandement réduite, dans les prochaines années, alors que la majorité des nouvelles organisations seront dominées par un agenda médical (virage ambulatoire, contrôle du coût des soins, *case management*, nette majorité d'infirmières) et dirigées par des gestionnaires surtout issus des centres hospitaliers. Cela accentue la perte d'influence des travailleurs sociaux amorcée avec l'intégration des anciens Centres de services sociaux dans les Centres jeunesse (Larivière, 1995).

Les transitions organisationnelles réussies ne sont pas décrétées à toute vitesse, mais bien préparées avec le personnel concerné et s'inscrivent dans le sens d'une amélioration de ce qui existe. Pour les réaliser, une recherche menée dans les services sociaux ontariens (Briks, Rocchi et Scarfo, 1995) insiste sur l'importance et la qualité (« l'honnêteté ») de la communication entre la direction et le personnel.

L'impact du changement organisationnel s'inscrit dans un courant où l'influence du milieu de travail a déjà été mise en évidence. Bennis (1962) et Beckhard (1969) ont développé, il y a 30 ans, un concept d'organisation « en santé ». Depuis, souvent sous la pression du mouvement syndical, l'idée de diagnostiquer les problèmes vécus par l'organisation en vue d'identifier les facteurs d'insatisfaction, d'enrichir les tâches et de modifier la qualité de vie au travail s'est largement propagée.

Cox et Leiter (1992) soulignent que les organisations dispensant des soins devraient pourtant, elles-mêmes, se soucier d'être des organisations en santé. La psychopathologie et la psychodynamique du travail (Dejours, 1988 ; Carpentier-Roy, 1991, 1995) ont montré que le rapport de forces structurant et déstructurant l'identité des travailleurs peut entraîner une réelle souffrance au travail. Karassek et Theorell (1990) lient le stress engendré par l'environnement de travail et les problèmes de santé physique et mentale ; cela justifie des changements dans l'organisation même du travail (accroissement de la marge de manœuvre et du contrôle sur les décisions). Le Comité de la santé mentale du Québec (Vézina *et al.*, 1992) a relevé que les tensions pathogènes pouvant exister dans un milieu de travail sont particulièrement fortes pour ceux qui exercent une profession de relation d'aide.

L'IMPACT DES CHANGEMENTS SUR LE RAPPORT ENTRE PRATICIENS ET ORGANISATION

Un examen de ce qui arrive aux principaux artisans des pratiques sociales, les travailleurs sociaux, servira à illustrer l'impact des changements entraînés par la Réforme Côté sur le rapport entre ceux-ci et les organisations qui les emploient. Une recherche menée auprès des travailleurs sociaux les plus concernés (ceux occupant un poste de praticien dans les Centres hospitaliers, les Centres jeunesse et les Centres locaux de services communautaires) permet, en effet, d'illustrer la relation dynamique qui existe entre le style de gestion des organisations, le soutien offert et l'impact des changements imposés. Bernier et Larivière (1996) soulignent que 35 % d'entre eux ont changé d'organisme employeur à cause de la Réforme, tandis que 82,5 % subissent des effets indirects affectant leur contexte de travail (1996 : 18 et 21).

Parmi les praticiens qui vivent de nouvelles difficultés par suite du changement, 70,5 % estiment que c'est surtout le style de gestion qui est inapproprié, 51,1 % signalent l'existence de conflits en milieu de travail et 50,1 % se disent mal informés de ce qui se passe dans leur organisation (1996 : 24). Il ne faut pas se surprendre si 36,7 % des répondants (1996 : 33) manifestent le désir d'échapper à un tel contexte. Il faut comparer ce taux avec celui d'une étude menée auprès du personnel de deux CLSC qui indique que seulement 20,8 % des employés manifestent un désir de quitter. Ce pourcentage croissait, cependant, à 46 % pour la catégorie des intervenants sociaux qui invoquent trois raisons principales pour expliquer ce choix : le climat de travail insatisfaisant, le manque de soutien et le style de gestion de l'organisation (1996 : 40).

Exposés à un contexte changeant et soumis à des contraintes stressantes, les employés peuvent toutefois bénéficier de formes de soutien, informel ou formel, les aidant à mieux s'adapter à ces épisodes. Pour les travailleurs sociaux interrogés, le soutien informel des pairs est perçu comme plus disponible dans le milieu de travail que celui du supérieur immédiat. Quant aux mesures de soutien jugées les plus importantes, ce sont les mécanismes d'information appropriés, la participation aux décisions concernant l'organisation du travail, la consultation professionnelle occasionnelle et l'accès à une expertise qui ressortent clairement. Les programmes d'aide aux employés et la consultation professionnelle occasionnelle sont les mesures les plus accessibles alors que la supervision sur une base régulière et un programme structuré de perfectionnement sont les moins offertes ; en contrepartie, ce sont, du point de vue des répondants, les mesures les plus souhaitées et jugées les plus urgentes, car elles sont liées au maintien de la compétence professionnelle (1996 : 50).

Parmi les facteurs qui sont perçus par les répondants comme constituant des obstacles à la mise en place de mécanismes de soutien, les intervenants mentionnent d'abord les limites budgétaires (83,4 %) puis, le manque de préoccupation des gestionnaires (62,3 %) [1996 : 54]. Le fait que 49,1 % des répondants ont un supérieur immédiat d'une profession différente ne favorise sans doute pas les échanges sur les malaises vécus par les professionnels.

Guérin, Wils et Lemire (1995), dans un effort de synthèse des éléments formant un modèle « idéal » de gestion des ressources professionnelles, montrent que seule une approche utilisant de multiples aspects de la gestion des ressources humaines est susceptible d'agir efficacement en vue de réduire le « malaise » vécu par les professionnels. La principale mesure envisagée par le gouvernement pour améliorer la situation est le plan de développement des ressources humaines (PDRH). Tous les établissements devaient en préparer un pour le 1er avril 1993 ; or, dans les faits, plus de trois ans après l'échéance, selon des informations obtenues de plusieurs gestionnaires d'établissements, la majorité d'entre eux n'auraient pas respecté cette prescription et la délinquance n'est guère sanctionnée. Le peu d'empressement manifesté par les gestionnaires à préparer un PDRH, conçu comme une mesure de participation, de développement du potentiel du personnel et d'amélioration du climat de travail, illustre bien la difficulté qu'ils éprouvent à répondre aux attentes et aux besoins de leur personnel dans un contexte où leur énergie est mobilisée par les transformations en cours.

LA NÉCESSITÉ DE REPENSER L'ORGANISATION DU TRAVAIL ET LE STYLE DE GESTION

La Réforme Côté et les compressions budgétaires qui se succèdent, en forçant le regroupement et la fusion des établissements, créent des organisations de grande taille, sans culture propre, où les modèles de gestion axés sur le contrôle risquent le plus de dominer. Avant cette réforme, les CLSC, qui apparaissaient pourtant, en raison de leur nature, comme les établissements les plus susceptibles d'être favorables à l'implication du personnel dans l'organisation du travail, étaient sensiblement divisés en deux tendances qui rassemblaient des forces à peu près égales favorisant, d'une part, le contrôle et, d'autre part, une gestion souple (Larivière, 1994).

En procédant à des fusions, tout porte à croire que le modèle médico-hospitalier, fondé notamment sur le pouvoir du médecin (qui est rarement un salarié de l'organisation) d'admettre la clientèle et de prescrire les services professionnels requis, risque de s'étendre et de renforcer la double spécialisation verticale et horizontale du travail. L'implantation de modes de gestion des clientèles s'oppose à la vision professionnelle des intervenants et la valorisation de la productivité (nombre d'actes posés) peut aussi facilement se faire au détriment de l'efficacité même des interventions accomplies. Nous assistons à la mise en place d'un modèle à trois paliers : règles de gestion des pratiques en grande partie extra-déterminées par le ministère et les régies et appliquées localement par la direction (dont celle des services professionnels), traitement et flux des clientèles décidés essentiellement par les médecins et services complémentaires rendus par les autres intervenants.

Plunkett et Fournier (1991) rappellent que l'autonomie de décisions, la concertation entre intervenants et la participation responsable sont des dimensions essentielles à une meilleure efficacité organisationnelle. Le Conseil canadien d'agrément des établissements de santé (CCASS) dans ses efforts pour l'amélioration de la qualité des services (Lozeau, 1996 : 191) et leur humanisation, s'est rendu compte que la promotion de la qualité dans un milieu institutionnel ne garantissait guère l'amélioration de celle-ci. Le meilleur moyen pour que les dispensateurs de services s'approprient ce concept est de stimuler la reconnaissance formelle des équipes multidisciplinaires existantes et de susciter la création de nouvelles équipes (CCASS, 1995) qui pourraient revoir l'organisation du travail, réduire les problèmes de communication entre les différents intervenants et atténuer sensiblement le temps perdu pendant lequel les personnes hospitalisées ne reçoivent pas de services, attendent les résultats de tests ou la disponibilité de tel ou tel spécialiste.

Une enquête récente menée auprès du personnel professionnel d'un centre hospitalier démontre qu'il entretient généralement de grands espoirs à l'égard de la mise en place d'équipes multidisciplinaires structurant les services par clientèle, mais aspire, en retour, à un soutien organisationnel significatif : reconnaissance des équipes semi-autonomes par la direction de l'organisation, encouragement aux médecins à s'y insérer, formation préalable, etc. (Larivière, 1996).

La reconnaissance du savoir-faire des professionnels par les gestionnaires conduit nécessairement à une révision de la répartition traditionnelle du pouvoir. En créant des équipes et en leur accordant une marge suffisante d'autonomie pour qu'elles accroissent leur rendement en améliorant leur façon de travailler, les gestionnaires associent ces professionnels à la gestion de l'organisation et des enjeux professionnels. Ils pratiquent alors une forme d'*empowerment*. Il s'agit là d'une piste incontournable pour une gestion qui cherche à mobiliser les énergies disponibles et à respecter les valeurs et les aspirations des employés.

Cette transformation des rapports traditionnels entre intervenants et gestionnaires peut conduire à une sorte de nouveau contrat social entre ces partenaires au sein des organisations. Elle apparaît d'autant plus inéluctable que les compressions actuelles réduisent sensiblement les niveaux de gestion et les effectifs des cadres et haussent considérablement le nombre d'employés que les « survivants » doivent encadrer. Les résultats d'une recherche menée auprès de l'ensemble des gestionnaires des établissements de la région des Laurentides (Larivière, 1997) indiquent qu'un nombre important d'entre eux recherchent une nouvelle façon de gérer qui leur permettrait à la fois de répondre aux attentes de leur personnel et d'éviter leur propre épuisement professionnel.

Kouzes et Posner ont relevé près d'une vingtaine de comportements qui expriment un mode de gestion mieux adapté aux besoins actuels (1993 : 50). Le nouveau type de gestionnaire soutient son personnel, propose des défis, sait écouter, reconnaît le bon travail, agit en fonction de ses engagements, partage son pouvoir, aide ses employés à surmonter les épreuves personnelles, admet ses erreurs et accepte que les autres puissent aussi en commettre, constitue une sorte de mentor, etc.

La société confie aux cadres d'importants mandats d'administration et d'organisation des services. Ceux qui réussissent le mieux à satisfaire et à mobiliser les ressources qui leur sont confiées adoptent des styles de gestion innovateurs. En ce sens, les gestionnaires apparaissent comme les premiers responsables du climat organisationnel par le style de gestion collectif qu'ils adoptent (Larivière, 1994). La réalité des organisations fait qu'elles regroupent des personnes dont les valeurs et les intérêts – souvent conflictuels – doivent être conciliés (Friedberg, 1993) pour obtenir un fonctionnement optimal, objectif que les gestionnaires et le personnel syndiqué ne peuvent atteindre qu'en partageant un objectif commun et en développant une culture différente de celle héritée du mode traditionnel de gestion.

CONCLUSION

Alors que des tendances lourdes s'expriment en raison de l'évolution démographique, de l'endettement de l'État, de l'ouverture des frontières, les transformations en cours au Québec apparaissent comme extrêmement risquées. Il y a, en effet, fort à parier que cela se traduise par une désorganisation plutôt que par une transformation véritable et que les coûts à moyen et à long terme dépassent les économies réalisées à court terme. L'intégration des établissements sans réelle préparation du personnel concerné et les difficultés rencontrées dans le développement d'une nouvelle culture organisationnelle (dans un contexte où les compressions se poursuivront encore durant quelques années et dicteront les choix) font en sorte que les effets bénéfiques des changements seront très probablement annulés. Or, par les temps qui courent, de nombreux décideurs au sein des gouvernements ne semblent même pas s'en rendre compte, comme si le fait de voir clair dans le contexte actuel relevait plus de l'astrologie que de l'administration publique.

Le souci des organisations de soutenir leurs intervenants contribue à créer un milieu empreint d'une bonne qualité de vie au travail. Inversement, exiger du personnel une productivité accrue sans lui donner les moyens nécessaires favorise le développement d'un malaise personnel et collectif caractérisé par une expression d'insatisfaction, une hausse des cas d'épuisement professionnel et de multiples tensions lors de l'application des décisions des gestionnaires. Le concept de soutien organisationnel, étrangement négligé jusqu'ici, pourrait être défini comme l'ensemble des mesures qu'une organisation et ses gestionnaires adoptent pour soutenir chacun des employés dans l'exercice de sa tâche et l'aider à surmonter les difficultés d'adaptation professionnelles et personnelles. Il s'actualise concrètement par la mise en place de mesures qui correspondent à la reconnaissance de besoins particuliers comme la valorisation des ressources humaines, l'aide à l'exécution de la tâche, le maintien de la compétence et l'aide à l'exercice des rôles.

L'organisation idéale n'existe probablement qu'en rêve. Toutefois, de nombreuses organisations ont trouvé (à un moment de leur existence) un équilibre qui leur assure un sain fonctionnement, en dépit de certaines zones de tensions. Cela apparaît comme la seule voie réaliste pour tirer le meilleur parti des ressources importantes que notre société continue d'investir dans le champ sociosanitaire et pour permettre à ces organisations d'être, aussi, en santé.

Bibliographie

BARON, Serge *et al.* (1995). « Dans un coup d'œil, les caractéristiques de trois approches majeures », *Le Groupe CFC*, hiver, 4-5.

BECKHARD, Richard (1969). *Organization Development : Strategies and Models*, Reading, Mass., Addison-Wesley, 119 pages.

BENNIS, Warren (1962). « Towards a "Truly" Scientific Management : The Concept of Organizational Health », *General Systems Yearbook*, New York, SRA.

BERNIER, Diane et Claude LARIVIÈRE (1996). *Soutien organisationnel aux pratiques d'intervention en contexte de changement*, Rapport de recherche, Université de Montréal, École de service social, 101 pages.

BRIKS, Michael, ROCCHI, Anna et John SCARFO (1995). « The Power of Managerial Honesty in Social Service Organizations in Transition », *The Social Worker*, vol. 63, n° 4, 184-186.

CARPENTIER-ROY, Marie-Claire (1991). *Corps et âme. Psychopathologie du travail infirmier*, Montréal, Liber, 174 pages.

CARPENTIER-ROY, Marie-Claire (1995). « Santé mentale et travail. Avantages et limites de la psychodynamique du travail », dans MALENFANT, Romaine et Michel VÉZINA. *Plaisir et souffrance. Dualité de la santé mentale au travail*, Montréal, Les Cahiers scientifiques de l'ACFAS, 13-28.

CONSEIL CANADIEN D'AGRÉMENT DES SERVICES DE SANTÉ (1995). *Normes à l'intention des établissements de soins de courte durée. Une approche centrée sur le client*, Ottawa, cahier non paginé.

COUTTS, Jane (1996). « Business Techniques No Cure in Hospital Setting, Study Says », *The Globe and Mail*, 9 mai, page 7.

COX, Tom et Richard LEITER (1992). « The Health of Health Care Organizations », *Work and Stress*, vol. 6, n° 3, 219-227.

DEJOURS, Christophe (sous la direction de) [1988]. *Plaisir et souffrance dans le travail*, Paris, Éditions de l'AOCIP, 2 volumes.

FRIEDBERG, Erhard (1993). *Le pouvoir et la règle*, Paris, Seuil, 405 pages.

GENDRON, Catherine et Yves GAGNON (1996). « Le syndrome du survivant : une nouvelle réalité de la gestion des organisations publiques », *Sources-ENAP*, vol. 12, n° 5, 1-4.

GROUPE DE LISBONNE (1995). *Limites à la compétitivité. Vers un nouveau contrat mondial*, Montréal, Boréal, 230 pages.

GUÉRIN, Gilles, WILS, Thiery et Louise LEMIRE (1995). « Le malaise professionnel : variations selon les facteurs individuels et organisationnels. Le cas des professionnels syndiqués au Québec », Rapport de recherche, Université de Montréal, École de relations industrielles, 338 pages.

HANDY, Charles (1995). *Le temps des paradoxes*, Montréal, Les Éditions Transcontinental, 271 pages.

HANDY, Charles (1992). *The Age of Unreason*, Londres, Hutchinson, 203 pages.

KARASSEK, Robert et Töres THEORELL (1990). *Healthy Work. Stress, Productivity and the Reconstruction of Working Life*, New York, Basic Books, 381 pages.

KOUZES, James et Barry POSNER (1993). *Credibility*, San Francisco, Jossey-Bass, 332 pages.

LARIVIÈRE, Claude (1997). « Personnalité, habiletés et styles de gestion des organisations du réseau de la santé et des services sociaux de la région des Laurentides », Rapport de recherche, Université de Montréal, École de service social, 128 pages.

LARIVIÈRE, Claude (1996). *Rapport sur la démarche de formation au travail interdisciplinaire en équipe*, Laval, Réseau conseil interdisciplinaire du Québec, 28 pages.

LARIVIÈRE, Claude (1995). « Service social et identité professionnelle en CLSC », *Intervention*, n° 100, mars, 41-47.

LARIVIÈRE, Claude (1994). *Styles de gestion, satisfaction au travail et efficacité organisationnelle perçue dans 11 CLSC*, Thèse de doctorat (sociologie), Université de Montréal, 398 pages.

LOZEAU, Daniel (1996). « L'effondrement tranquille de la gestion de la qualité : résultats d'une étude réalisée dans douze hôpitaux publics au Québec », *Ruptures*, vol. 3, n° 2, 187-208.

MALO, Luc (1995). Conférence prononcée par le sous-ministre de la Santé et des Services sociaux du Québec dans le cadre du Ve Colloque du Réseau de recherche socio-politique et organisationnelle au Québec, Université Laval, 13 octobre.

PLUNKETT, Lorne et Robert FOURNIER (1991). *Participative Management. Implementing Empowerment*, New York, John Wiley, 273 pages.

ROLLAND, Gabrielle et Hervé SÉRIEYX (1995). *Colère à deux voix. Quand les organisations laminent les talents*, Paris, InterÉditions, 164 pages.

VÉZINA, Michel, COUSINEAU, Michelle, MERGLER, Donna, VINET, Alain et Marie-Claire LAURENDEAU (1992). *Pour donner un sens au travail*, Boucherville, Comité de la santé mentale du Québec et Gaëtan Morin Éditeur, 179 pages.

Issue pour le renouvellement des pratiques en protection de la jeunesse : une organisation du travail en provenance de la base

Paul LANGLOIS
Centre jeunesse de Québec

Avec la création des Centres de services sociaux (CSS) et des Directions de la protection de la jeunesse (DPJ) au cours et à la fin des années 1970, on voit graduellement s'insinuer la prépondérance des rapports de travail dans le domaine. L'application concrète des mesures comprises dans les Rapports Harvey I et II au sein des DPJ témoigne ensuite d'un effort peu commun de formalisation des opérations de l'intervention sociale. Cet effort ravive, avec les changements nombreux qui suivront, la question de l'exclusion ou de la participation des intervenants à l'organisation du travail. Peut-on parler de renouvellement des pratiques en protection de la jeunesse et si oui, quelles sont les conditions susceptibles d'en voir l'éclosion ?

S'il faut en croire les premières conclusions d'une recherche menée auprès du personnel-intervenant de la Direction de la protection de la jeunesse de Québec, un tel renouvellement s'observe. Les conditions de son émergence ont alors trait à quelques facteurs indissociables comprenant un mode de fonctionnement par petit groupe autonome, une spécialisation accrue de ces groupes par problématique, une action concertée avec l'environnement et le milieu. Nous découvrons là l'expression d'une démocratie de base dans le travail dont le caractère premier est d'être à la fois plus organique et moins « délégative ».

BREF RAPPEL

Par suite de la réunion dans de nouvelles entités organisationnelles des 42 agences familiales et des 6 centres psychosociaux existant au Québec, en 1970, 14 Centres de services sociaux (CSS) sont créés à travers la province. Ils centralisent, sur le plan régional, les services spécialisés de deuxième ligne touchant la famille, l'enfance, l'alcoolisme et le troisième âge. De la sorte, « les petites agences dites familiales deviennent de grandes organisations bureaucratisées et structurées » (Poulin, cité dans Mayer et Groulx, 1987 : 41), au sein desquelles on assiste à une division du travail croissante, à la soumission des services professionnels à un contrôle hiérarchique formel, et à la prépondérance des rapports de travail sur le professionnalisme (Lesemann, 1980 : 3-10).

L'émergence de la *Loi sur la protection de la jeunesse* (Loi 24) inaugure ensuite un resserrement des pratiques du service social qui, de sociothérapeutiques, deviennent plus formellement sociojudiciaires. Cette loi est adoptée à l'unanimité en décembre 1977 et entre en vigueur en décembre 1979. En plus d'affirmer la reconnaissance de l'enfant comme « sujet de droit » plutôt que comme « objet de droit », elle pourvoit à la création d'un Tribunal de la jeunesse en remplacement de la Cour de bien-être social (Deleury, Rivet et Lindsay, 1978 : 23) et adjoint une Direction de la protection de la jeunesse à chaque Centre de services sociaux. Les services se dispensent alors dans un contexte d'autorité où, en plus de l'encadrement administratif serré qu'imposent les CSS, la pratique professionnelle se trouve encadrée par une loi qui définit une fonction légale explicite de protection sociale aux services sociaux dans le cadre du respect des droits de l'enfant (Beaudoin, 1987 : 95). En fait, « le rapprochement que consacre la Loi entre les pratiques sociales et l'appareil judiciaire exprime la volonté étatique d'obtenir une plus grande efficacité de l'intervention, notamment auprès de catégorie de la population plus réticente » (Lesemann, 1980 : 18).

RAPPORTS HARVEY ET SYSTÉMATISATION DE LA PRATIQUE

Près d'une dizaine d'années après l'apparition de la *Loi sur la protection de la jeunesse*, le ministère de la Santé et des Services sociaux entend revoir en profondeur l'organisation des directions de la protection de la jeunesse. C'est qu'il veut pallier les difficultés rattachées à la gestion des listes d'attente, à la non-fiabilité de certaines données opérationnelles à partir desquelles on alloue les budgets et au manque d'harmonisation des pratiques d'une DPJ à l'autre (Langlois, 1991 : 141). Il fait donc appel à Jean Harvey, professeur en science administrative de l'Université du Québec à Montréal et son groupe de travail inter-CSS pour procéder rapidement à une étude menée en 1988 concernant les activités de réception et de traitement des signalements (RTS), et d'évaluation-orientation (EO) en protection de la jeunesse. L'étude vise notamment l'amélioration de l'efficacité et de l'efficience dans l'utilisation des ressources cliniques rares et l'identification des aspects du fonctionnement qui doivent être modifiés et uniformisés. Au mois de juillet 1991, Harvey présente au sous-ministre adjoint Boisvert un deuxième rapport : « La protection sur mesure : un projet collectif » (1992). Une particularité de cette deuxième étude est alors la mise à contribution de trois catégories d'établissements (les CSS, les centres de réadaptation et les CLSC), ainsi que celle de 12 groupes d'experts appelés aussi « groupes Delphi ». Pour l'essentiel, les objectifs poursuivis consistent alors à dresser un inventaire des principales activités du processus d'application des mesures de protection de la jeunesse et faire toute proposition concrète susceptible d'améliorer l'efficience et l'efficacité des services d'application des mesures de protection de la jeunesse (Harvey *et al.*, 1992 : 21).

SIX THÈMES DISTINCTS EXPRIMENT BIEN LE CONTENU DE CES DEUX RAPPORTS

La production de données fiables

Un premier aspect de la réflexion de Harvey a trait à la standardisation des principaux outils de collecte de données et à la production d'information fiable et comparable d'un établissement à l'autre. Dans ce rapport, il souligne l'importance pour la DPJ de conserver en tout temps un contrôle étroit de la situation de chaque enfant sous sa responsabilité. Pour ce faire, « [...] des systèmes d'information complets et bien rodés sont nécessaires » (Harvey *et al.*, 1992 : 134). Ces systèmes tiendront compte d'une multitude d'indicateurs : nombre de dossiers attribués ou fermés, taux de récurrence, taux de respect des échéances (délais d'intervention, révision), charge de cas moyenne par problématique, proportion d'enfants placés et durée moyenne des placements, proportion de situations judiciarisées et d'ententes sur mesure volontaire, nombre d'intervention conjointe avec le réseau, etc. (*Ibid.* 153). La crédibilité des systèmes d'information de protection de la jeunesse est mise en cause. On veut désormais fournir des rétroactions rapides à propos de toutes les étapes critiques du cheminement d'un dossier et produire une information de gestion de qualité supérieure.

La productivité des intervenants

C'est principalement en ayant recours aux estimés des temps moyens requis et en misant sur l'élaboration de protocole qu'on tente d'augmenter substantiellement la productivité des intervenants. Relativement aux temps moyens, on retient des temps de trois jours ouvrables pour le traitement du signalement, quatre jours ouvrables pour l'attente entre le moment de retenir le signalement et l'évaluation, sept jours ouvrables pour l'évaluation et sa conclusion. On propose aussi une durée moyenne d'un an pour le traitement d'un dossier à l'application des mesures, malgré la reconnaissance explicite d'une augmentation importante de la productivité à cette étape due à un accroissement de clientèle, à une augmentation de la judiciarisation, à une détérioration de l'environnement social et à l'absence d'ajout correspondant de personnel à la prise en charge. On mise aussi sur l'élaboration de protocoles de manière à préciser les rôles et les responsabilités de chacun. Si l'on cherche de la sorte à rendre le processus « clair et transparent », on tente aussi d'uniformiser les critères de décisions lors des différentes étapes de l'intervention et d'identifier les « mouvements inutiles » que l'on doit soustraire de la pratique pour mieux accroître la production (Langlois, 1993 : 157).

La réduction du placement et de la judiciarisation

Harvey assure qu'il faut réduire le placement, minimiser sa durée et explorer au préalable toutes les avenues qui peuvent s'offrir, notamment en mobilisant le milieu parental et le réseau des services sociaux. Le placement serait la composante d'une pratique défensive de la part des intervenants, la conséquence d'une vision à courte vue et une gestion facile du risque. Les mesures préconisées pour réduire le recours au placement ont alors trait à l'implication accrue du supérieur immédiat et à l'adoption d'objectifs de gestion, à l'élargissement du comité de placement, à l'utilisation d'indicateurs sur le nombre et la durée des placements, à la détermination d'une fréquence minimale des rencontres avec l'enfant, à l'élaboration de projets d'intervention en situation de crise ayant explicitement pour but la réduction des placements et de leur durée, etc. Par ailleurs, on fait part des lourdes conséquences de la judiciarisation, notamment sur la durée de l'intervention. Il faut alors réduire le recours trop fréquent à la judiciarisation en s'assurant que les mêmes critères opérationnels président aux décisions en ce sens et en analysant aussi l'attitude ou la motivation de l'intervenant (préférence, prudence ou insécurité de sa part).

Le renforcement de l'encadrement

Selon Harvey, le cadre est le pivot du processus d'intervention et de la détermination des objectifs de l'équipe, bien que son autorité s'exerce en fait dans un contexte où d'autres influences agissent sur les intervenants dont il est responsable. Précisément pour cette raison, on doit renforcer l'intégrité de son lien avec les praticiens en réduisant, entre autres, les interférences dues à l'action des réviseurs ou des avocats, et en misant sur un système serré et cohérent d'encadrement. Pour ce faire, on veut d'abord minimiser à la source les risques d'erreurs dans le choix des candidats en s'appuyant sur un profil type d'intervenant en protection. On propose aussi de recourir systématiquement à certains critères uniformes de décision, d'améliorer le taux d'encadrement en ramenant le ratio cadre / intervenants à un pour huit, d'évaluer le personnel en protection de la jeunesse au moins une fois l'an, de procéder à l'épuration des charges de cas et de s'assurer que la transition entre chaque étape du processus se fasse sans aucune attente.

Le développement des ressources humaines

La diversité et la complexité des situations rencontrées en protection de la jeunesse conjuguées aux lacunes des disciplines propres à chaque intervenant (dont les balises sont plutôt larges et la pratique mal codifiée, selon Harvey) poussent naturellement le professionnel à vouloir approfondir ses connaissances et à se spécialiser. Harvey reconnaît cet état de chose et se montre d'avis que la spécialisation est désirable « parce qu'elle permet une efficacité accrue et une plus grande efficience dans l'intervention » (Harvey, 1992 : 75) tout en donnant une meilleure réponse aux besoins des clients. Par contre, il est conscient que cette dernière risque de réduire la flexibilité nécessaire pour faire face aux fluctuations de la demande en plus de limiter « le recours à des solutions autres que celles privilégiées par les spécialistes d'un domaine donné » (Harvey, 1992 : 140). Pour limiter en partie ces écueils, il suggère que la spécialisation des intervenants et le développement d'expertise touchant l'abandon, la négligence, les troubles de comportement, l'abus physique et sexuel, tiennent compte préalablement d'un mode de fonctionnement par majeure et mineure. Outre l'amorce d'études sur l'intervention dans les diverses problématiques et la mise en place de mesures visant une large diffusion des expertises (forum, colloque, formation continue, etc.), il propose que soient développés des guides d'intervention relatifs à des problématiques pour lesquelles les intervenants se sentent moins bien outillés.

La mise à contribution des partenaires

Harvey fait aussi le constat qu'il existe un problème de concertation et de communication entre les différents professionnels des services internes de l'établissement. Il propose alors d'établir clairement que la personne autorisée par la DPJ soit la cliente des autres services de l'organisation pour ensuite mettre en œuvre des mécanismes visant à améliorer les rapports avec le contentieux, les services ressources, la Révision et les autres secteurs de travail. Par ailleurs, il fait valoir l'importance de mettre à contribution les intervenants du centre de réadaptation, du CLSC, du milieu scolaire, de l'organisme communautaire, etc., en intensifiant les rapports interétablissements, en explorant la possibilité d'autoriser éventuellement ces intervenants à agir en vertu de la Loi et en misant sur le recours au Plan de services individualisé (PSI). Si Harvey reconnaît que le personnel n'aime pas jouer le rôle de gestionnaire de cas que peut impliquer pour lui l'usage du PSI, sa conviction pourtant est qu'une mise à contribution plus formelle des partenaires pourra, par le PSI, se concrétiser.

En bout de ligne, l'effort de Harvey constituera l'une des composantes d'une réflexion plus globale touchant la problématique jeunesse au Québec. Dans les faits, il se trouve complété par la réflexion de Bouchard en ce qui concerne la perspective « prévention » et un vaste programme d'actions en ce sens pour les dix prochaines années, et celle de Jasmin qui procède, cette fois, à une importante révision législative ayant pour but, notamment, l'adaptation du processus judiciaire aux exigences de l'intervention sociale en protection de la jeunesse. Au moment de devoir préciser les orientations qu'il privilégie en matière jeunesse, le ministère de la Santé et des Services sociaux fait le choix d'intégrer le contenu des trois rapports en question – Harvey, Bouchard et Jasmin – lesquels constituent, à son avis, une source d'inspiration précieuse. « Cet effort d'intégration inclut également les mesures jeunesse annoncées dans le cadre de la réforme ainsi que les politiques ou programmes ministériels reliés à cette clientèle. Les orientations tiennent enfin compte de la Politique de santé et de bien-être du ministère. » (MSSS, 1992 : 7) Au cours du mois d'avril 1992, le ministre dote formellement le système jeunesse de nouvelles orientations (Plan d'actions jeunesse) visant :

– à ramener le domaine de la protection de la jeunesse à sa raison d'être, qui est de venir en aide à une minorité de jeunes dont la sécurité ou le développement est compromis;
– à faire de la protection de la jeunesse une responsabilité qui mobilise l'ensemble de la collectivité;
– à permettre une intégration sociale harmonieuse du jeune avec son milieu en plus d'effectuer un virage prévention s'inscrivant dans une perspective de lutte contre la pauvreté.

Les moyens privilégiés par le Plan d'actions jeunesse en ce qui a trait aux aspects administratifs et cliniques du mandat de protection des jeunes touchent alors un vaste ensemble de mesures, comme se doter de systèmes d'information complets et intégrés, épurer les charges de cas, réduire la durée de vie des dossiers, éliminer les listes d'attentes, réduire le placement d'enfants, valoriser le rôle de l'encadrement de premier niveau, miser sur la concertation à l'interne et à l'externe (par le recours à la table d'orientation, au Plan de services individualisé, etc.). Il s'agit en fait de mesures reprises intégralement dans les Rapports Harvey I et II qui ont aujourd'hui plus que jamais force de loi dans le domaine de la protection de la jeunesse.

Conditions pour le renouvellement des pratiques

L'application concrète des mesures issues de la réflexion de Harvey et de ses collaborateurs témoigne d'un effort peu commun de formalisation des opérations de l'intervention sociale susceptible de venir dicter la conduite et de restreindre l'autonomie des professionnels du domaine de la protection de la jeunesse. Elle ravive de la sorte les questions de l'exclusion ou de la participation des intervenants à l'organisation du travail. Peut-on alors parler de renouvellement des pratiques en protection de la jeunesse et si oui, quelles sont les conditions susceptibles d'en voir l'éclosion?

S'il faut en croire les premières conclusions d'une recherche que nous avons menée auprès des intervenants de la Direction de la protection de la jeunesse de Québec dans le cadre du programme de doctorat en service social de l'Université Laval (dont la rédaction de thèse est en cours), un tel renouvellement s'observe. Cette recherche porte en fait sur la participation à l'organisation du travail chez le personnel-intervenant d'une Direction de la protection de la jeunesse. Elle vise à mettre en lumière les constellations de facteurs propres à favoriser ou à nuire à cette participation dans un secteur où, fréquemment, l'on affirme qu'il y a peu à dire sur la participation. «Beaucoup ne croient pas possible, en effet, que les professionnels de la DPJ puissent prendre des décisions quant à l'organisation de leur pratique et ce, en raison du cadre bureaucratique propre à ce type d'établissement ou en raison des impératifs imposés par la Loi. » (Langlois, 1995 : 39) Notre conviction pourtant mise au départ sur le postulat selon lequel le renouvellement des pratiques est possible au sein du secteur public là où la démocratisation des lieux de travail peut s'observer (voir, à ce sujet, la réflexion de Vaillancourt, 1993). Comme pour d'autres milieux de travail complexes, et à certaines conditions, nous constatons que le professionnel peut, de fait, dépasser les limites inhérentes à l'organisation du travail qui le caractérise. Il y arrive en recourant à des stratégies originales qui portent en germe un modèle d'organisation différent souvent mieux adapté aux exigences de la tâche.

Concrètement, par le biais d'entrevues individuelles d'une durée moyenne de deux heures comprenant des questions fermées et ouvertes, nous avons procédé à un inventaire systématique des *expériences de participation* et de leurs caractéristiques associées auprès des deux tiers du personnel-intervenant de la DPJ de Québec. Ces expériences couvrent une période de sept ans, soit entre 1988 et 1995. Elles sont vécues à titre d'individu (dans le cadre d'un rôle formel ou informel), comme groupe (au sein d'une équipe de travail, d'un groupe informel, d'un groupe mandaté par l'établissement, d'un groupe de spécialistes), comme instance représentative (par le biais du syndicat, du conseil multidisciplinaire, du conseil d'administration), ou comme secteur de travail (à l'Accueil physique et téléphonique, à l'Urgence sociale, à l'Évaluation ou à l'Application des mesures). Nous avons alors examiné dans quelle mesure les intervenants pouvaient dire leur mot ou exercer une influence sur des aspects pointus de leur travail touchant l'une ou l'autre des trois formes d'autonomie d'une organisation de type bureaucratique, soit l'autonomie administrative, opérationnelle ou stratégique (Raelin, 1986, 1989). Les aspects propres à *l'autonomie administrative*, qui visent l'administration du processus de production et le contrôle du volume de travail au sein de l'organisation, avaient trait à la gestion de la charge de travail, aux exigences administratives et au support technique et clérical. Les aspects touchant *l'autonomie opérationnelle*, reliés plutôt à la livraison de la prestation de service et à la compétence professionnelle qui s'y rattache, concernaient cette fois la formation et le perfectionnement, la spécialisation par problématique et le support clinique. Les aspects touchant *l'autonomie stratégique*, dont le rôle est de déterminer les objectifs et les politiques de l'organisation en plus d'assurer une action complémentaire avec les partenaires, concernaient les pratiques relatives à la concertation avec les partenaires se situant à l'extérieur de l'organisation, ou bien à l'intérieur, comme c'est le cas avec la Révision, le Contentieux, les comités de placement et d'admission et les autres secteurs de travail. Enfin, nous avons précisé quatre niveaux de participation (*déterministe, intégratrice, responsabilisante et interactionniste*) propre à quatre modes de gestion (*autoritaire, directif, d'appui et démocratique*), lesquels expriment deux tendances nettes et opposées : celle d'une participation subordonnée au projet patronal et celle d'une participation dite « autonome et indépendante » (Lapointe et Bélanger, 1994).

Il nous est apparu que trois conditions indissociables influaient positivement sur la participation à l'organisation du travail : 1) un mode de fonctionnement par petit groupe autonome, 2) une spécialisation accrue de ces groupes par problématique, 3) une action concertée avec l'environnement et le milieu.

1. *Un mode de fonctionnement par petit groupe autonome*

Depuis quelques décennies déjà, nombre d'auteurs constatent que c'est avec le groupe autonome de travail que la rupture est la plus complète avec le taylorisme (Paquin, 1986 : 45-54), cette organisation hiérarchisée caractérisée par une forte spécialisation tant à la verticale qu'à l'horizontale. Le fonctionnement collégial des groupes autonomes oppose d'abord une conception qui retient, comme unité de base de l'organisation, le groupe de travail plutôt que l'individu. De plus, il s'avère l'approche la plus concluante lorsque nous avons affaire à une production de services sujette à de nombreuses incertitudes (au regard des transactions et de la conversion de la demande en prestation de services) et que nous constatons une forte interdépendance entre les tâches où de fréquents échanges d'information sont requis. Un groupe peut être qualifié d'autonome s'il est en mesure de contrôler et de différencier sa tâche, ainsi que de contrôler sa frontière.

Le contrôle de la tâche renvoie alors à la possibilité pour les employés de modifier la prestation de services grâce à une liberté de choix concernant les méthodes de travail, la gestion de la charge de travail et les changements qu'impose le feed-back fourni sur la performance du groupe. *La différenciation de la tâche* exprime la possibilité de former une tâche plus complète. « En groupant ensemble les tâches interdépendantes dans une même unité, la coopération techniquement requise est facilitée de même que le contrôle des variances, puisque celles-ci vont se situer davantage à l'intérieur des frontières du groupe plutôt qu'être répercutées d'un groupe à l'autre. » (Cumming, cité dans Paquin, 1986 : 152) *Le contrôle de la frontière* a trait à l'influence exercée par les employés dans les transactions du groupe avec l'environnement. Il mise pour l'essentiel sur une interaction et une réflexion soutenue avec les composantes de cet environnement (gestionnaires, services supports, organismes du milieu, population-bénéficiaire, etc.). Parmi les diverses formes de petits groupes que nous avons été à même d'observer dans le cadre de notre recherche, le groupe de spécialistes a pu correspondre pour certaines périodes à cette large définition, différemment de l'équipe de travail, du groupe informel ou du groupe mandaté.

2. *Une spécialisation accrue de ces groupes par problématique*

Il ne suffit pas de garantir l'autonomie nécessaire au groupe pour qu'il exerce adéquatement son action ; nous observons qu'il faut aussi considérer l'importance d'une spécialisation accrue par problématique. Rappelons que le champ des problèmes couverts par la *Loi sur la protection de la jeunesse* se trouve fort diversifié. Toute tentative de vouloir maîtriser simultanément l'ensemble des dimensions propres à ces problématiques risque en fait d'être vouée à l'échec. La complexité croissante des situations et des interventions qui leur correspondent, à la fois sur le plan clinique et légal, constitue une incitation supplémentaire à recourir à la spécialisation par problématique. Par contre, il n'y a pas que des avantages à privilégier cette option. On voit que la constitution de groupes de spécialistes autonomes fait aussi apparaître son cortège de problèmes. Outre la flexibilité réduite pour faire face aux fluctuations de la demande dont nous parle Harvey, on observe des problèmes essentiels de contrôle, de coordination et d'innovation pour l'organisation. Si l'autonomie du groupe de spécialistes va s'accroissant, quels moyens aurons-nous « de corriger les déficiences sur lesquelles les professionnels eux-mêmes choisissent de fermer les yeux ? » (Mintzberg, 1982 : 329) Si les professionnels se concentrent sur le programme d'intervention qui leur plaît le plus, comment empêcher que ceux-ci confondent les besoins de leurs clients avec ce qu'ils ont à leur offrir, ou même empêcher qu'ils excluent, sans en débattre, les approches privilégiées par d'autres professionnels tout aussi qualifiés ? Un nouveau constat s'impose : le renouvellement des pratiques et les innovations dépendent aussi de l'action concertée avec l'environnement et le milieu.

3. *Une action concertée avec l'environnement et le milieu*

En plus des problèmes de communication entre les différents services internes de la DPJ, une complication apparaît avec les interactions « tumultueuses » entre les divers intervenants œuvrant auprès des mêmes clientèles. Précisons que cette clientèle se trouve aux prises avec des situations lourdes et souvent chroniques, dont l'état de détérioration avancé exige notamment la présence d'une multiplicité de dispensateurs de services sur des périodes plus ou moins longues (de quelques mois à quelques années). La nécessité d'harmoniser toutes ces interventions entre elles se bute alors rapidement à la sectorisation des services, au manque de concertation et de complémentarité, aux chevauchements et à l'ambiguïté des rôles. Néanmoins, nous avons été à même de constater que le service rendu par divers groupes de spécialistes mettait d'abord un terme à la difficulté posée par l'ambiguïté des rôles. L'approfondissement des connaissances auquel se livrent les spécialistes constitue un véritable enrichissement pour l'organisation et ses partenaires au moment de devoir définir le service et les frontières du service. En second lieu, nous observons que la contribution pointue et originale du groupe de spécialistes (qui vise la résolution d'un problème complexe) suscite un puissant intérêt, controversé ou non, auprès tout autant de la population-bénéficiaire que des collègues de travail et des gestionnaires, des partenaires du réseau et du hors-réseau, des instances de la régie régionale ou du ministère. Si le groupe de spécialistes accepte de s'ouvrir sur son environnement, on voit surgir avec l'intérêt qu'il suscite des échanges qui n'auraient pas eu lieu, des alliances en vue de la promotion d'une réponse mieux adaptée aux besoins du client et, dans le meilleur des scénarios, une authentique action concertée de la part des principaux partenaires. En retour, cette action concertée contribue à renforcer l'autodiscipline du groupe de spécialistes, à assurer son autorégulation ainsi qu'à fournir une protection fiable contre toutes manœuvres politiques hostiles à son endroit.

EN GUISE DE CONCLUSION

De la dernière moitié des années 1980 jusqu'aux importantes transformations structurelles que nous avons connues à partir de 1993 avec le démantèlement des Centres de services sociaux, nombre de bouleversements ont marqué le domaine de la protection de la jeunesse : la constitution, en 1993, des Centres de protection à l'enfance et à la jeunesse (CPEJ) et des centres de réadaptation pour jeunes en difficulté d'adaptation (CRJDA) sous la responsabilité d'un seul conseil d'administration ; l'amorce des fusions, en 1994, de ces établissements de protection et de réadaptation qui deviendront les actuels centres jeunesse ; le redéploiement des effectifs, en 1996-1997, qui vient assurer désormais une distribution des services sur une base sous-régionale (territorialité) ; les compressions, en cascade, au cours de cette même période. Les professionnels de la protection de la jeunesse conjuguent dès lors avec des conditions d'exercice qui mettent résolument en cause l'expertise chèrement acquise ainsi que la spécificité du mandat psychosocial qui leur est propre.

Si la transition n'apparaît pas rose, elle porte malgré tout en elle de réelles possibilités pour le renouvellement des pratiques. C'est le cas à partir du moment où elle permet de repenser le mode de fonctionnement et l'autonomie des équipes au sein des bureaux sous-régionaux, dès l'instant où elle assure le maintien et le développement de l'expertise des professionnels tandis que le service se réorganise ou lorsque le partenariat devient l'expression d'intervenants-spécialistes soucieux de s'adapter aux besoins du bénéficiaire par l'action concertée avec l'environnement et le milieu. Comme Lipietz (1990), souhaitons que ces bouleversements fassent apparaître la nécessité d'une transformation des rapports dans le travail vers une plus grande maîtrise des producteurs sur leur activité et la nécessité d'une évolution vers des formes de démocratie de base, plus organiques et moins « délégatives ». « Cela suppose le face à face, le contact, la négociation à la base [...] la confrontation directe des ressources, des savoirs-faires, de l'esprit d'initiative, de l'imagination d'une part, et, d'autre part, l'inventaire des besoins non satisfaits, des compromis nécessaires. » (Lipietz, 1990 : 116-117)

Bibliographie

BEAUDOIN, ANDRÉ (1987). *Le champ des services sociaux dans la politique sociale au Québec*, Synthèse critique numéro 38, Commission d'Enquête sur les Services de Santé et les Services sociaux, Québec, Les Publications du Québec.

DELEURY, Edith, RIVET, Michèle et Jocelyn LINDSAY (1978). « Historique et analyse de la Loi de la protection de la jeunesse », *Intervention*, n° 52, été, 22-33.

GROUPE DE TRAVAIL POUR LES JEUNES (1991). *Un Québec fou de ses enfants* (Rapport Bouchard), Ministère de la Santé et des Services sociaux, Québec.

GROUPE DE TRAVAIL SUR L'ÉVALUATION DE LA *LOI SUR LA PROTECTION DE LA JEUNESSE* (1992). *La protection sur mesure... plus qu'une loi* (Rapport Jasmin), Ministère de la Santé et des Services sociaux, Québec.

HARVEY, *Jean et al.* (1992). *La protection sur mesure : un projet collectif*, Ministère de la Santé et des Services sociaux, Montréal.

HARVEY, *Jean et al.* (1988). *Rapport sur l'analyse des activités de réception et de traitement des signalements, d'évaluation et d'orientation en protection de la jeunesse*, Ministère de la Santé et des Services sociaux, Montréal.

LANGLOIS, Paul (1995). *Appartenance au milieu et militance : Problème éthique pour la recherche*, Actes de la journée du doctorat en Service social tenue le 11 novembre 1994, Laboratoire de recherche, École de service social, Faculté des sciences sociales, Université Laval, Sainte-Foy.

LANGLOIS, Paul (1993). « Révolution Harvey en protection de la jeunesse : quand la gestion parle au nom de la profession », *Nouvelles pratiques sociales*, vol. 6, n° 2, automne, 155-159.

LANGLOIS, Paul (1991). « Protection de la jeunesse : un modèle contre-productif sur le plan social », *Nouvelles pratiques sociales*, vol. 4, n° 1, printemps, 193-196.

LAPOINTE, Paul-André et Paul R. BÉLANGER (1994). « La participation du syndicalisme à la modernisation sociale des entreprises », Version modifiée d'une communication présentée au colloque international franco-québécois sur les perspectives de recherche en relations industrielles, du 20 au 23 juin, Université Laval, Sainte-Foy.

LESEMANN, Frédéric (1980). *Le service social et l'État : la remise en question du service social dans le contexte étatique actuel*, Conférence d'ouverture du congrès annuel de l'ACESS, 2 juin, Université du Québec à Montréal, Montréal.

LIPIETZ, Alain (1990). « Après fordisme et démocratie », *Les Temps modernes*, n° 524, mars, 97-121.

MAYER, Robert et Lionel GROULX (1987). *Synthèse critique de la littérature sur l'évolution des services sociaux au Québec depuis 1960, Synthèse critique numéro 42*, Commission d'Enquête sur les Services de Santé et les Services sociaux, Québec, Les Publications du Québec.

MINISTÈRE DE LA SANTÉ ET DES SERVICES SOCIAUX (1992). *Maintenant et pour l'Avenir... La Jeunesse*, Québec.

MINTZBERG, Henry (1982). *Structure et dynamique des organisations*, Paris, Les Éditions d'Organisation.

PAQUIN, Michel (1986). *L'organisation du travail*, Montréal, Les Éditions Agence d'Arc inc.

RAELIN, Joseph A. (1989). « An Anatomy of Autonomy : Managing Professionnals », *The Academy of Management Executive*, vol. 3, n° 3, 216-228.

RAELIN, Joseph A. (1986). *The Clash of Culture : Managers and Professionnals*, Boston, Harvard Business School Press.

VAILLANCOURT, Yves (1993). « Trois thèses concernant le renouvellement des pratiques sociales dans le secteur public », *Nouvelles pratiques sociales*, vol. 6, n° 1, 1-14.

Quand une forme de travail en cache une autre. Le travail social n'est pas taylorisable

Paul-Antoine BIEN-AIMÉ
Étudiant au programme de doctorat, Département de sociologie
Université de Montréal

Louis MAHEU
Doyen de la Faculté des études supérieures
Université de Montréal

Les gestionnaires du social auraient réussi à tayloriser les services sociaux. L'analyse des pratiques permet de réfuter cette proposition, car la relation observée entre le producteur et l'usager des services constitue un espace de création d'informations qui sont, dans certains cas, réinvesties dans les rapports sociaux pour alimenter des interventions novatrices. Des paramètres essentiels de la taylorisation n'ont pu être vérifiés. Le rejet de la thèse de la taylorisation n'induit pas l'adhésion à des affirmations volontaristes qui attribuent aux praticiens une capacité généralisée d'échapper aux contraintes installées par des gestionnaires tentés par l'autoritarisme.

Une tradition d'analyse qui remonte, sans doute, à Patry (1978), s'est employée à signaler l'emprise déterminante de formes d'encadrement du travail social s'inspirant du modèle le plus mécaniste d'organisation du travail industriel.

Dénonçant la taylorisation des services sociaux, différents analystes ont mis à nu les effets paralysants et démobilisateurs du renforcement implacable des contraintes institutionnelles implantées dans les organisations de services aux personnes.

Cette tradition de lecture de l'organisation du travail social, qui semble avoir la vie dure aux États-Unis[1], est loin d'être méconnue au Québec. Par exemple, pour Bélanger (1991 ; Bélanger, Lévesque et Plamondon, 1987), il existe des indices incontestables d'un mouvement vers une forme de taylorisation dans certains établissements du réseau québécois des services sociaux : imposition, par la direction, de modes opératoires, mise en place de mécanismes de contrôle des temps et mouvements, exclusion des intervenants de la sphère d'élaboration ou d'utilisation des connaissances nécessaires à la production, réduction radicale de la marge de manœuvre des praticiens. De façon tout à fait paradoxale, toujours selon ces mêmes auteurs, un syndicalisme attaché à la défense exclusive des intérêts économiques des intervenants a vite fait de consacrer la division des tâches à l'œuvre dans cette organisation tayloriste du travail social.

La thèse opposée de l'impossibilité de tayloriser le travail social se retrouve aussi dans la littérature. Assumant son passé d'intervenant social qui l'autorise à révéler, en connaissance de cause, les agressions des directions des établissements des services sociaux contre les travailleurs sociaux et leur projet de professionnalisation du métier, Harrison (1992), par exemple, s'en prend à la thèse de la déqualification des intervenants sociaux (Braverman, 1974) et, en dernier recours, à celle de la taylorisation du travail social. La bien réelle implantation de méthodes de gestion héritées de la culture industrielle n'atteindrait les services offerts que de façon superficielle. Le noyau du travail social, la relation entre le praticien et l'usager, échapperait à la mesure et au contrôle (Harrison, 1992 : 121-123). De plus, les intervenants et intervenantes disposent de nombreux mécanismes de résistance capables de contrecarrer la tendance à la taylorisation.

Les praticiens et praticiennes savent opposer au projet de taylorisation la consistance de leurs référents individuels. Ils ont aussi recours à des mécanismes collectifs de défense. Leur participation aux associations professionnelles leur permet de recomposer une identité soumise aux assauts du projet tayloriste. L'action syndicale apporte une réponse appropriée aux directions par trop souvent engagées dans des processus importés de la culture industrielle du travail. D'ailleurs, conclut Harrison, l'impuissance des pratiques gestionnaires se remarque dans la résistance au travail des intervenants : de façon clandestine s'installent des pratiques contestataires.

1. Voir à ce sujet Fabricant (1985) ; Fabricant et Burghardt (1992).

On se propose de démontrer l'inconsistance de la thèse de la taylorisation du travail, tout en se démarquant de certaines affirmations de Harrison. La démarche consistera à soumettre à l'analyse non seulement les paramètres de la taylorisation les plus couramment avancés, mais aussi l'une des pièces essentielles de la thèse qui soutient l'impossibilité de tayloriser le travail social. En fait, les référents des praticiens ne constituent pas un rempart automatique et robuste contre la taylorisation.

LA THÈSE DE LA TAYLORISATION À L'ÉPREUVE DES FAITS

Pour réfuter la thèse de la taylorisation du travail social, on soumettra à l'épreuve des faits deux paramètres qui sont au cœur même d'une organisation tayloriste du travail. Le premier critère à vérifier est sans doute celui d'une décomplexification des tâches d'intervention résultant de la circulation de l'information du haut vers le bas. On le sait, en effet, le taylorisme consiste avant tout à déconnecter l'espace de génération de l'information nécessaire à la production de celui de cette production elle-même. Provenant de la direction, l'information descend vers le lieu de production, organisant, sur son parcours, la hiérarchisation des statuts et des niveaux d'emploi. Au point que le producteur de première ligne, occupant un poste sans relief, se retrouve devant des tâches simplifiées à l'extrême. Il faut donc se demander si le travail d'intervention est à ce point décomplexifié que le rapport entre le praticien et l'usager n'est plus un espace d'où sont issues des informations capitales pour la production des services.

Par ailleurs, selon la thèse de la taylorisation, les intervenants exécutent, sans exercer leur jugement professionnel, des tâches répétitives. La production ne reçoit alors qu'une bien faible inspiration du savoir et de la discrétion des praticiens. Elle répond, pour l'essentiel, au prescrit d'un livre de recettes où se trouve prédéfinie la réponse à donner à chaque type de dossier. Les produits à obtenir sont pour ainsi dire contenus sur une liste qui serait mise en correspondance, terme à terme, avec un catalogue des cas. S'il en était ainsi, l'analyse des pratiques devrait mettre en lumière le fait qu'on a rendu routinière une intervention qui ne porte pas la marque du jugement et du savoir des intervenants. La mise à l'épreuve de la thèse de la taylorisation tentera ici de répondre à une question précise : les décisions et recommandations des praticiens font-elles une différence réelle dans le traitement de dossiers apparemment identiques ?

Pour vérifier ces deux paramètres de la taylorisation, une banque de données constituée en 1990 sera exploitée. En 1990, en effet, notre équipe de recherche avait interviewé un échantillon représentatif de 63 intervenants sociaux œuvrant dans différents services du Centre des services sociaux du Montréal Métropolitain (CSSMM)[2]. Dans le cadre de cette présente étude, 11 entrevues réalisées auprès des évaluateurs de la Direction de la protection de la jeunesse (DPJ) seront analysées[3].

Dans les faits, les propos recueillis auprès des évaluateurs et surtout l'étude de leurs pratiques, rendue possible grâce à la structuration du protocole d'entrevue qui recueillait non seulement un discours sur le métier mais aussi une relation d'un cas précis, l'indiquent clairement : les pratiques d'intervention sont des pratiques complexes de travail. En plus des informations disponibles offertes soit par l'établissement, soit par les collègues, une information *sui generis*, indispensable pour la suite à donner au dossier, est toujours produite dans le cadre de la relation entre l'intervenant et l'usager.

UNE TÂCHE SIMPLIFIÉE À L'EXTRÊME ?

Cette praticienne, par exemple, reçoit un signalement de négligence : une élève est arrivée à l'école à jeûn, visiblement négligée du point de vue de l'hygiène et munie simplement d'un sandwich aux bananes. L'école dont provient le signalement souhaite que des mesures correctives soient imposées par le tribunal. L'intervenante connaît déjà la propension du personnel enseignant à signaler ; elle est donc sur ses gardes. À l'occasion de ses différents contacts avec l'enfant, elle se rend compte des faits suivants : l'école est située dans un quartier plus aisé que le milieu d'appartenance de cette élève, le professeur qui a signalé provient, lui aussi, d'un monde plus fortuné. La praticienne relève la qualité relativement défectueuse des vêtements ; pour elle, toutefois, l'écart entre les milieux sociaux explique l'intransigeance du monde scolaire. Si effectivement l'enfant n'avait pas déjeuné le matin, c'est qu'à la suite d'une relation difficile avec sa mère, elle était partie sans manger. Par ailleurs, le point central du signalement n'était pas dû à de la négligence, mais plutôt aux préférences de l'enfant, elle-même, qui adorait les sandwiches aux bananes.

Cette intervenante a donc dû s'enquérir d'informations supplémentaires pour être en mesure de décider en connaissance de cause. Outre ce qu'elle savait déjà, par exemple que beaucoup d'agents de l'institution scolaire

---

2. Les Centres de services sociaux ont été, depuis, remplacés par les Centres de protection de l'enfance et de la jeunesse, dans le cadre d'une nouvelle restructuration du secteur des services sociaux commandée par la *Loi sur les services de santé et les services sociaux*, la Loi 120.

3. Le service d'évaluation-DPJ présente un certain nombre d'intérêts pour cette démarche. Premièrement, l'évaluation des signalements s'effectue dans un cadre extrêmement contraignant. Par ailleurs, le service d'évaluation a toujours servi de point d'appui aux différentes tentatives de réorganisation des établissements des services sociaux.

penchaient pour la judiciarisation automatique de tous les cas estimés problématiques, elle s'est livrée à une sérieuse collecte de l'information sur l'appartenance sociale de l'élève, sur les habitudes de l'enfant en matière de déjeuner. C'est à la suite du recueil de ces éléments non immédiatement disponibles qu'une orientation a été donnée au dossier.

Tous les évaluateurs interviewés procèdent de la même façon : ils tirent, à même la relation avec les usagers, une information vitale pour la prise de décision. Habituellement, cette information circule entre certains collègues. Cette circulation horizontale poursuit des buts différents, complémentaires chez les uns, exclusifs chez d'autres. Ici, c'est, entre autres, dans le but d'obtenir des conseils. Mais, ailleurs, l'effet recherché est tout simplement le support provenant d'une oreille plus ou moins attentive, mais qui permet de liquider la charge émotionnelle suscitée par le contact avec des situations difficiles.

Si, avec les collègues, l'information peut être restituée avec une certaine fidélité, dans le cadre du rapport avec le chef de division, ce qui est retransmis par le praticien est, la plupart du temps, le strict minimum, exactement ce qui est nécessaire pour la compréhension du rapport. Dans bien des cas, on assiste à une rétention de l'information que l'on hésite à livrer à un supérieur jugé extérieur au travail quotidien d'évaluation ou même incapable de comprendre le fond de la démarche. Alors, le rapport est remis pour contre-signature, mais l'intervenant se fait avare de détails :

> Prends ce que je te dis, pis c'est tout. Pis j'ai pas le goût non plus de me faire questionner par un supérieur immédiat [...] : ben t'es toute seule, t'as pris la bonne décision ? -Écoute c'est cette décision-là que je prends. T'as juste à [...] signer au bout du papier, pis c'est tout (nº 414 :46).

Une information nouvelle suscitée au cours de la relation avec l'usager circule du bas vers le haut. Et cela, peu importe ce que l'évaluateur fait des nouveaux éléments portés à sa connaissance. Certains s'en servent pour consolider la relation avec l'usager. D'autres recueillent cette information uniquement pour pouvoir décider de la mesure à prendre et, le cas échéant, pour informer le tribunal.

LES PRATIQUES D'INTERVENTION SONT-ELLES STÉRÉOTYPÉES ?

Si le premier et principal paramètre de la taylorisation n'est pas vérifié, qu'en est-il du deuxième critère souvent avancé, celui d'une exécution mécanique des tâches ? Un dossier présenté en cours d'entrevue par une autre praticienne permettra de démontrer à quel point le travail d'évaluation n'est pas nécessairement conformiste.

Une jeune fille dont les parents sont des immigrés de la première génération et dont la mère est gravement malade a tenté de s'en aller du toit familial, après avoir été frappée par son père. À la suite d'un signalement pour mauvais traitements, une intervenante du service d'urgence parvient à calmer les esprits, en attendant que le service d'évaluation-orientation entame une éventuelle démarche de protection. Ce dossier est mis en balance, par la praticienne qui l'expose, avec un autre signalement d'abus physiques. Les deux cas ne connaîtront pas le même sort. Si le premier dossier n'est pas judiciarisé, le second sera référé au juge qui décide d'un placement.

Face au premier signalement, la praticienne évolue sur une corde raide, à mi-chemin entre la compréhension du contexte et la nécessité de faire respecter les droits de l'adolescente, entre ses droits et ceux du père. À ce sujet, l'intervenante exprime son désaccord avec la collègue du service d'urgence qui, dans ce même dossier, avait insisté exclusivement sur les droits de l'adolescente. Au père éprouvé par la dégradation de l'état de santé de sa femme, elle donne des signes de compréhension, tout en lui répétant : « [...] *que la violence envers sa fille n'était plus admissible, même si on comprenait le contexte, que ce n'était pas un moyen qu'on pouvait comprendre* » (n° 428 :10). À l'adolescente, la praticienne manifeste sa sympathie tout comme sa réprobation de l'abus physique dont elle a été victime. Mais, en même temps, elle lui répète la nécessité de comprendre son père, et finalement, de tout mettre en œuvre pour s'autovaloriser.

En définitive, l'intervenante ne retiendra pas ce dossier comme un cas de protection, alors qu'un autre signalement d'abus physique donnera lieu à une judiciarisation. Ici, les chances d'un rétablissement de la relation paraissaient nulles : la violence était extrême, les stigmates profonds, la capacité d'écoute du père plus que limitée. La praticienne a décidé de recourir au tribunal pour tenter de réinscrire le jeune dans de nouvelles relations sociales.

Il s'avère difficile de qualifier de « stéréotypé » le travail d'évaluation de cette intervenante. Elle prend ses distances par rapport à d'autres collègues. D'un dossier à l'autre, sa démarche, à elle, diffère énormément, compte tenu des informations qu'elle parvient à obtenir du contexte d'ensemble. On comprend alors le sens de cette règle d'or qu'elle énonce : « [...] *dans toutes les problématiques d'adolescents, qu'ils soient allophones ou non, je pense qu'il faut toujours composer* [...] *avec le contexte* [...] *essayer de dégager ce qui est normal à vivre comme crise, et ce qui ne l'est pas* » (n° 428 :8).

Mais tous les intervenants et intervenantes ne produisent pas des pratiques aussi peu stéréotypées. Cinq des onze évaluateurs de notre banque de données tendent plutôt à appliquer des recettes, une fois que l'information a été constituée. Dans certains cas, les décisions ne varient pas d'un dossier à l'autre. Par exemple, pour l'un des cinq intervenants à peine mentionnés, tous les cas d'abus sexuels, tous les signalements concernant des enfants de familles d'immigrés reçoivent le même traitement : une collecte d'informations destinées au juge et puis, la judiciarisation. Si cinq évaluateurs exécutent, dans l'hétéronomie, des consignes reçues, trois autres se retrouvent plutôt coincés. Ils déplorent la lourdeur des contraintes, mais ils n'arrivent pas tout à fait, ou pas encore, à les surmonter. Leur pratique d'évaluation n'est pas stéréotypée, mais plutôt bloquée. Les trois autres évaluateurs interviewés parviennent à inscrire les relations avec l'usager et avec leurs collègues dans du social, utilisant avec autonomie les contraintes existant dans l'organisation.

On aurait donc bien de la difficulté à soutenir la thèse de la taylorisation du travail social. Le critère qui fait référence à la loi d'airain de la taylorisation, la circulation de l'information du haut vers le bas, n'est pas vérifié. Au contraire, dans l'intervention, et cela pour tous les évaluateurs, il existe différents sens de circulation de cette information. Bien entendu, certains éléments sont fournis par l'organisation, mais des informations indispensables à l'évaluation du dossier sont produites par l'intervenante elle-même qui en contrôle la diffusion à travers l'établissement.

C'est que l'interaction entre le producteur et l'usager des services est traversée par l'incertitude. Pour citer Harrison, mais aussi pour reprendre une intuition déjà formulée par Offe (1985), le contenu du rapport qui est alors instauré échappe à toute mesure pragmatique, à tout contrôle instrumental du rendement même si, au niveau périphérique, on parvient à une certaine formalisation de la pratique, à sa décomposition en unités de temps.

À la tension entre ce noyau dur, en quelque sorte inaccessible à la mesure, et des couches plus superficielles du travail d'évaluation répond en écho une autre tension entre les deux critères de taylorisation avancés : l'un, nullement vérifié, et l'autre, vérifié chez cinq évaluateurs. S'il y a toujours production d'une information nouvelle, il y a parfois des pratiques stéréotypées.

TOUS LES PRATICIENS ET PRATICIENNES NE SONT PAS DES RÉSISTANTS

L'existence de pratiques conformistes chez 5 des 11 évaluateurs rencontrés incite à remettre en question les propositions de Harrison ou, en tout cas, leur prétention à la généralité. Les propos de cet auteur laisseraient entendre, en effet, que la détention de solides référents protégerait tous les praticiens de la taylorisation.

Les travaux de notre équipe de recherche permettent d'affirmer, d'une part, que les référents des praticiens sont multiples et que, d'autre part, le rempart qu'ils constituent face aux assauts de la routinisation et de la déqualification consécutive ne présente pas la même robustesse.

Dans une démarche antérieure (Bien-Aimé et Maheu, à paraître), une analyse typologique nous avait permis de dégager les référents professionnels de l'échantillon des 63 intervenants rencontrés. Cette étude était sous-tendue par l'hypothèse générale que les référents ainsi repérés constituaient une composante majeure des pratiques d'intervention. Quatre référents professionnels avaient alors été identifiés. Pour certains intervenants, la notion de profession renvoie à l'appartenance à un groupe de statut et à la défense d'un ordre professionnel, toujours reconstruit dans le cadre d'un jeu d'inclusion et d'exclusion d'autres groupes porteurs de compétence. Pour d'autres, le référent professionnel évoque plutôt le déploiement de l'expertise individuelle constituée progressivement en attribut personnel que l'on exhibe. Certains praticiens construisent une notion de profession qui est totalement remplie par le relationnel, c'est-à-dire par la qualité du rapport à l'usager. Alors la construction du fait professionnel chemine laborieusement et souvent obstinément à travers le rejet des conventions spontanément mobilisées par la référence au professionnel. Une dernière modalité de construction du fait professionnel consiste à exposer, comme un trait constitutif fondamental de la professionnalité, la capacité de s'en tenir aux consignes de l'organisation.

Suivant l'une des propositions de Harrison, les référents des praticiens peuvent systématiquement alimenter des interventions se démarquant des attentes trop autoritaires des gestionnaires et de leur projet de déqualification. En réalité, il a été démontré que relativement aux éléments de standardisation perçus par les praticiens, les référents relevés n'exhibent pas la même aptitude à sous-tendre des pratiques autonomes.

Les praticiens et praticiennes se réclamant d'une notion de profession construite avec du relationnel ont été dans l'ensemble, non les seuls, mais les plus en mesure de s'emparer des médiations institutionnelles présentes dans les établissements pour déployer une intervention novatrice. Par contre, le référent professionnel lié à la défense d'un groupe de statut s'est révélé le moins capable de résister au poids des méthodes de gestion installées : il projette plusieurs des intervenants dans un ailleurs, mais ne les habilite pas à inscrire du nouveau dans les différents rapports sociaux qui composent effectivement leurs pratiques d'intervention. Pour plusieurs des praticiens identifiés à ce référent professionnel, la capacité de résistance offerte par les grandes options et valeurs est alors extrêmement limitée. La notion de profession construite autour du développement de l'expertise est aussi problématique. Si, dans certains cas, les praticiens qui s'en réclament, en général après s'être constitué un auditoire capable de valoriser cette expertise, savent exploiter les médiations institutionnelles, bien des signes de blocage se retrouvent chez plus d'un. Quand ils s'approprient un référent professionnel organisé autour du mandat reçu de l'organisation, les intervenants tendent, face aux éléments de blocage identifiés, à assumer la dépendance par rapport aux méthodes de gestion et ne s'engagent pas dans une dynamique de recomposition.

Autrement dit, l'argument de Harrison ne peut être manié de façon indiscriminée. Face au projet éventuel de taylorisation du travail social, les référents se différencient quant à leur capacité de contribuer à la construction de pratiques autonomes. Si certaines notions de profession repérées inspirent une intervention capable de résister à la décomposition, par exemple, celle qui retravaille les dimensions conventionnelles du professionnalisme pour se rapprocher du relationnel, d'autres semblent plus rarement en mesure de faciliter une appropriation novatrice des médiations institutionnelles : dans la plupart des cas, de bon gré ou de guerre lasse, leurs porteurs se rendent.

LE TRAVAIL SOCIAL N'EST PAS TAYLORISÉ

La démarche analytique empruntée permet de se garder et d'un structuralisme forcené et d'un volontarisme quelque peu naïf. Il ne suffit pas de relever le penchant éventuel des directions des établissements des services sociaux pour une gestion autoritaire du travail confondue avec le modèle tayloriste d'organisation du travail industriel pour conclure à la taylorisation de fait du travail social. Les contraintes institutionnelles, en dépit même des emprunts éventuels à la culture industrielle du travail, n'exercent pas un pouvoir sans limites dans le cadre des pratiques d'intervention. Elles constituent le contexte à l'intérieur duquel les services sont produits. Mais elles devront être confrontées à la capacité d'action des intervenants.

On l'a vu, certains praticiens s'engagent dans un rapport d'hétéronomie avec les médiations institutionnelles. Et alors, par choix personnel ou par lassitude, ils ne parviennent pas à dépasser le prescrit. En revanche plusieurs réussissent à s'emparer de ces contraintes, les exploitant éventuellement en tant que ressources d'action, pour inscrire du social dans le rapport à l'usager et dans les autres rapports de travail. Il suffit de ne pas céder à la tentation d'une généralisation de cette dernière possibilité. Car tous les intervenants sont loin de pouvoir offrir une résistance à des mécanismes de contrôle dont le caractère contraignant n'est plus discuté. En ce sens, l'optimisme de Harrison qui s'appuie sur une expérience toute personnelle mérite d'être tempéré. Les référents des intervenants ne sont pas, on l'a vu, des antidotes à certains projets de la direction porteurs d'une gestion trop autoritaire.

Il demeure toutefois difficile d'appliquer au travail social une grille d'analyse qui a eu ses heures de gloire relativement à une autre forme de travail. Bien des signes révèlent que les intervenants sont peu consultés et que leur avis est plutôt négligé dans l'instauration de nouveaux mécanismes de contrôle. Il ne serait pas non plus étonnant que, dans un souci de comptabiliser les dépenses, des projets de restructuration inspirés de la culture industrielle tendent à assimiler le travail social au travail industriel. Mais on ne peut, à partir de ces tentatives, conclure à la taylorisation effective de ce travail.

Conclure à la taylorisation revient en fait à occulter l'originalité d'une forme de travail qui met en relation un producteur et l'usager des services (Maheu et Bien-Aimé, 1996). Dans le cadre de cette interaction, des propos sont échangés et doivent être compris, des drames sont approchés, des abus révélés, des impuissances perçues. Bref, différentes facettes du monde de l'exclusion s'offrent au regard et au jugement de l'intervenant. La sympathie, la révolte, la condamnation, la solidarité et même la réactivation de souvenirs personnels, tout comme la réaction morale stéréotypée, la recherche normative de l'ordre établi peuvent éventuellement être des éléments constitutifs du travail d'intervention. Le praticien est appelé, entre autres, à prendre en charge ses sentiments. Prise en charge indissociable de l'impérative tension engendrée par les interpellations provenant du dossier en traitement, des contraintes et attentes de l'établissement, des options, des capacités et des dispositions personnelles du praticien.

Tout cela ne ressemble pas à une simple tâche mâchée en haut lieu que le travailleur doit exécuter à la façon d'une machine. Si l'intervenant ne parvient pas toujours à se soustraire aux contraintes, des choix demeurent possibles. C'est qu'ici nous sommes en présence, non pas de tâches à proprement parler dont le contenu serait défini et prescrit dans les moindres détails en vue de constituer un poste de travail, mais bien plutôt de pratiques de travail engageant des dimensions émotionnelles, éthiques, langagières dans l'interaction avec l'usager. Ceux qui produisent ces pratiques ne pourront jamais s'aligner sur une organisation du travail à la chaîne régie d'en haut qui condamne les pratiques, en bas, à la surdétermination de la routinisation. Leur travail, en fait, n'est pas taylorisable.

Les analystes du travail social sont donc invités à examiner les similitudes périphériques et à prendre au sérieux les particularités d'une forme de travail qui se réalise dans le cadre d'une interaction et qui s'exerce sur l'humain.

Bibliographie

BÉLANGER, Paul R. (1991). « La gestion des ressources humaines dans les établissements de santé et de services sociaux : une impasse », *Nouvelles pratiques sociales*, vol. 4, nº 1, 133-140.

BÉLANGER, Paul-R., LÉVESQUE, Benoît et Marc PLAMONDON (1987). *Flexibilité au travail et demande sociale dans les CLSC. Une étude de la convention collective et de la programmation* (Commission Rochon), Montréal, Université du Québec à Montréal, 352 pages.

BIEN-AIMÉ, Paul-Antoine et Louis MAHEU (à paraître). « Quand le travail sur l'humain se veut professionnel. Les intervenants sociaux et leurs référents professionnels ».

BRAVERMAN, Harry (1974). *Labor and Monopoly Capital : The Degradation of Work in the Twentieth Century*, London, Monthly Review Press, 465 pages.

FABRICANT, Michael-B. (1985). « The Industrialization of Social Work Practice », *Social Work*, vol. 30, nº 5, 389-395.

FABRICANT, Michael-B. et Steve BURGHARDT (1992). *The Welfare State Crisis and the Transformation of Social Service Work*, Armonk, N.Y, M. E. Sharpe, 258 pages.

HARRISON, Trevor (1992). « Is Social Work Being Deskilled ? », *Canadian Social Work Review*, vol. 9, nº 1, 117-128.

MAHEU, Louis et Paul-Antoine BIEN-AIMÉ (1996). « Et si le travail exercé sur l'humain faisait une différence... », *Sociologie et sociétés*, vol. 28, nº1, 189-199.

OFFE, Claus (1985). « Le travail comme catégorie de la sociologie », *Temps Modernes*, nº 466, 2058-2094.

PATRY, Bill (1978). « Taylorism Comes to the Social Services », *Monthly Review*, vol. 30, nº 5, 30-37.

Pour une analyse du travail

Claude NÉLISSE
Département de service social
Université de Sherbrooke

L'organisation du travail est un thème qui s'impose aux praticiens sociaux lorsqu'ils analysent leurs pratiques, lorsqu'ils réfléchissent à ce qu'ils devraient faire ou à ce qu'ils voudraient faire. L'analyse du travail, elle, est une démarche qui vise une représentation juste de ce qu'on fait réellement et de ce qui se passe effectivement dans une relation de service. Cet article plaide en faveur d'une analyse du travail comme support et complément à l'analyse des pratiques

Selon Maurice de Montmollin, ergonome renommé, « [...] il est des tâches sans production, et même sans objectifs définissables. Des tâches sans critères évidents de réussite [...] dont les productions sont si secrètes ou si lointaines qu'elles échappent à l'analyse » (de Montmollin, 1984 :32). Pour lui, celles des travailleurs sociaux en sont l'exemple extrême. Ces travailleurs, écrit l'auteur, « s'épuisent en de multiples contacts dont ils ne savent pas s'ils sont finalement vraiment efficaces [...] [et] [...] travailler uniquement à partir d'une certitude a priori, ou d'une foi, n'est pas une condition de travail souhaitable ». L'auteur conclut : « le statut psychologique des travailleurs sociaux, qui passent leur temps à s'interroger sur leur identité (en fait, sur leur production) n'est pas toujours enviable. Laissons-les cependant, pour le moment ils n'attendent rien des ergonomes. » (de Montmollin, 1984 :33)

Si nous, les travailleurs sociaux, n'attendons rien de l'ergonomie – qui par ailleurs n'a pas grand-chose à nous dire jusqu'à présent – à quoi allons-nous nous référer pour comprendre notre travail ? S'agissant d'organisation du travail, de quoi parlons-nous au juste ? Dans un premier temps, je répond succinctement à cette question en montrant les intérêts et les limites d'une vision classique de l'organisation du travail (OT). Dans un second temps, je propose l'analyse du travail (AT) comme démarche susceptible de l'enrichir afin de mieux faire face, entre autres, à l'inconfort identitaire bien connu et rappelé par M. de Montmollin[1].

ORGANISATION DU TRAVAIL ET ANALYSE DES PRATIQUES

Une lecture soutenue des textes abordant l'OT dans notre secteur révèle que, sous ce thème, on parle de trois choses différentes :

1. De permanence ou de précarité, des rémunérations, des possibilités de carrière, du *caseload*, de la redéfinition des postes, de leur fermeture et du *bumping*, des horaires d'emploi ou de « relations professionnelles ».
2. De parcellisation des tâches, de coopération, de supervision et d'autonomie professionnelles, d'usage ou de respect des normes, de complexité intellectuelle des opérations, de charge affective ou de mobilisation de soi au travail, de participation aux décisions, d'évaluation des interventions, de l'accomplissement pratique des activités.
3. De la nature des demandes, de l'origine, de l'établissement et de la portée des mandats, du comportement des usagers et des rapports avec eux, de la disponibilité ou de l'absence de ressources ; des règlements et des politiques qui influencent ces demandes, ces mandats et ces ressources, des orientations générales des activités et du sens du travail social actuel.

Ce sont là trois dimensions du service social qu'il faut lier pour une meilleure intelligence du système, ainsi que le préconisent, avec raison, Bélanger et Lévesque (1990).

Cependant, les travailleurs sociaux assimilent ces trois dimensions plus qu'ils ne les articulent analytiquement. En parlant d'OT, ils ne visent pas tant l'étude objective du système qu'ils ne cherchent à comprendre la place qu'ils y occupent, celle qu'ils voudraient y occuper et la valeur d'ensemble de ce qu'ils y font. Pour eux – particulièrement pour les praticiens – réfléchir sur l'OT, c'est essentiellement se livrer à une analyse sociopolitique de leurs pratiques, et ce dans une position le plus souvent (encore ?) défensive.

1. Les limites d'espace imposées à ce texte interdisent les détails et références bibliographiques. Deux versions plus élaborées sont disponibles. Le masculin est employé ici comme générique, sans aucune discrimination et uniquement dans le but d'alléger le texte.

Schématiquement, on peut dire que les travailleurs sociaux, pour parler de leurs activités, disposent de deux registres : l'un centré sur la pratique, l'autre sur le travail.

Parler de **pratique**, c'est saisir les activités comme exercice autonome de l'acte professionnel par un sujet disposant librement du choix des clientèles, du type de relations à développer avec elles, du rythme et du volume des opérations, de ses moyens, de ses objectifs et de son art dans l'action, de son indépendance dans les jugements, de poser des choix éthiques « en conscience ».

Parler de **travail**, c'est évoquer l'effort, l'engagement et l'initiative du sujet bien sûr, mais aussi la nécessité et surtout les diverses contraintes données et reçues comme incontournables. C'est faire le tour des conditions de la pratique, comme on dit souvent. Conditions administratives, techniques, réglementaires dites externes aux actes professionnels et qu'on évalue comme positives si elles en facilitent la réalisation ou négatives si elles l'entravent. L'OT regroupe ces conditions externes qu'on évoque pour assurer la défense de sa profession.

Cette bipartition pratique / conditions de pratique (ou OT) prédispose à interpréter les divers systèmes de contraintes plus comme des obstacles que comme des ressources à un exercice professionnel autonome et satisfaisant. On aboutit à un raisonnement implicite fort qu'on peut résumer ainsi. Œuvrant majoritairement dans des établissements publics et dans le cadre de politiques publiques centralisées, nous dépendons de l'État. Comme salariés, nous dépendons de nos employeurs. Ces dépendances briment notre autonomie professionnelle. Conséquence : nous devenons – voire nous sommes – des exécutants. Finie, la pratique professionnelle. Nous rejoignons, lentement mais sûrement, le vaste monde des employés et des travailleurs postés.

Les trois dimensions précédentes se lisent respectivement alors comme déqualification des emplois, taylorisation du travail et technocratisation des orientations du travail social. La description de ces processus est devenue monnaie courante depuis longtemps dans nos milieux. L'important, aujourd'hui, n'est pas d'en poursuivre l'étude, mais de remettre en question sa trop grande évidence.

Il ne s'agit pas de mettre en doute l'existence de tels processus sociaux qui désignent des évolutions globales, des tendances lourdes dans nos sociétés gouvernées par un capitalisme d'État. Mais on peut douter de leurs portées « absolues » et automatiques sur les pratiques professionnelles. Il n'est pas évident d'abord que l'histoire des professions comme la nôtre soit analogue à celle du travail industrialisé. Il n'est pas évident non plus qu'on puisse établir des relations directes de cause à effet entre ces trois dimensions en disant, par exemple, que la précarité d'emploi entraîne une plus grande conformité dans le travail, ou encore que la technocratisation des services conduit nécessairement les agents à des opérations d'exécution.

Rien que pour ces deux raisons, il y aurait lieu aujourd'hui, pour mieux comprendre les pratiques des professionnels, de faire un usage plus réservé et critique de notions directement importées de l'univers de la production industrielle. « Et si le travail exercé sur l'humain faisait une différence... » titraient récemment Maheu et Bien-Aimé (1996). Mais pour le praticien, préoccupé à juste titre par l'accomplissement de ses actes professionnels, ces distinctions entre dimensions sont secondaires, car les effets, semble-t-il, convergent : un encerclement de ses activités et une pratique vécue tendancieusement comme dépossession individuelle de ses compétences, blocage de sa formation et de son développement, et effritement de son identité.

Les praticiens développent, bien sûr, des parades capables d'alléger le poids du social organisationnel et institutionnel. Des expériences témoignent de la possibilité de construire des espaces d'autonomie et d'y développer des pratiques nouvelles et satisfaisantes. Elles attestent, mieux que tout discours, du caractère réel, mais relatif, des phénomènes de déqualification, de taylorisation et de technocratisation. Néanmoins, ces actions restent fragiles et laborieuses. Je pense qu'elles pourraient être facilitées par une prise en compte plus juste du travail concret, du travail « au quotidien ». Le point suivant propose une démarche d'analyse de ce travail.

UNE ANALYSE DU TRAVAIL

Une des limites dans l'utilisation de l'OT telle qu'elle a été conçue précédemment est de poser le regard sur les pratiques de très loin ou de très haut. C'est un point de vue macro qui a la qualité d'indiquer des tendances, de mettre au jour des problématiques et d'en resituer les enjeux essentiels. Mais il ne peut décrire ce qui se passe dans telle action ; il ne peut définir les compétences à mobiliser pour réussir une activité donnée ; il ne permet pas de juger de la réussite ou de l'échec de telle intervention, ni d'un ensemble d'interventions particulières. Le point de vue macro nous aide à prendre position, sociopolitiquement. Mais seul un point de vue micro permet d'entrer en action, de s'y mouvoir quotidiennement et d'y rester en toutes occasions.

Le regard distant, nécessaire à la compréhension des spécificités professionnelles, ne procure cependant que des consignes d'action idéales, génériques et abstraites : il n'est pas pratique. Le regard proche permet, à l'inverse, de saisir chaque activité professionnelle comme l'occasion (et l'obligation) d'observer, de raisonner, de décider et d'agir en interactions avec des collègues et des hiérarchies ; dans des situations où les techniques, les procédures et les conditions sont à la fois choisies et données et où les objectifs, partiellement prédéterminés, sont cependant toujours flous.

La notion centrale est celle de situation, notion charnière entre les pratiques définies comme manières de faire et de dire stables et normées, particulières à chaque groupe professionnel et le travail comme activité située (c'est-à-dire la conduite socialisée, volontaire et réfléchie d'un ensemble d'opérations à travers le dédale d'opportunités et de contraintes diverses selon une intention dominante ou en vue d'un résultat convenu et observable). L'AT est une démarche intellectuelle visant à rendre explicite une représentation fidèle de ces opérations (avec leurs enchaînements et structurations), de leurs multiples conditions de possibilité ainsi que de leurs divers effets réels et probables. Méthodologiquement, il s'agit d'une certaine manière d'observer les comportements, de recueillir ce que disent les praticiens dans leur travail et de leur travail et de les voir interagir avec les usagers, leurs collègues, les cadres, etc. Les données sont analysées et interprétées selon des cadres théoriques particuliers[2].

De telles études exigent la présence soutenue, régulière et quotidienne des chercheurs dans les lieux mêmes de l'action. Elles nécessitent donc de multiples précautions et ententes. Elles sont laborieuses et coûteuses. On comprendra qu'elles soient peu nombreuses en travail social au Québec (comme ailleurs, toute proportion gardée) et qu'elles restent partielles et modestes. Néanmoins, pour l'illustration, j'en signalerai deux qui peuvent donner une idée des intérêts de ce type d'analyse.

Muni d'un cadre théorique interactionniste et d'une méthode d'inspiration ethnographique, Huot (1991) a analysé les pratiques communicationnelles d'une équipe d'évaluation-orientation de la DPJ. Une observation participante des activités quotidiennes des membres lui a permis d'accumuler des notes qui, regroupées, ont donné lieu à la construction d'une centaine d'épisodes, analysés à l'aide d'une grille construite à cette fin. Les interactions entre les intervenants, supérieurs, partenaires et clients sont décrites avec nuances. Les intervenants sont ensuite caractérisés par leurs représentations de la réalité ainsi que par les différentes légitimations appuyant leurs actions.

Huot synthétise ces analyses autour d'une caractérisation de la culture organisationnelle propre à l'équipe : la conformité à respecter un processus

2. La définition du travail avancée ici se situe dans le cadre d'une théorie de l'action et non dans celui des théories de la production et des fonctions sociales. Pour une introduction à la première perspective, voir COTTEREAU (1994) et surtout l'originale et très éclairante synthèse de DEJOURS (1995). Les principaux cadres théoriques et méthodologiques se regroupent autour de l'ethnométhodologie, de l'anthropologie cognitive anglo-saxonne et de l'ergonomie dite « de langue française ».

de traitement de dossiers prédéterminé, le peu de cas fait à l'aide qui pourrait être apportée à la clientèle, la focalisation des intervenants sur la dimension comportementale de la vie des clients, l'hégémonie du discours de protection et le repli du milieu sur lui-même. La recherche dégage ainsi certains traits prégnants d'un moment charnière – l'évaluation-orientation – d'une pratique sociale aujourd'hui bien institutionnalisée : la protection juridico-sociale des jeunes.

L'intérêt d'une telle recherche est double. D'une part, chaque protagoniste engagé dans l'orientation-évaluation peut, s'il le désire bien sûr, réévaluer son implication et tenter d'aménager ou d'infléchir ses activités, avec d'autres, selon des directions différentes. D'autre part, une telle connaissance du fonctionnement concret de ce moment particulier pourrait être utile à l'évaluation et à la redéfinition de ce qu'est et pourrait être « l'intervention en protection ».

Analysant les tâches prescrites par la *Loi sur le curateur public*, Nélisse et Uribé (1992) ont pu cerner quelques particularités de l'évaluation psychosociale requise. Cette dernière se comprend mieux dès qu'elle est située par rapport à l'évaluation médicale et aux actes administratifs et juridiques qui accompagnent le tout. Les auteurs ont montré à quel point une tâche aussi ingrate ou banale, en apparence, que de « remplir un formulaire » était, dans ce nouveau cadre législatif, une manière de rendre justice à une personne dans un moment critique de sa vie. Une finalité ou un sens objectif au travail étant ainsi révélé, l'intervenant peut ensuite s'y engager un peu plus « en connaissance de cause ».

De telles recherches peuvent servir d'autres intérêts. Ainsi, on peut s'intéresser aux facilités et aux difficultés, aux plaisirs et aux souffrances que connaît tout praticien dans son investissement psychique des tâches prescrites. La complexité des activités qui y sont poursuivies, la variété des compétences mobilisées, les attentes de la clientèle et les impératifs gestionnaires et autres pourraient être utilisées pour une juste estimation de la charge de travail. Dans la même veine, des observations fines et rigoureuses des séquences d'activités les plus significatives, la prise en compte des incertitudes quant aux résultats, de l'écart entre ces derniers et l'idéal tout-puissant des missions, les injonctions souvent contradictoires des partenaires, etc., permettraient de mieux connaître la part jouée par les astreintes objectives du travail dans l'épuisement professionnel.

L'AT pourrait aussi faciliter la compréhension des modes d'appropriation des nouvelles techniques, des règles de travail, du pouvoir discrétionnaire. L'explicitation des modalités de distribution et de coordination du travail entre divers professionnels devrait donner lieu à des améliorations dans le fonctionnement des équipes multidisciplinaires.

Jamais de « simples » exécutants ni de « purs » professionnels, ne travaillant plus « tout seuls », inscrivant leurs actes dans des fonctionnements collectifs institués, les praticiens d'aujourd'hui découvrent des situations de travail inédites qu'il faut pouvoir analyser correctement. Une analyse est correcte lorsqu'elle permet aux acteurs impliqués d'agir sur la situation en cause. C'est une des conditions sine qua non au travail même. Car dans ces situations nouvelles, on ne peut pratiquement plus agir seulement en fonction de ce qu'on doit faire (l'acte professionnel idéal) ni de ce qu'on veut faire (autonomie individuelle de « son » travail). On se doit de construire ses activités concrètes en fonction de dispositifs matériels et de cadres normatifs multiples, ambigus et même parfois contradictoires. Il faut, à chaque fois, aménager sa situation de travail. Son analyse en est une des conditions premières.

Travailler, c'est aussi penser le travail. Cela vaut également pour les praticiens et les cadres. Ceux-ci, en effet, sont aujourd'hui invités à moins valoriser la conformité des opérations aux diverses dispositions réglementaires et à s'engager dans l'élaboration de modalités de travail originales. Les négociations collectives récentes le confirment : le droit de gérance, perçu encore hier comme non négociable, est mis en jeu en contrepartie d'une implication ferme des syndicats dans des réorganisations du travail.

Toute velléité de réinclusion des praticiens dans la gestion du travail remet en question le travail d'encadrement. Les cadres ne sachant plus toujours ce qu'ils doivent faire se demandent alors ce qu'ils font réellement. L'AT peut être un support et un heureux complément à la redéfinition de leur fonction.

POUR LA CONCEPTION DES PRATIQUES

Une analyse du travail, en soi, n'a pas l'ambition de dire ce que doivent être les pratiques sociales d'aujourd'hui ou de demain. Elle n'est d'aucune utilité pour définir le souhaitable et le désirable, pas plus que pour en légitimer le bien-fondé. Seules les analyses sociopolitiques et les réflexions éthiques permettent de fonder des choix et de négocier des compromis.

L'AT est plus modeste : elle prend une mesure plus exacte de ce qui est accompli, des processus mis en œuvre et de la portée effective des résultats. Elle permet ultérieurement une maîtrise plus sûre des activités à engager dans un type de situation donnée. Par comparaison et extrapolation, elle pourra faciliter le transfert et le réaménagement de ces activités dans d'autres types de situation, voire l'exploration de nouvelles activités dans des situations inédites. En ce sens, elle est une aide technique ou instrumentale à la (re)conception des pratiques. Mais une aide indispensable selon moi. Car sa grande force est d'introduire dans l'action une bonne dose de réalisme. Un réalisme qui permet d'arrimer le souhaitable au faisable, d'ancrer les intentions et les valeurs dans des dispositifs d'action qui « tiennent la route ». Un réalisme qui rend possible l'engagement dans le travail avec d'autres sur des bases solides et de se référer à ces dernières pour mieux coordonner et décider dans les moments de turbulence. D'un point de vue plus personnel et identitaire, ce réalisme permet souvent de saisir l'importance et la valeur de ce qu'on fait dans des actes devenus anodins et dépréciés. À l'inverse, grâce à lui, on peut s'apercevoir plus vite des limites, voire de l'inanité, d'actions tenues trop souvent pour évidentes ou essentielles.

L'AT n'est pas absolument neuve. C'est ce que fait déjà le professionnel lorsqu'il répond à des questions du genre « pourquoi faites-vous ceci ou cela ? » et qu'il s'inquiète du déroulement et de la portée de ses gestes. Ce qui est proposé ici continue cette « réflexion-dans-l'action » (Lhotellier et St-Arnaud, 1994) selon une démarche plus formelle et méthodique, scientifique, pourrait-on dire. Une démarche plus coûteuse, et publique de surcroît. Dans ce sens, l'AT n'est pas affaire individuelle, mais collective. Elle fait partie – ou pas – des modalités de gestion des pratiques et des services. Ses usages et son développement dépendront donc des politiques et stratégies gestionnaires en vigueur, lesquels sont évidemment objets de multiples tensions et compromis politiques.

Ce texte étant un plaidoyer en faveur de l'AT, mon argument final sera lui aussi politique. Comme beaucoup d'entre vous, je préfère qu'on aménage le travail plutôt que de changer, vainement bien souvent, la mentalité des employés. L'organisation du travail et son analyse me semblent plus estimables que « le développement des ressources humaines », « les programmes d'aide aux employés en voie d'épuisement professionnel » ou encore la « mobilisation vers l'excellence ». Et je crois encore plus préférable de s'attacher à reconstruire patiemment de nouvelles situations de travail, plutôt que de poursuivre dans cette voie caractérisée par la valse-hésitation et d'incessants changements d'employés.

Bibliographie

BÉLANGER, Paul R. et Benoît LÉVESQUE (1990). « Le système de santé et de services sociaux au Québec : crise des relations de travail et du mode de consommation », *Sociologie du travail*, 2/92, 231-244.

COTTEREAU, Alain (1994). « Théorie de l'action et notion de travail », *Sociologie du travail*, Hs/94, 73-90.

DEJOURS, Christian (1995). *Le facteur humain*, Paris, PUF.

HUOT, François (1991). *Culture d'organisation, pratiques communicationnelles et intervention : l'exemple de la protection de la jeunesse*, Mémoire de maîtrise, Montréal, UQAM.

LHOTELLIER, Alexandre et Yves ST-ARNAUD (1994). « Pour une démarche praxéologique », *Nouvelles pratiques sociales*, vol. 7, n° 2, 93-109

MAHEU, Louis et Paul-Antoine BIEN-AIMÉ (1996). « Et si le travail exercé sur l'humain faisait une différence... », *Sociologie et sociétés*, vol. XXVIII, n° 1, 189-199.

MONTMOLLIN, Maurice de (1984). *L'intelligence de la tâche. Élément d'ergonomie cognitive*, Berne, Peter Lang.

NÉLISSE, Claude et Isabel URIBÉ (1992). « Analyse des évaluations médicales et psychosociales requises par la nouvelle *Loi sur le Curateur public* », *Santé mentale au Québec*, vol. XVII, n° 2, 265-284.

La connaissance pratique : un enjeu[1]

Jean-Pierre DESLAURIERS
Département de travail social
Université du Québec à Hull

Yves HURTUBISE
École de service social
Université Laval

Les recherches portant sur la pratique professionnelle ont démontré un écart constant entre l'action des praticiens et la théorie qu'ils utilisent pour justifier leur pratique. À ce sujet, les auteurs de cet article prétendent que l'épistémologie des chercheurs les empêchent habituellement de saisir l'originalité des connaissances produites par les praticiens. Cependant, ceux qui essaient d'identifier les éléments de cette connaissance pratique ignorent souvent les rapports sociaux qui influencent la pratique professionnelle contemporaine. Dans l'optique de la démocratisation des milieux de travail, les auteurs estiment que la mise à nu de cette connaissance pratique peut contribuer à l'amélioration de l'efficacité professionnelle mais qu'elle peut aussi être détournée au profit de la gestion de l'organisation.

1. Les auteurs de cet article remercient les collègues qui ont bien voulu leur faire part de leurs commentaires : Benoît Charbonneau, Jean-Marc Meunier, Pierre Racine et Marc Sarazin. Bien entendu, selon la formule d'usage, les faiblesses qui subsistent dans cet article incombent aux auteurs.

INTRODUCTION

L'étude de la pratique professionnelle pose un défi à la recherche scientifique. Alliage étonnant d'idées et d'actions, teinté par la personnalité du praticien et coloré par l'expérience, la pratique est un objet de recherche qui se glisse entre les mailles des typologies et des classifications habituelles. Kurt Lewin ne disait-il pas : « Il n'y rien de plus pratique qu'une bonne théorie » ? Rien de plus vrai, mais à la condition expresse que la théorie s'applique dans l'action, ce qui n'est pas toujours aussi vrai qu'on le prétend.

La question de la distance entre la théorie et la pratique professionnelle connaît un regain d'intérêt. Depuis plusieurs années, des chercheurs américains poursuivent des recherches sur le développement professionnel des praticiens, leur style d'apprentissage et leur base théorique (Argyris, Putman et Smith, 1985 ; Argyris et Schön, 1978 et 1974), sans oublier la contribution de Schön (1994) à l'analyse des politiques sociales et de l'action communautaire. De plus, certains de leurs travaux commencent à être traduits (Schön, 1996 et 1994b). Plus près de nous, Yves Saint-Arnaud (1995 et 1992) a présenté une synthèse intéressante des résultats de ces chercheurs ; de son côté, Pierre Racine a repris ces idées et les a appliquées au travail social (1996, 1992 et 1991). Ces différents auteurs partent du même constat, à savoir qu'une distance, voire un fossé, sépare le monde de la pratique et celui de la théorie. Dans la même foulée, la revue *Nouvelles pratiques sociales* (Deslauriers et Pilon, 1994) a publié un dossier portant sur la contribution de la recherche au renouvellement des pratiques sociales.

Les auteurs du présent article poursuivent une recherche sur le perfectionnement des organisateurs communautaires, plus précisément, sur le type de connaissances requis par la pratique sociale (1995 et 1994). Leurs remarques sur la pratique proviennent des observations effectuées dans une recherche en cours[2]. La thèse de cet article se résume en deux points : d'abord, non seulement l'appareil scientifique ne produit pas habituellement les connaissances utiles pour la pratique, mais il marginalise même celles qui en proviennent ; ensuite, la production de connaissances adaptées à la pratique représente un enjeu selon qu'elles seront mises à contribution pour améliorer l'efficacité professionnelle ou détournées au profit de la gestion de l'organisation.

2. Ces observations proviennent d'une recherche subventionnée dans le cadre du doctorat en service social de l'Université Laval et intitulée « Formation et perfectionnement en organisation communautaire ». Elles sont tirées d'entrevues faites avec huit organisateurs communautaires comptant en moyenne une dizaine d'années d'expérience. Ils étaient répartis en nombre égal dans la région de Québec et dans la région de l'Outaouais et autant de femmes que d'hommes ont été interviewés. Les entrevues ont été réalisées aux mois d'avril et mai 1994.

LES PRATICIENS ET LEUR STYLE D'APPRENTISSAGE

On déplore souvent que les professionnels ne s'intéressent pas assez à la recherche ou n'en font pas eux-mêmes. Prenant l'exemple des travailleurs sociaux américains, Kirk avance ce qui suit :

> [...] ils professent une haute estime pour la recherche mais n'aiment pas l'étudier ; ils n'utilisent guère les études axées sur elle dans leur travail ou pour l'amélioration de leurs connaissances instrumentales ; leurs lectures au niveau de leur travail ne s'orientent pas en ce sens ; ils n'effectueront vraisemblablement pas de recherche une fois leurs études sanctionnées, et il leur est très difficile de les accepter si leur conclusions sont négatives. (Kirk, 1984 : 19)

Ces remarques s'appliquent en grande partie au contexte nord-américain, mais elles exigent l'application d'un bémol en ce qui concerne le contexte québécois. Toute proportion gardée, le taux de pénétration de revues telles que *Service social* ou *Nouvelles pratiques sociales* dans le milieu québécois des services sociaux nous porte à croire que le désintérêt des praticiens à l'endroit de la théorie et de la recherche n'est pas aussi grand que Kirk le prétend.

Quoi qu'il en soit, l'hésitation devant la recherche et la théorie est le fait de professionnels aussi différents que les enseignants (Richardson, 1994), les infirmières, les psychologues, les médecins et les avocats. Par exemple, une enquête faite par l'American Psychological Association, au milieu des années 1980, est arrivée à la conclusion qu'à peine 10 % des psychologues avaient accès à la recherche pour fonder leur pratique : « pendant que ces études se multiplient, faisant l'objet de centaines de thèses de doctorat à chaque année, les systèmes d'activités professionnelles évoluent selon leurs propres règles en utilisant très peu les produits de l'activité scientifique » (Saint-Arnaud, 1992 : 30).

Le développement des connaissances sur les styles d'apprentissage nous aide à éclaircir ce paradoxe. En effet, s'il est un truisme d'affirmer que tout le monde peut apprendre, nous commençons à nous rendre compte qu'il y a plusieurs manières de le faire et que chacune s'enracine dans une façon particulière d'aborder la réalité. Dans une étude célèbre, David A. Kolb (1984) a relevé différents types d'apprentissage et les a classés selon deux axes qui se croisent perpendiculairement (voir le tableau 1).

Sur le plan horizontal, Kolb a identifié deux pôles d'un processus d'apprentissage allant de l'expérimentation active (vérification des idées dans des situations inédites) à l'observation réflexive (collecte de données pour comprendre une situation particulière). Sur le plan vertical, et recoupant ce premier continuum, se retrouve un autre axe dont les deux pôles sont le goût

TABLEAU 1
Les apprentissages

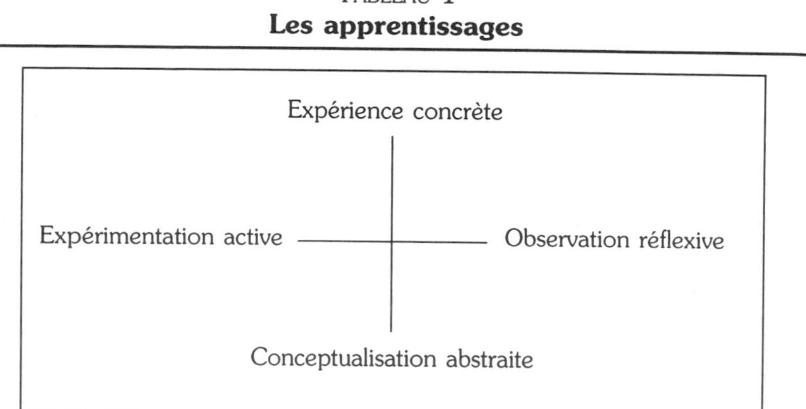

Source : Kolb (1984 : 42).

pour l'expérience concrète (besoin de se sentir engagé, de faire face à un problème réel important pour soi-même) et la conceptualisation abstraite (besoin de trouver le principe général sous-jacent). De plus, à chacun de ces styles correspond un type de connaissance. Les travailleurs sociaux se retrouvent habituellement avec d'autres professions sociales orientées vers l'action, l'expérience et l'expérimentation, dans la cellule supérieure gauche. Ils témoignent ainsi d'une façon particulière d'apprendre et de pratiquer que d'aucuns qualifient de comportement adaptateur :

> Sa principale ressource [celle du praticien] consiste en ses aptitudes particulières pour l'exécution et la réalisation. Il aime mener à terme des projets complexes impliquant la participation de plusieurs personnes. On l'appelle adaptateur parce qu'il excelle dans les situations qui exigent des décisions rapides, des adaptations sur le champ et l'improvisation de performances commandées par ces circonstances particulières. Il subordonne les idées et les plans aux personnes. Il tend à solutionner les problèmes de façon empirique (par tâtonnement intuitif) plutôt que de façon rationnelle et systématique. Il est sensible aux opinions et aux réactions des autres et en tient souvent plus compte que de ses propres compétences et connaissances. (Gauthier et Poulin, 1983 : 52-53)

Évidemment, il s'agit là d'un type pur mais dans lequel on reconnaîtra sans difficultés plusieurs caractéristiques des travailleurs sociaux. En effet, placés devant un problème ou une situation inédite, ils ont tendance à recourir aux avis de leurs collègues et de leur superviseurs plutôt qu'aux résultats de la recherche (Kirk, 1984, 21). Pour eux, les contacts avec les pairs offrent une occasion d'apprendre. En prenant appui sur leur entourage, les praticiens développent un style d'acquisition des connaissances semblable à celui des autodidactes :

The learning activities of successful self-directed learners are placed within a social context, and other people are cited as the most important learning resources. Peers and fellow learners provide information, serve as skill models, and act as reinforcers of learning and as counselors at times of crisis. Successful self-directed learners appear to be highly aware of context in the sense they place their learning within a social setting in which the advice, information, and skill modeling provided by others are crucial conditions for successful learning. (Brookfield, 1985 : 9)

Une fois lancé dans la pratique, le praticien doit se doter d'une sorte de gyroscope intérieur lui permettant de s'orienter à travers des théories et des modèles d'intervention lancés sur le marché des connaissances ; au cours des ans, il devra aussi renouveler sa pratique pour résoudre les nouveaux problèmes sociaux qui surgiront. Dès lors, le praticien doit trouver dans les bases de sa formation professionnelle les principes directeurs lui permettant de s'adapter et d'évoluer. Cependant, cette adaptation continue, même réussie, renferme quand même un paradoxe intéressant.

Après quelques années de pratique professionnelle, après avoir expérimenté les modèles d'intervention qui leur ont été enseignés à l'université, les praticiens commencent à développer leur propre modèle, ce dont ils ne sont pas toujours conscients, et un écart commence à se creuser entre les deux. Les modèles enseignés servent de référence et sont utilisés dans le discours, mais les modèles issus de la pratique sont les véritables modèles opérationnels. Saint-Arnaud (1992 : 53) le présente comme la loi d'Argyris et Schön : « Dans une situation difficile, il y a un écart systématique entre la théorie professée par le praticien pour expliquer son comportement et la théorie qu'il pratique à son insu, telle qu'on peut l'inférer à partir d'un dialogue réel. »

Cet écart explique le drame que vivent maints praticiens sociaux. D'une part, lorsque questionnés sur leur pratique, ils l'appuient sur une théorie qui fonde officiellement leur action et qu'ils prétendent appliquer (*espoused theory*). Dans les faits, lorsqu'ils reprendront le collier le lundi matin, ils recourront aux trucs de bricoleur qui leur servent le mieux (*theories in use*). La raison est que le praticien doit développer une connaissance qu'il n'avait pas au point de départ de sa pratique professionnelle, soit la connaissance de type Delta.

LA CONNAISSANCE DE TYPE DELTA

Les auteurs qui se sont penchés sur la question de la connaissance ont produit de multiples typologies pour la décrire. Cependant, pour les besoins de cet article, nous retiendrons la classification suggérée par Fritz Machlup (1980) et reprise par Gilles Paquet (1991) qui a utilisé des lettres grecques pour désigner les différentes catégories :

- la connaissance Alpha : cette catégorie renferme les connaissances se rapportant aux valeurs, à la culture, au sens de l'existence individuelle et sociale, aux buts et finalités de la société. C'est le magma où iront puiser les sciences sociales ;
- la connaissance Bêta : ce terme désigne les connaissances scientifiques produites par les sciences exactes et qui ont pour objet d'étude les phénomènes naturels ;
- la connaissance Gamma : c'est le domaine des sciences sociales, ou des connaissances socioscientifiques, qui empruntent à la fois au premier type en ce qui concerne la finalité de la société et au second, pour ce qui touche à la méthodologie de recherche.

Cette classification n'épuise, cependant, pas le domaine des connaissances : en effet, génération après génération, les praticiens ne se reconnaissent pas dans les connaissances dites « socioscientifiques », même s'ils leur accordent de l'importance. À partir de cette constatation, le professeur Paquet en a déduit que si cet inconfort persistait, c'est qu'il existait un autre type de connaissances plus adapté à la pratique professionnelle. Lors d'un colloque réunissant des chercheurs français, québécois et canadiens, les participants ont défini ainsi la connaissance de type Delta :

> La connaissance de type Delta est une capacité à intervenir, une compétence qu'une personne crée et acquiert en agissant dans et sur un système complexe (informationnel, relationnel) avec prise d'initiative, marges de liberté et nécessité de faire des choix dont les conséquences ne sont pas pour elle entièrement visibles.
>
> Par construction, cette compétence est donc peu transférable d'une personne à une autre, mais davantage transférable par un individu d'une « situation » à une autre.
>
> C'est une compétence en quelque sorte personnalisée et personnelle, co-produite par l'individu et le système dans lequel il est placé. (Gélinier, 1991 : 155[3])

Les connaissances de type Delta ont d'abord été appliquées au domaine de l'administration, mais cette catégorie de connaissances nous semble tout aussi pertinente à la pratique sociale au sens large. Évidemment, ce type de connaissances ne vise pas l'élaboration de théories universelles ni de modèles théoriques ayant une capacité de généralisation : « C'est une connaissance, non déduite de la théorie générale, qui émerge de la réflexion en action, et qui sous-tend les compétences pour l'action, lesquelles sont essentielles pour toutes les activités focalisées sur des buts temporels. » (Gélinier, 1991 : 104)

3. Octave Gélinier attribue la formulation de cette définition à Pierre Leboulleux, directeur général d'une entreprise française.

S'apparentant au métier, ce type de connaissances se retrouve dans la pratique professionnelle. En effet, le praticien efficace n'est pas celui qui professe une théorie particulière ni celui qui applique à la lettre un modèle précis d'intervention : cette spécialisation s'avère vite inefficace dans la pratique du travail social, surtout dans le secteur public. Au contraire, le praticien qui obtient de bons résultats est celui qui puise dans son expérience et ses connaissances, comme dans un coffre à outils, pour « [...] trouver des solutions pour l'action dans une configuration inédite de circonstances et de buts » (Gélinier, 1991 : 105).

La connaissance théorique et abstraite a de la difficulté à reconnaître la valeur de la connaissance pratique et concrète, tirée de l'expérience. En effet, la connaissance théorique vise la généralisation et l'abstraction ; elle entend servir de point de référence pour arbitrer les controverses entre les éléments plus « locaux » (folklore, tradition orale, pratique, vie quotidienne). Pour sa part, la connaissance pratique est plus humble et plus discrète ; elle ne prétend pas s'élever au-delà des circonstances qui ont suscité son apparition ni s'appliquer partout dans n'importe quelle circonstance. Elle se fait snober par la connaissance théorique qui renie ses origines et méprise son ancêtre, sinon sa cousine, la connaissance pratique, celle qui n'a pu sortir du rang ! Par contre, ce snobisme nous semble cacher un soupçon d'envie : la connaissance abstraite jalouse parfois l'efficacité pratique de la connaissance concrète. Comme l'exprimait Roland Charbonneau[4] dans une formule choc dont il avait le secret, il y a le haut savoir cognitif mais aussi le haut savoir-faire du quotidien (Charbonneau, 1979 : 353-354).

LA MARGINALISATION DE LA CONNAISSANCE DE TYPE DELTA

Trop souvent, l'univers de la formation et celui de la pratique s'ignorent, même à l'université : « Les valeurs de l'univers académique semblent être la logique du discours et de la continuité ; les valeurs et l'univers professionnel semblent être l'efficacité de l'action et l'idiosyncrasie. » (Saint-Arnaud, 1992 : 16) Même dans les écoles ou départements de formation professionnelle (psychologie, santé, service social, relations industrielles, administration), la connaissance de type Delta n'occupe pas toujours la place à laquelle on s'attend : en effet, par leur objet d'études, ces unités de formation devraient entretenir avec le milieu des liens étroits et une collaboration soutenue. Or,

4. Roland Charbonneau était professeur en sciences sociales à l'Université du Québec à Chicoutimi et il est décédé en juillet 1986. À quelques années de distance, il nous semble qu'il était un adepte de la connaissance de type Delta avant la lettre.

tel n'est pas toujours le cas : l'université demeure encore largement tributaire du système de connaissance socioscientifique et la recherche théorique prend souvent le pas sur la réflexion axée sur l'intervention et la pratique.

La nature a horreur du vide, c'est bien connu, et en économie capitaliste, un besoin ne reste pas longtemps insatisfait s'il y a moyen d'y répondre en faisant de l'argent ! On ne s'étonnera pas de la prolifération des bureaux de consultants qui tentent de répondre aux besoins de formation des organisations. Ces bureaux sont parfois plus intéressés par l'argent vite fait que par la pédagogie et la formation de qualité, mais il n'en demeure pas moins que plusieurs d'entre eux ont développé des programmes de formation pouvant rivaliser avec ceux des bonnes institutions universitaires. Les universités, qui faisaient la fine bouche devant ces bureaux, pourraient peut-être bien s'en inspirer. En dépit des critiques qu'on peut leur adresser, ils offrent beaucoup d'avantages à leurs clients, comme le souligne Paquet (1991 : 67-68) à propos de la gestion des entreprises :

> Ce défi posé aux producteurs traditionnels est là pour de bon : les fournisseurs non conventionnels ont mis au point une formule de programmes particulièrement réussie, combinant la formation spécialisée, les compétences pratiques et les connaissances théoriques ; ils s'adaptent plus facilement au changement que les institutions traditionnelles et ont davantage de souplesse dans la gestion de leurs ressources humaines ; leurs produits coûtent moins cher au client et sont plus à jour et mieux adaptés aux besoins que ne le sont les produits traditionnels ; ils aident les organisations à acquérir les nouvelles compétences requises pour la gestion en une époque de turbulence.

Dans les établissements de services publics, on note, depuis une dizaine d'années, la croissance notable de ce genre de bureaux. Dans la foulée de la sous-traitance, le ministère des Affaires sociales élabore les orientations, fixe les objectifs et confie à une firme de consultants la tâche d'élaborer des programmes de formation dans le réseau. Dans le secteur privé, l'Institut de la Gestalt de même que le Centre de formation pour les conseilleurs matrimoniaux ont perfectionné bon nombre de travailleurs sociaux. La force de ces bureaux, firmes et instituts, est précisément d'offrir des connaissances axées sur la pratique quotidienne : ils ne recherchent pas nécessairement les grandes percées théoriques, quoiqu'elles ne soient pas exclues, mais visent surtout l'augmentation de l'efficacité concrète des employés de ces organisations.

Tous ces bureaux ne développent pas une connaissance de type Delta, au sens où ce terme est ici employé : ce sont souvent des programmes de formation sur mesure, commandés par les gestionnaires et imposés aux employés sans égard à leur expérience. La connaissance pratique n'est pas marginalisée seulement à l'université : en dépit de leurs prétentions, les bureaux de consultants peuvent s'avérer très rigides et insensibles aux besoins des praticiens. La variable critique, celle qui caractérise un programme de formation favorable à l'émergence de la connaissance Delta, est l'importance accordée par l'organisation à l'expérience des praticiens, à leur pouvoir et à leur autonomie.

LES CONNAISSANCES DE TYPE DELTA ET LE TAYLORISME

On a vu plus tôt que les praticiens se justifient par un discours X, mais fondent leur pratique sur une connaissance Y. Après avoir pris note de cette contradiction, les chercheurs américains précités ont poussé leur raisonnement plus loin et ont même prétendu pouvoir atténuer cette distorsion : de leur point de vue, il est possible pour les praticiens de devenir conscients de la théorie qu'ils utilisent dans l'action et de la développer pour leur propre profit (Schön, 1996 et 1994). Par exemple, Saint-Arnaud (1992)[5] a développé un modèle devant aider le praticien qui le voudrait à analyser son style personnel d'intervention et à identifier la théorie qui sous-tend son action. Cette prise de position soulève cependant quelques questions sur sa faisabilité.

Est-il besoin de rappeler la caractéristique commune à la majorité des professionnels contemporains : la plupart du temps, ils sont à l'emploi d'organisations qui encadrent et guident en grande partie leur conduite professionnelle. Il s'ensuit donc que sans être dépourvus de marge de manœuvre, ils ne sont pas moins l'objet de contrôles plus ou moins stricts, selon les organisations auxquelles ils appartiennent, et peu y échappent. À notre avis, ces chercheurs négligent les relations de pouvoir qui prévalent dans les organisations : la recherche de la théorie de l'action par les praticiens ne peut être dissociée de la recherche d'une plus grande efficacité que l'organisation veut soutirer de ses employés. De ce point de vue, elle s'apparente de loin au taylorisme et à l'organisation scientifique du travail.

Avant de se traduire dans une chaîne de montage, l'idée de base de Frederick W. Taylor était d'identifier le savoir caché de l'ouvrier, celui qui lui permettait de tricher l'employeur sur ses capacités et ses connaissances. Pour trouver une issue à la lutte incessante qui opposait l'ouvrier détenteur de connaissances à l'employeur qui voulait les utiliser pour accroître sa productivité, Taylor proposa de décomposer le travail en opérations simples et de les recomposer ensuite en retenant celles considérées les plus efficaces. En fait, l'objectif de Taylor était de mettre à nu le savoir ouvrier et de l'utiliser en vue d'une plus grande efficacité et d'un plus grand profit.

5. Voir aussi LHOTELLIER et SAINT-ARNAUD, 1994.

Dans le domaine de la pratique professionnelle, il est difficile de réduire le travail en étapes simples et contrôlables à moins que l'employé n'y mette du sien et ne se dévoile[6]. Idéalement, le praticien qui part à la recherche de sa théorie de l'action devrait en être le premier bénéficiaire : il deviendrait alors le dépositaire de ce nouveau savoir qui réconcilierait théorie de l'action et théorie professée. Toutefois, c'est sans prendre en considération les rapports de pouvoir dans l'organisation. D'ailleurs, les chercheurs américains précités ne s'y sont pas trompés : les clients qu'ils ont retenus pour répandre leurs idées ont d'abord été les consultants, les chercheurs, les cadres des organisations éclairées (Argyris et Schön, 1974 [1992] : xiv-xvi).

De fait, vu de l'autre bout de la lorgnette, le savoir de type Delta est peut-être pour le professionnel contemporain l'équivalent du savoir ouvrier du siècle passé. La distance entre la théorie professée et la théorie pratiquée n'est pas accidentelle : elle représente à la fois un lieu de résistance et de création, comme le sabotage a pu le représenter pendant un temps dans la culture ouvrière. C'est la raison pour laquelle les professionnels ne sont pas tous prêts à décrire spontanément la théorie qu'ils pratiquent, car elle est, pour eux, un refuge et un lieu d'autonomie, là où se déploie l'initiative invisible de l'exécutant (Bourdet, 1970 : 144). De ce point de vue, l'idée de vouloir à tout prix identifier les théories pratiquées dans le but d'atteindre une plus grande efficacité professionnelle risque de se réduire à la recherche d'une plus grande efficacité organisationnelle : en effet, il serait étonnant que l'organisation laisse son employé poursuivre isolément une recherche d'efficacité sans qu'elle en retire un avantage. De son côté, le praticien ne s'oppose pas à l'efficacité comme telle, mais bien à sa conception technocratique.

Le praticien social occupe une place bâtarde dans l'organisation du travail. D'une part, il est employé dans une organisation bureaucratique et hiérarchisée, comme le sont la plupart des organisations actuelles. D'autre part, il est détenteur d'une connaissance colorée par sa personnalité, ses expériences, ses valeurs et qu'il est le seul à pouvoir faire fructifier, soit la connaissance de type Delta telle qu'elle a été définie précédemment. Il est donc embauché parce qu'il détient un savoir d'intervention qu'il doit développer pour s'adapter aux nouvelles conditions sociales ; cependant, pour ce faire, l'organisation doit lui laisser une marge de manœuvre.

---

6 Il nous semble que le développement des systèmes experts, qui se présentent comme des systèmes d'aide à la décision, va dans le sens de la réduction de l'exercice du jugement professionnel et de son remplacement par une procédure informatisée. On note plusieurs tentatives d'introduire l'informatique et le système expert dans les pratiques sociales au Québec, notamment depuis une dizaine d'années. Voir Lalande-Gendreau et Turgeon-Krawczuk (1986), Lalande-Gendreau (1987), Ajenstat *et al.* (1989), Béliveau *et al.* (1992) et Poulin *et al.* (1992).

Par conséquent, il existe une tension entre le mandat institutionnel de l'organisation bureaucratique, qui doit à la fois gérer ses employés, fournir des services au public et rendre des comptes à l'État, et la nécessaire autonomie professionnelle. Les organisateurs communautaires connaissent cet écartèlement. Comme toute organisation, celle des services sociaux est traversée par des légitimités différentes, voire parfois contradictoires : on relève la légitimité des élus, celle des cadres administratifs, des professionnels, des leaders de la communauté et celle du syndicalisme qui commence à réfléchir sur l'autonomie professionnelle (Hurtubise, 1994 ; Goudet, 1989).

Le praticien navigue donc entre deux écueils : celui de la soumission à l'organisation où la marge d'initiative est restreinte, et le modèle des professions libérales et de leur totale indépendance. Par contre, il n'est pas possible pour l'organisation de réduire cette tension en recourant à un taylorisme déshumanisant ni pour le praticien de l'éviter en imaginant une pratique professionnelle copiée sur les professions libérales, pratique qui ne se rencontre plus guère dans notre société d'ailleurs. Par contre, la démocratisation des milieux de travail demeure un objectif toujours d'actualité (Langlois, 1993 ; Vaillancourt, 1993).

La nouvelle orientation que le Conseil québécois de la recherche sociale entend imprimer à la recherche représente une occasion de démocratisation. En effet, le Conseil a imposé aux universités un partenariat avec les milieux de la pratique : pas de partenariat, pas de subvention de recherche. Résultat : les chercheurs se sont rapprochés du milieu de la pratique et ont réorienté leur intérêt de recherche vers des sujets plus concrets. Quoique parfois opportuniste, cette collaboration peut déboucher sur une plus grande interaction entre l'univers des chercheurs et celui des praticiens ainsi que sur la production de connaissances utiles pour les praticiens. Pour l'instant, les chercheurs rejoignent les praticiens par gestionnaires interposés : ils établissent des protocoles de recherche et concluent des ententes avec les gestionnaires qui les imposent ensuite aux praticiens. Cependant, lorsque la situation se présente, les praticiens pourraient demander à être associés plus étroitement aux discussions : ils pourraient ainsi influencer l'objet de recherche, le déroulement des travaux et le résultat recherché. Surtout, ils pourraient négocier l'échange de la connaissance qu'ils possèdent contre celle qu'ils recherchent.

CONCLUSION

Pour conclure, il apparaît que loin d'être gratuites et innocentes, la production, la possession et la diffusion de la connaissance de type Delta représentent un enjeu dans l'organisation du travail : elles ne peuvent faire abstraction de la question du pouvoir et des rapports sociaux (Racine, 1988). L'autonomie professionnelle, le développement de ses connaissances et de la pratique, voilà les grandes questions qui se posent aux praticiens des services sociaux actuellement (Bernard, Doré et Langlois, 1991). La production et l'utilisation de connaissances de type Delta passent donc par l'influence des intervenants sur l'orientation des lieux de production de services.

À l'avenir, il n'est pas dit que les établissements universitaires se montreront toujours aussi réticents à explorer des secteurs où les connaissances de type Delta occupent une place importante, tels que l'éducation des adultes, l'éducation permanente et le perfectionnement professionnel. Évidemment, en vertu de sa tradition épistémologique et scientifique, l'université demeure méfiante mais la nécessité de s'adapter aux besoins de nouvelles clientèles peut avoir raison de cette méfiance. Les exigences du nouveau contexte pourraient faire en sorte que les programmes de formation contiennent une plus grande part de connaissances de type Delta. Enfin, qui vivra verra !

Bibliographie

AJENSTAT, J., FRENETTE, M. et A. SAINT-PIERRE (1989). « Système expert d'aide à l'intervenant social », *Service social*, vol. 38, nos 2-3, 297-317.

ARGYRIS, C., PUTNAM, R. et D. SMITH (1985). *Action Science : Concepts, Methods and Skills for Research and Intervention*, San Francisco, Jossey-Bass.

ARGYRIS C. et D. SCHÖN (1978). *Organizational Learning : A Theory of Action Perspective*, Reading (Mass.), Addison Wesley.

ARGYRIS, C. et D. SCHÖN (1974). « Introduction to the Classic Paperback [1992] », *Theory in Practice : Increasing Professional Effectiveness*, San Francisco, Jossey-Bass, xi-xxvi.

BÉLIVEAU, G., POULIN, M. et G. BEAUDOIN (1992). « L'implantation d'un système informatisé des dossiers de service social en milieu hospitalier », *Service social*, vol. 41, no 1, 104-126.

BERNARD, L., DORÉ, J.-M. et P. LANGLOIS (1991). « Professionnalisme, affirmation et dissidence en protection de la jeunesse », *Nouvelles pratiques sociales*, vol. 4, no 2, automne, 159-162.

BOURDET, Y. (1970). *La délivrance de Prométhée. Pour une théorie politique de l'autogestion*, Paris, Anthropos.

BROOKFIELD, S. (1985). « Self-Directed Learning : A Critical Review of Research », dans BROOKFIELD, S., *Self-Directed Learning : From Theory to Practice*, San Francisco, Jossey-Bass, 5-17.

CHARBONNEAU, R. (1979). « Éléments de synthèse », dans LÉVESQUE, B., *Animation sociale, entreprises communautaires et coopératives*, Montréal, Éditions coopératives Albert Saint-Martin, 353-354.

DESLAURIERS, J.-P. et Y. HURTUBISE (1995). « Apprendre dans l'action : le perfectionnement des organisateurs communautaires », Communication présentée au colloque du Regroupement des unités de formation universitaire du Québec, 63e congrès de l'ACFAS, Université du Québec à Chicoutimi, 25 mai, 19 pages.

DESLAURIERS, J.-P. et J.-M. PILON (sous la direction de) [1994]. « La recherche sociale et le renouvellement des pratiques », Dossier, *Nouvelles pratiques sociales*, vol. 7, nº 2, automne, 29-154.

GAUTHIER, L. et N. POULIN (1983). *Savoir apprendre*, Sherbrooke, Les Éditions de l'Université de Sherbrooke.

GÉLINIER, O. (1991). « Nouvelles responsabilités pour l'entreprise formatrice », dans PAQUET, G. et O. GÉLINIER, *Le management en crise. Pour une formation proche de l'action*, Paris, Economica, 103-121.

GILLES, W. et G. PAQUET (1991). « La connaissance de type Delta », dans PAQUET, G. et O. GÉLINIER (sous la direction de), *Le management en crise. Pour une formation proche de l'action*, Paris, Economica, 19-37.

GOUDET, B. (1989). « La fonction de médiation des travailleurs sociaux engagés dans des actions collectives et ses médiations », dans BLANC, B. (sous la direction de), *Actions collectives et travail social*, tome 2, « Processus d'action et évaluation », Paris, Les Éditions ESF, 25-45.

HURTUBISE, Y. (1994). « Autonomie professionnelle, marge de manœuvre et organisation communautaire en CLSC », dans FAVREAU, L., LACHAPELLE, R. et L. CHAGNON (sous la direction de), *Pratiques d'action communautaire en CLSC : acquis et défis d'aujourd'hui*, Sillery, Presses de l'Université du Québec, 99-107.

HURTUBISE Y. et J.-P. DESLAURIERS (1994). « Perfectionnement des intervenantes et intervenants en CLSC », dans MERCIER, C., GENDREAU, C., DOSTIE, J.-A. et L. FONTAINE (sous la direction de), *Au cœur des changements sociaux : les communautés et leurs pouvoirs*, Regroupement des intervenantes et intervenants en action communautaire en CLSC et en centre de santé, Sherbrooke, 311-325.

KIRK, S.A. (1984). « Comprendre le mode d'utilisation de la recherche en service social », dans RUBIN, A. et A. ROSENBLATT (sous la direction de), *Recueil de textes inédits sur l'utilisation de la recherche en service social*, Québec, Les Presses de l'Université Laval, 7-33.

KOLB, D.A. (1984). *Experiential Learning*, Englewood Cliffs, N. J., Prentice-Hall.

LALANDE-GENDREAU, C. (1987). « Philosophie d'informatisation et pratique sociale », *Service social*, vol. 36, nº 1, 111-118.

LALANDE-GENDREAU, C. et F. TURGEON-KRAWCZUK (1986). « L'informatique en service social : une application à la pratique professionnelle en milieu médical », *Intervention*, nº 73, février, 37-50.

LANGLOIS, P. (1993). « Révolution Harvey en protection de la jeunesse : quand la gestion parle au nom de la profession », *Nouvelles pratiques sociales*, vol. 6, nº 2, automne, 155-159.

LHOTELLIER, A. et Y. SAINT-ARNAUD (1994). « Pour une démarche praxéologique », *Nouvelles pratiques sociales*, vol. 7, nº 2, 93-111.

MACHLUP, F. (1980). *Knowledge : Its Creation, Distribution, and Economic System*, Princeton, Princeton University Press, vol. 1.

PAQUET, G. (1991). « Deux crises en management : formation et recherche », dans PAQUET, G. et O. GÉLINIER (sous la direction de), *Le management en crise. Pour une formation proche de l'action*, Paris, Economica, 59-73.

POULIN, M., BEAUDOIN, A. et F. TURGEON-KRAWCZUK (1992). « État des connaissances à l'origine de l'utilisation du logiciel "Vie familiale" et impact de la maladie : attitudes et motivation de la clientèle et préoccupations des professionnels », *Service social*, vol. 41, n° 3, 105-124.

RACINE, P. (1996). « La rationalité des pratiques comme voie de construction d'une cohérence théorique », dans RAFIE, M. (avec la collaboration de François BLANCHARD), *Les sciences humaines : état des lieux*, Québec, Presses de l'Université Laval, 157-170.

RACINE, P. (1992). « Analyse de thèmes dans les théories de l'action d'étudiants en formation à l'intervention sociale », dans *Actes du colloque du Regroupement des unités de formation universitaire en travail social*, Montréal, 37-57.

RACINE, P. (1991). « L'usage des théories de l'action dans la formation à l'intervention sociale », *Service social*, vol. 40, n° 2, 7-25.

RACINE, P. (1988). « Gestion professionnelle et gestion technocratique des services sociaux », *Revue internationale d'action communautaire*, vol. 19, n° 59, 127-135.

RICHARDSON, V. (1994). « Conducting Research on Practice », *Educational Researcher*, vol. 23, n° 5, juin-juillet, 5-10.

SAINT-ARNAUD, Y. (1995). *L'interaction professionnelle. Efficacité et coopération*, Montréal, Les Presses de l'Université de Montréal.

SAINT-ARNAUD, Y. (1992). *Connaître par l'action*, Montréal, Les Presses de l'Université de Montréal.

SCHÖN, D.A. (1996). *Le tournant réflexif* (Traduction de *Educating the Reflective Practitioner*, 1987), Montréal, Éditions Logiques.

SCHÖN, D.A. (1994a). *Frame Reflection : Toward the Resolution of Intractable Policy Controversies*, New York, Basic.

SCHÖN, D.A. (1994b). *Le praticien réflexif. À la recherche du savoir caché dans un agir professionnel* (Traduction de *How Professionnals Think in Action*, 1983), Montréal, Éditions Logiques.

VAILLANCOURT, Y. (1993). « Trois thèses concernant le renouvellement des pratiques sociales dans le secteur public », *Nouvelles pratiques sociales*, vol. 6, n° 1, printemps, 1-14.

La planification participative : pour le développement d'une pratique communautaire en déficience intellectuelle

Suzanne CARRIER
Étudiante au doctorat, Département de psychologie
Membre du LAREHS, Université du Québec à Montréal

Daniel FORTIN
Professeur, Département de psychologie
Membre du LAREHS, Université du Québec à Montréal

Basée sur une mise à contribution des ressources locales, l'approche communautaire intéresse les centres de réadaptation pour personnes présentant une déficience intellectuelle en tant qu'orientation de services susceptible d'accroître l'intégration sociale de ces personnes. Pour sa mise en œuvre, elle requiert un mode participatif de planification de services, lequel peut s'inspirer de la recherche-action. Celle-ci propose des méthodes consistantes avec les fondements de l'approche communautaire. Le présent article traite d'une démarche de planification participative de services, inspirée de la recherche-action. Cette démarche permet un double renouvellement de la pratique, tant sur le plan de l'intervention que sur celui de sa gestion.

LA PLANIFICATION PARTICIPATIVE : POUR LE DÉVELOPPEMENT D'UNE PRATIQUE COMMUNAUTAIRE EN DÉFICIENCE INTELLECTUELLE

Au cours des dernières décennies, la place de la communauté dans l'intervention des centres de réadaptation en déficience intellectuelle s'inscrit à l'intérieur de trois tendances. La première, plus ancienne, est celle de la *prise en charge professionnelle des personnes sans la communauté*. Selon ce modèle, la communauté est exclue d'un processus d'intervention uniformisé, survenant en milieu fermé, et établi uniquement par des *experts* à qui le soin des personnes est confié. La deuxième tendance, actuellement dominante, découle de la désinstitutionnalisation. C'est la *prise en charge professionnelle des personnes dans la communauté*. Dans le cadre de services individualisées, les intervenants accompagnent les personnes en favorisant leur adaptation aux normes sociales, lesquelles sont le plus souvent définies à partir de la culture même des praticiens. Ces derniers se considèrent encore les experts et, s'ils interagissent avec l'entourage des personnes, c'est principalement pour obtenir son adhésion aux interventions qu'ils proposent après consultation de celles-ci. Dans cette perspective, la communauté, peu mobilisée, fournit essentiellement des lieux d'intégration.

Comparativement à la première, la deuxième tendance a le mérite d'individualiser les services et de favoriser l'intégration physique des personnes à la communauté. Toutefois, les intervenants formels occupent toujours une place prépondérante dans le réseau social des personnes (Bouchard et Dumont, 1996 ; 6). Aussi, pour faciliter leur intégration sociale, une troisième tendance apparaît plus probante : *l'accompagnement des personnes avec la communauté*. Cette tendance affecte déjà les services d'accompagnement à l'enfance et d'intégration socioprofessionnelle offerts par les centres de réadaptation en déficience intellectuelle. Parce que ces services ne reposent plus uniquement sur une intervention spécialisée mais surtout, sur une mise à contribution de l'entourage (compagnons de travail, parents, voisins, etc.), cette approche apparaît comme susceptible d'accroître l'intégration sociale des personnes, ainsi mises en relation avec des membres de leur communauté. Considérant l'aide professionnelle complémentaire à l'aide naturelle informelle, l'intervenant reconnaît aux aidants une expertise et vise, avec eux, un partage des responsabilités et du pouvoir. En respect de la culture du milieu, l'intégration sociale s'inscrit dès lors dans une recherche de réciprocité et d'adaptation mutuelle entre les personnes et celui-ci. L'approche communautaire propose d'intervenir non seulement auprès des personnes ayant une déficience intellectuelle mais aussi auprès de leur environnement afin d'accroître, pour celles-ci, la capacité d'accueil du milieu et les opportunités de développement personnel. À cette fin, plutôt que d'agir en fonction d'une prise en charge des personnes, les intervenants se rapprochent des membres de la communauté, assurent une présence auprès d'eux pour favoriser, maintenir et soutenir leur participation au processus d'intégration sociale.

Influencé par l'approche-milieu (Chabot et Morin, 1996) et l'approche communautaire (Gingras, 1992a, 1992b) développées dans les services de première ligne, le développement de services *d'accompagnement avec la communauté* devient une orientation d'établissement pour certains centres de réadaptation en déficience intellectuelle. Toutefois, ces derniers ont un mandat très différents de celui des CLSC. Ils travaillent, généralement à long terme, avec une clientèle particulière qui présente souvent une gamme étendue de besoins, des habiletés sociales et de communication relativement restreintes ainsi qu'un faible enracinement à la communauté, conséquence d'un passé institutionnel. De plus, l'établissement de liens de réciprocité des membres de la communauté avec cette clientèle demeure encore mal connu.

Aussi, dans le domaine de la déficience intellectuelle, il y a actuellement absence de modèles et de données empiriques pour éclairer les centres de réadaptation qui désirent favoriser l'émergence d'une telle pratique communautaire d'intervention étendue à l'ensemble du personnel (Carrier et Fortin, 1996b). Le but de cet article est de démontrer que, pour le développement d'une perspective communautaire, un processus de planification participative s'inspirant de la recherche-action peut être avantageusement utilisé. À partir des écrits spécialisés, il est d'abord question des liens entre l'approche communautaire et la recherche-action. Ensuite, le déroulement de la démarche de planification ainsi que les résultats obtenus sont relatés. Enfin, l'article traite de l'utilisation d'un processus de planification participative qui s'inspire de la recherche-action, à titre de méthode conforme à l'approche communautaire, pour favoriser la mise à contribution du personnel dans le développement de cette pratique.

La recherche-action peut servir de référence dans une démarche de planification participative par le fait qu'elle est, selon Gauthier (1993 : 521), une stratégie de recherche orientée vers l'action, tout en ramenant cette dernière vers des considérations de recherche. Ce lien entre théorie et pratique peut être formulé en termes de prise de décision à la suite d'une investigation fournissant une évaluation de la situation problématique (Goyette et Lessard-Hébert, 1987 : 51). La recherche-action constitue une méthode appropriée pour l'élaboration d'un modèle de pratique à partir de l'action et du processus d'intervention (Mayer, 1992 : 78 ; Groulx, 1994 : 43).

Par ailleurs, il y a correspondance entre plusieurs fondements de l'approche communautaire et ceux de la recherche-action. À l'instar de Corin, Bibeau *et al.* (1990 : 38-39), l'approche communautaire invite les institutions à tenir compte des réalités locales tant dans l'organisation des services que dans les pratiques d'intervention. En ce qui a trait à la recherche-action, elle est menée en milieu naturel et intervient sur de petites unités sociales (Lavoie, Marquis et Laurin, 1996 : 58), à partir d'une problématique insérée dans le travail quotidien des praticiens (Bernier, 1979, cité par Mayer, 1992 : 78). La recherche-action a pour but d'apporter une solution à un problème posé par les intéressés eux-mêmes et non issu de l'expertise de chercheurs extérieurs au problème (Gauthier, 1993 : 521).

La recherche-action, tout comme l'approche communautaire, est basée sur l'implication des personnes concernées par la situation, non seulement pour l'identification de la problématique étudiée, mais aussi pour la mise en œuvre des solutions. Comme le rapporte Guénard (1992 : 48), le modèle de recherche-action s'appuie sur le constat qu'une implication des sujets dans un groupe de décision est plus efficace que de simples exposés pour engendrer un changement. De plus, Carrier et Fortin (1996a : 25) soulignent l'importance d'une contribution active du personnel dans la définition d'une pratique communautaire en déficience intellectuelle. Puisque cette dernière exige souvent des interventions adaptées à des situations uniques et peu prévisibles, elle ne peut être déterminée par des normes basées sur une connaissance strictement théorique de l'approche communautaire et de la communauté.

Si, pour prendre tout son sens, l'approche communautaire doit être assumée par l'ensemble du personnel d'un établissement (Gingras, 1992a : 200), la recherche-action se caractérise aussi par une démarche d'équipe (Mayer, 1992 : 73). Une des propriétés critiques de cette stratégie de recherche est de mettre à contribution les participants à tous les niveaux (Lavoie, Marquis et Laurin, 1996 : 97). Guénard (1992 : 50) estime que les décisions de groupe s'avèrent un outil de choix, permettant aux membres d'une entité sociale de redéfinir ensemble leurs normes lorsqu'un changement est souhaité. À l'intérieur d'une équipe engagée dans une démarche de planification participative de services, l'ensemble du personnel est donc appelé à s'investir.

Tout comme dans l'approche communautaire, où l'intervenant tente d'établir un rapport égalitaire en agissant « avec » et non « pour » l'autre (Gingras, 1992a : 198), le chercheur s'engage dans une recherche-action en optant pour une façon démocratique de travailler et d'interagir (Claux et Lemay, 1992 : 56). Les participants à une recherche-action ne sont pas des objets d'étude, mais des sujets qui s'auto-analysent et avec qui le chercheur collabore (Goyette et Lessard-Hébert, 1987 : 63). L'approche communautaire et la recherche-action s'appuient sur des valeurs d'autonomie, d'égalité et de coopération.

Enfin, la flexibilité demeure une caractéristique spécifique tant à une pratique communautaire qu'au déroulement d'une recherche-action. En effet, la principale qualité requise pour travailler selon une approche communautaire est, selon Guay et Chabot (1992 : 13), la capacité de se faire remettre en question. De plus, la perspective communautaire exige beaucoup de souplesse afin d'adapter l'intervention à des situations souvent imprévues, changeantes et sur lesquelles l'intervenant exerce généralement peu de pouvoir comparativement à une pratique dans les murs d'un établissement spécialisé. Cette diminution du contrôle de l'intervenant — et l'exigence d'adaptabilité qui en découle — s'observe également pour le chercheur qui anime un processus de recherche-action, lequel comporte une part d'imprévisibilité, comparativement à une recherche expérimentale classique basée sur le contrôle de variables.

Ainsi, outre son orientation en faveur de l'action, la recherche-action apparaît une stratégie de choix pour soutenir le développement d'une approche communautaire d'intervention puisqu'elle partage plusieurs caractéristiques avec cette dernière : l'intérêt pour les problématiques locales ; la participation des personnes concernées dans la recherche et l'application de solutions. À cela s'ajoutent le travail d'équipe dans une perspective démocratique ainsi que la souplesse sur le plan tant des attitudes que des méthodes employées.

Tout cela considéré, une démarche de planification participative, basée sur des procédés de la recherche-action, est retenue par le Centre du Florès. Cet établissement offre des services d'adaptation et d'intégration sociale aux personnes présentant une déficience intellectuelle qui résident dans les Basses-Laurentides. La démarche présentée ici veut d'abord permettre à chaque équipe d'intervention de l'établissement d'analyser systématiquement ses actions auprès des membres de la communauté, autres que les personnes desservies par le centre et leur famille, celles-ci étant souvent la cible des interventions de soutien direct. Dans un second temps, à partir de cet examen de la pratique, un plan d'action est réalisé pour accroître la prestation de services selon l'approche.

MÉTHODE ET PROCESSUS

Afin de soutenir le rapprochement du personnel avec la communauté, conformément au développement de l'approche communautaire, une démarche de planification participative est développée à partir des fondements de la recherche-action. Tous les membres de l'équipe où elle est utilisée sont invités à participer : coordonnatrice, conseillers aux intervenants, agentes de relation humaine, éducatrices et éducateurs, personnel paratechnique et personnel de soutien administratif. Au départ, 32 personnes s'engagent dans la démarche, laquelle s'échelonne sur une période d'environ six mois.

Cette démarche s'inspire de l'enquête feed-back, laquelle comporte, selon Goyette et Lessard-Hébert (1987 : 164-165), deux phases, soit le diagnostic et le feed-back. La première phase permet un examen systématique de la situation problématique, tandis que la seconde vise une réinjection du diagnostic au sein de l'équipe en vue de sensibiliser les participants à leur propre situation et de favoriser l'émergence de solutions possibles. Le tableau 1 résume les principales étapes de la démarche.

TABLEAU 1
Étapes du processus de planification participative

A. Phase de diagnostic	**Rencontre 1 :** – Consensus sur l'objectif et les grandes lignes de la démarche. – Collecte et analyse des données sur les interventions effectuées auprès de partenaires. **Rencontre 2 :** – Présentation du diagnostic. – Évaluation du degré d'adhésion et d'application de l'approche communautaire. – Choix de motifs d'intervention à diminuer, à maintenir ou à augmenter.
B. Phase de feed-back	**Rencontre 3 :** – Présentation des résultats de la rencontre 2. – Formulation d'hypothèses d'action pour appuyer les motifs d'intervention sélectionnés. **Rencontre 4 :** – Évaluation des hypothèses d'action proposées (efficacité, faisabilité). **Rencontres 5 et 6 :** – Élaboration d'un plan d'action à partir des hypothèses d'action jugées les plus efficaces et les plus faisables.

Les tâches proposées à l'équipe durant le processus de planification s'appuient sur des techniques de production d'idées en groupe (Moore, 1987 : 135-138). Ainsi, pour être plus efficaces, les participants et les participantes sont souvent appelés à réfléchir et à s'exprimer par écrit sur une base individuelle avant de contribuer activement au travail du groupe. De plus, toute prise de décision est clairement ciblée. Lorsque des choix sont à faire, les participants sont de préférence appelés à coter des énoncés plutôt qu'à voter, de manière à permettre une gamme d'options plus réalistes et plus étendues. Les lignes qui suivent relatent le déroulement des phases de diagnostic et de feed-back.

Phase de diagnostic

Convenus préalablement entre la direction des ressources-conseils et le chercheur, les objectifs et les grandes lignes de la démarche sont initialement soumis à la discussion et à l'approbation des participants au cours d'une première rencontre. La présentation du processus demeure alors sommaire, puisqu'il est appelé à être précisé ou modifié selon les résultats obtenus en cours de route.

Une fois le consensus atteint quant à la formulation de l'objectif de la recherche, les participants sont invités à inscrire, sur un formulaire, les interventions qu'ils ont personnellement effectuées auprès de partenaires de la communauté au cours des six dernières semaines, en précisant les ressources où furent rejoints les partenaires ainsi que le principal motif de ces contacts. Les participants rapportent uniquement des interventions distinctes. Ainsi, tel motif d'intervention auprès de tel partenaire rattaché à telle ressource n'est mentionné qu'une fois.

Les informations recueillies font par la suite l'objet d'une analyse qualitative pour les catégoriser autour de trois axes : les ressources rejointes, les partenaires contactés et les motifs d'intervention. Leur organisation rend compte de la totalité des informations recueillies, et chaque information s'insère dans une seule catégorie. De plus, les catégories sont développées selon leur pertinence à décrire les interventions rapportées. Les résultats qualitatifs sont par la suite l'objet d'un traitement statistique : des calculs de fréquence sont effectués pour chaque catégorie.

Phase de feed-back

Au cours d'une deuxième rencontre, les résultats du diagnostic sont présentés aux participants et aux participantes. Ensuite, une série de fiches leur est remise, chacune énonçant un principe de l'approche communautaire (Carrier et Fortin, 1996a : 20-21). Des explications sont données concernant chaque principe, et les participants puisent, dans leur pratique, des exemples pour les illustrer. Une fois un principe discuté, les participants complètent individuellement la fiche en indiquant, sur une échelle de 1 à 4, à quel point ils adhèrent à ce principe et l'appliquent. Préalablement à la planification d'actions pour changer la pratique, il importe que les participants puissent prendre position sur les principes d'intervention préconisés et s'exprimer sur l'écart qu'ils perçoivent entre ceux-ci et leurs interventions. Avant la fin de la rencontre, à partir d'un formulaire reprenant les catégories qui émergent du diagnostic, les participants indiquent les motifs pour lesquels ils doivent diminuer, maintenir ou accroître la fréquence de leurs interventions auprès de membres de la communauté.

Au début de la rencontre suivante, une rétroaction est donnée aux participants concernant le niveau d'adhésion et d'application des principes de l'approche communautaire au sein de l'équipe, ainsi que sur les motifs pour lesquels il faut accroître la fréquence des interventions auprès des partenaires de la communauté. Dans le cadre d'un remue-méninges, des hypothèses d'action sont ensuite proposées par les participants. Elles sont ensuite systématisées selon le motif d'intervention auquel elles s'appliquent et selon la nature des stratégies suggérées (statégie directe, médiatique, impliquant la clientèle, etc.). Présentées sous forme de tableaux remis au cours d'une quatrième rencontre, toutes les hypothèses d'action sont l'objet d'une évaluation par les participants. Ceux-ci se prononcent sur leur faisabilité ainsi que sur leur efficacité à enrichir les rapports de l'équipe avec la communauté.

À partir des hypothèses d'action jugées les plus efficaces et les plus faisables, les participants travaillent à l'élaboration d'un plan d'action pour l'équipe, au cours de deux dernières rencontres. Pour chacune des hypothèses retenues, ce plan précise les éléments suivants : les actions à poser, les personnes responsables, les critères de réussite, les mécanismes de suivi et l'échéance. Une fois complété, le plan d'action est remis à l'équipe, accompagné d'un formulaire d'évaluation de la démarche.

RÉSULTATS

Pendant la phase de diagnostic, les membres de l'équipe rapportent un total de 112 interventions distinctes auprès de partenaires de la communauté, réalisées au cours des six dernières semaines. Bien que toutes les catégories d'employés déclarent effectuer des interventions auprès de partenaires de la communauté, c'est le personnel éducateur qui en réalise la majorité (71,4 %).

En ce qui a trait aux *ressources* où sont contactés les partenaires de la communauté, le secteur privé domine avec 36,6 % des interventions. Le réseau institutionnel et le secteur communautaire sont respectivement la cible de 30,3 % et de 21,4 % des interventions. Parmi les *partenaires* contactés par l'équipe, les intervenants formels (52,7 %), les aidants (14,3 %) et les témoins actifs (11,6 %) sont ceux avec qui le personnel interagit le plus souvent.

Enfin, les interventions sont effectuées pour une variété de *motifs*. Les interventions du personnel visant à *soutenir* les partenaires dans leur rôle auprès des personnes sont les plus fréquentes (36,6 %) ; elles prennent principalement la forme de *partage d'expertise et d'expériences* concernant la personne aidée. Les interventions d'*ouverture pour les personnes en général* sont rapportées dans 20,5 % des cas. Elles visent soit l'*exploration* des ressources de la communauté, la *promotion* du centre ou des personnes vivant avec une déficience intellectuelle, l'*organisation* d'activités habituelles ou le *développement* de nouveaux programmes. Les interventions d'*ouverture pour une personne en particulier* n'ont pas le caractère collectif de celles pour les personnes en général. Elles visent à faciliter l'intégration d'une personne, en lui rendant accessible une ressource ou encore, en sensibilisant un membre de la communauté à la réalité de cette personne.

Des interventions de demande et de *réponse* sont également rapportées auprès des partenaires de la communauté. Les premières visent à *solliciter l'aide* des partenaires de la communauté ; les secondes, à *collaborer* selon les demandes qu'ils adressent à l'équipe. Les interventions de *présence* correspondent aux moments de *socialisation informelle* des intervenants avec les partenaires pour montrer leur disponibilité et entretenir avec eux des liens cordiaux en dehors des situations de crise. Enfin, des interventions de *soutien logistique* visent à assurer le fonctionnement des activités du centre et des intervenants comme, par exemple, la réservation d'une salle pour une session de formation. Le tableau 2 présente le pourcentage des interventions rapportées auprès de partenaires de la communauté selon les types de ressources, de partenaires et de motifs d'intervention.

Pour se rapprocher des partenaires locaux, l'équipe juge important d'accroître, auprès d'eux, les interventions visant l'*exploration* des ressources de la communauté, la *promotion* des personnes et du centre, l'*organisation* et le *développement* de programmes, le *recrutement de milieux* propices à l'intégration sociale et professionnelle des personnes, la *collaboration* selon les demandes adressées à l'équipe, l'*échange d'expertise et d'expériences* concernant l'accompagnement d'une personne et la *socialisation informelle* avec les partenaires.

À partir de ces motifs d'intervention, des hypothèses d'action sont formulées puis, suivant leur faisabilité et leur efficacité, sélectionnées par les participants pour la constitution d'un plan d'action. Le tableau 3 présente les hypothèses d'action retenues. Le plan d'action est composé de trois sections : des actions à préparer et à réaliser, des actions à intégrer dans les interventions courantes et un projet à réaliser. Pour chacune des propositions qu'il comporte, le plan d'action indique les personnes responsables, les critères de succès, les mécanismes de suivi et l'échéance. Ces dernières informations, trop détaillées, ne sont toutefois pas reprises ici.

Tableau 2
Pourcentage des interventions rapportées auprès de partenaires de la communauté par types de ressources, de partenaires et de motifs d'intervention

Types de ressources	Pourcentage des interventions
Secteur privé (dentiste, banque, épicerie, etc.)	**36,6 %**
Réseau institutionnel (CLSC, école publique, piscine municipale, OPHQ, etc.)	**30,3 %**
Réseau communautaire (Centre de bénévolat, Maison de jeunes, Groupe d'entraide, etc.)	**21,4 %**
Voisinage des personnes (voisinage, concierge de l'immeuble, etc.)	**7,1 %**
Instance de concertation (table de concertation, CA, etc.)	**4,5 %**

Types de partenaires	Pourcentage des interventions
Intervenant formel (médecin, responsable d'un organisme, etc.)	**52,7 %**
Aidant (voisin qui répare les vêtements de la personne ; compagnon de travail qui soutient l'intégration d'une personne, etc.)	**14,3 %**
Témoin actif (serveuse au restaurant qui explique le menu à la personne ; voisin qui salue la personne, etc.)	**11,6 %**
Collaborateur à distance (employé du journal local sollicité pour diffuser un communiqué ; commis d'une banque rejoint concernant le compte de la personne ; etc.)	**7,1 %**
Comité composite (réunion de CA, table de concertation, etc.)	**6,3 %**
Témoin passif (spectateur dans une salle de cinéma où se trouve la personne ; promeneur dans un parc fréquenté par la personne ; etc.)	**3,6 %**
Partenaire potentiel (employeur sollicité pour accueillir un stagiaire ; surveillant de piscine contacté pour qu'il aide les personnes après la baignade ; etc.)	**3,6 %**

TABLEAU 2 (suite)

Motifs d'intervention	Pourcentage des interventions
Soutien – Échange d'expertise et d'expériences – Représentation – Prescription	**36,6 %**
Ouverture (pour les personnes en général) – Organisation – Promotion – Développement – Exploration	**20,6 %**
Ouverture (pour une ou des personnes en particulier) – Accessibilité – Sensibilisation	**17,9 %**
Demande – Recrutement de « milieux » – Sollicitation pour de l'aide tangible – Sollicitation pour de l'accompagnement	**16,1 %**
Réponse – Collaboration – Positionnement	**4,5 %**
Présence – Socialisation informelle	**2,7 %**
Fonctionnement – Soutien logistique	**1,8 %**

DISCUSSION

La recherche-action : un guide pour une planification participative de services

Pour son développement et son application, l'approche communautaire requiert des modalités de gestion des services qui font appel au personnel. À cette fin, la recherche-action de type enquête feed-back préconise certaines étapes où, conformément aux visées démocratiques et participatives de l'approche communautaire, les intervenants deviennent responsables de la planification de services. Ainsi, la démarche est entreprise conséquemment à une proposition de la direction de l'établissement favorable à une décentralisation des décisions entourant la pratique.

D'abord, la recherche-action prévoit une *négociation du motif de la démarche* entre les participants et le chercheur, donnant une plus grande place aux premiers dans la définition des objectifs (Deslauriers, 1992 : 42). D'entrée de jeu, l'équipe d'intervenants apporte une modification à la formulation de l'objectif de la démarche. Considérant qu'une pratique communautaire est déjà amorcée par l'établissement, l'équipe propose que la démarche ait pour but de favoriser le développement – plutôt que l'implantation d'une approche communautaire. De cette manière, le contrat fait consensus chez les intéressés (Gélinas, 1985, cité par Lavoie, Marquis et Laurin, 1996 : 153).

Par la suite, le *diagnostic* permet la construction d'un savoir à partir de la pratique (Groulx, 1994 : 43), de même que la production de connaissances pour la changer (Oquist, 1978, cité par Deslauriers et Kérisit, 1994 : 77). Le diagnostic offre à l'équipe un portrait de ses interventions auprès des partenaires et des ressources de la communauté. Effectuée à partir d'une collecte et d'une analyse systématiques d'informations, une telle objectivation dépasse la formulation de jugements s'appuyant sur de simples anecdotes.

TABLEAU 3
Plan d'action pour une mise à contribution des partenaires de la communauté

Motifs	**A. Actions à préparer et à réaliser**
Promotion	1. *Publier des articles dans les journaux concernant le centre, les personnes et la contribution des partenaires locaux.*
Promotion	2. *Profiter d'événements spéciaux locaux pour faire la promotion de la clientèle.*
	A. Identifier les événements spéciaux dont l'équipe peut profiter.
	B. Préciser de quelle manière on procédera pour faire la promotion des personnes.
	C. Profiter de ces événements pour faire la promotion.
Exploration	3. *Appeler et visiter des organismes, des ressources.*
	A. Relever les organismes et les ressources à contacter.
	B. Les contacter.
Exploration	4. *Favoriser l'accompagnement et le soutien direct par les aidants, les parents, les bénévoles et le personnel paratechnique pour permettre aux éducateurs de faire plus d'interventions d'exploration et d'organisation.*
Organisation	A. Revoir le partage des tâches entre éducateurs et personnel paratechnique.
	B. Trouver des stratégies pour impliquer les aidants, parents et bénévoles dans l'accompagnement des personnes.
	C. Mettre en œuvre les stratégies.
Exploration	5. *Identifier les milieux d'intégration à recruter.*
Recrutement de milieux	A. Repérer les milieux d'intégration à recruter selon les besoins des personnes (entreprise, garderie, etc.).
	B. Relever les milieux d'intégration potentiels par des interventions d'exploration.

Recrutement de milieux	6. *Faire du recrutement de milieux de travail pour relocaliser les personnes de l'entreprise X en instance de fermeture.*
Recrutement de milieux	7. *Contacter des personnes pivots pour faciliter le recrutement de milieux.*
	A. Identifier les personnes pivots (c'est-à-dire les personnes clés dans la communauté).
	B. Les contacter.
Échange d'expertise et d'expériences	8. *Soutenir des organismes qui pourraient accueillir ou donner des services aux clients.*
	A. Identifier des mécanismes de soutien.
	B. Mettre en oeuvre les mécanismes.
Échange d'expertise et d'expériences	9. *Recevoir l'expertise de partenaires spécialisés concernant les personnes qui ont un problème surajouté à la déficience intellectuelle (toxicomanie, abus, etc.).*
	A. Établir des modalités pour solliciter et bénéficier de l'expertise des partenaires spécialisés.
	B. Bénéficier de cette expertise.
Socialisation informelle	10. *Participer à des événements locaux qui impliquent les partenaires.*
	A. Identifier les événements pertinents selon la sphère d'intervention respective à chaque employé.
	B. Participer à ces événements.

Motifs	**B. Actions à intégrer dans les interventions courantes**
Échange d'expertise	1. Faire de la co-intervention avec les partenaires, surtout avec ceux qui sont moins expérimentés avec les personnes, pour favoriser l'apprentissage par « modeling ».
Échange d'expertise	2. Profiter des activités où l'on accompagne les personnes pour favoriser le partage d'expertise avec les partenaires.
Recrutement	3. Se présenter personnellement dans les milieux à recruter : utiliser les cartes d'affaires, faire des « relations publiques » en présentant les personnes, le centre et sa mission.
Collaboration	4. Offrir du support direct aux organismes qui le demandent.
Collaboration	5. Aider, dans les parcs, les écoles, les garderies, à l'intégration de personnes handicapées qui ne sont pas nécessairement desservies par le centre.

Motifs	**C. Projet à développer**
Développement	1. *Cerner des zones de similitudes entre les besoins de certaines clientèles et ceux des personnes ayant une déficience intellectuelle et, développer, à partir de ces similitudes, des projets communs pour l'ensemble.*
	A. Création d'une équipe de coordination pour les aspects méthodologiques (planification des étapes, mécanismes de suivi, échéancier, etc.) et pour la réalisation du projet.

Le *feed-back,* subséquent au diagnostic, favorise une prise de conscience critique du personnel face à la pratique, qui l'amène à déterminer des actions à privilégier pour mettre à contribution la communauté dans l'intégration sociale des personnes. La modification des comportements et des opinions est un objectif pour lequel le feed-back est utilisé comme déclencheur (Goyette et Lessard-Hébert, 1987 : 166). Dans le domaine de l'organisation communautaire, la recherche-action est un moyen de trouver une solution pratique à un problème concret (Deslauriers, 1992 : 42). Le processus aboutit ici à l'élaboration d'un plan d'action visant à accroître l'application de l'approche communautaire. La démarche favorise, chez les participants, une meilleure congruence entre leurs principes éducatifs et leur pratique quotidienne (McKerman, 1988, cité par Lavoie, Marquis et Laurin, 1996 : 54). De plus, les décisions sont prises à partir d'un consensus d'équipe, ce qui amenuise les résistance puisque les participants peuvent ne pas retenir, pour le plan d'action, les propositions qu'ils jugent peu avantageuses ou menaçantes. Ainsi, au cours de la démarche, les propositions concernant le décloisonnement des rôles suscitent des réticences chez les participants qui sélectionnent, à la place de celles-ci, d'autres hypothèses d'action.

Assimilable à une recherche-action, la démarche décrite dans cet article permet une planification participative de services. Bien qu'elle demeure avantageuse pour le développement d'une approche communautaire, car cohérente avec ses fondements et le mode de gestion qu'elle requiert, elle comporte certaines difficultés. Sur ce plan, la question d'une pleine participation du personnel à la démarche est abordée dans la section qui suit. L'article se termine en soulignant le double renouvellement de la pratique qui découle de ce processus.

Une expérience participative de planification de services

La recherche-action favorise la participation de divers partenaires à l'ensemble du processus de recherche (Auclair, 1980, cité par Mayer, 1992 : 73). Même si les partenaires de la communauté ne participent pas directement à la démarche relatée ici, celle-ci a le bénéfice de miser sur une contribution de tous les membres de l'équipe d'intervention. Cette situation est conforme à l'approche communautaire qui privilégie le travail d'équipe au sein d'un même territoire (Carrier et Fortin, 1996a : 30) et pour laquelle les gestionnaires doivent créer des mécanismes internes de circulation de l'information contribuant au décloisonnement du travail des divers professionnels et intervenants (Gingras, 1992b : 198). Réunissant professionnels, techniciens et employés non spécialisés, cette démarche de planification constitue un précédent au sein de l'équipe. L'engagement du personnel dans une telle démarche suppose chez lui, l'expérimentation et l'apprentissage de nouveaux modes d'interactions (Rhéaume, 1982, cité par Goyette et Lessard-Hébert, 1987 : 25). Cela favorise aussi l'émergence d'une culture commune d'intervention, indispensable à l'application d'une approche communautaire. De plus, la prise en considération du point de vue des employés et des employées, ayant des rôles et des expériences professionnelles diversifiés, accroît la pertinence des décisions concernant le renouvellement de la pratique, ainsi que l'appropriation du changement par le personnel. Comme le mentionnent Goyette et Lessard-Hébert (1987 : 48), la communication amorce le changement et l'action en diminuant les résistances des individus.

Toutefois, même si l'équipe estime adhérer fortement à l'approche communautaire et appuie l'objectif de la démarche de planification, cela ne suffit pas pour assurer sa pleine mobilisation. L'expérience relatée dans cet article fait ressortir certains éléments susceptibles d'affecter l'engagement du personnel dans le processus. Ces éléments, exposés dans cette section, concernent les écarts relevés dans les rôles et la culture professionnelle des participants, ainsi que dans les communications entre le chercheur et l'équipe.

Les écarts dans les rôles et la culture professionnelle des participants

Le processus de planification réunit des personnels non habitués à examiner ensemble leur pratique et dont le degré de spécialisation des fonctions et des compétences varie considérablement. La présence d'écarts entre les participants rend parfois difficile une pleine participation de tous. D'abord, tous les membres de l'équipe ne sont pas également enclins à réfléchir sur leur pratique même si, tout au long du processus, ils démontrent une ouverture à le faire. Notamment parce que l'approche communautaire est un projet engageant l'ensemble du personnel, l'absence d'une culture commune d'intervention communautaire au sein de l'équipe rend indispensable l'utilisation d'une stratégie de planification pour en permettre le développement. À cet égard, la phase de diagnostic vise à contribuer à la constitution d'un vocabulaire décrivant la pratique actuelle de l'équipe, malgré la complexité relative du système de catégories élaboré.

En mettant l'accent sur les compétences, l'approche communautaire vise, par le travail d'équipe, à combiner les forces des uns avec celles des autres. Selon Susman (1978, cité par Goyette et Lessard-Hébert, 1987 : 62), la recherche-action non seulement permet, mais aide les membres d'une organisation à développer des compétences. Ainsi, dans une démarche de planification collective qui s'inspire de la recherche-action, une coformation des participants devient possible, à partir de la pratique de collègues qui sont plus expérimentés dans l'intervention avec des partenaires locaux. Toutefois, bien que les instances syndicales ou associations professionnelles n'expriment pas de résistance face à la démarche, certains professionnels démontrent peu d'enthousiasme à s'investir dans un travail d'équipe qui engage des employés moins spécialisés. Pour ces derniers, le processus demeure parfois exigeant même si plusieurs apprécient y être conviés et ainsi, reconnus dans leur capacité de contribuer à l'équipe. En ce qui concerne le projet d'intégration sociale des personnes présentant une déficience intellectuelle, la planification participative incite à envisager la performance, non pas sur une base individuelle, mais comme étant l'affaire d'une équipe et de sa communauté.

Les communications entre le chercheur et les participants

Les communications entre le chercheur et les participants constituent un autre aspect susceptible d'influer sur la participation du personnel dans la démarche. S'il arrive que les membres au sein d'une même organisation possèdent un langage différent pour appréhender l'intervention, il en va de même dans les rapports entre le chercheur et l'équipe. Par exemple, les catégories conceptuelles développées au cours de la phase de diagnostic sont nombreuses et peuvent être difficiles à assimiler pour certains intervenants. Toutefois, la combinaison de procédés oraux et écrits, ainsi que l'utilisation d'un langage clair et simple facilitent la réception du message (Goyette et Lessard-Hébert, 1987 : 90) et, dès lors, la participation du personnel.

Il peut cependant arriver, qu'à un certain niveau de complexité, la terminologie et les méthodes soient telles qu'il s'avère difficile de mettre les participants dans les conditions requises pour exercer un contrôle (Lavoie, Marquis et Laurin, 1996 : 88). À cet égard, la présentation initiale du processus risque d'apparaître relativement abstraite à plusieurs participants n'ayant jamais contribué à la réalisation d'un plan d'action. Cela a pour effet, au cours des premières étapes du processus de planification, de rendre confuses les raisons de leur présence et de nuire à leur implication. Cependant, l'activité de planification ne peut être présentée préalablement dans son ensemble, en termes concrets et détaillés. À l'instar de la recherche-action, elle doit être modifiée au fur et à mesure de son déroulement afin de correspondre aux objectifs de départ (Lavoie, Marquis et Laurin, 1996 : 97) et il est difficile d'en élaborer toutes les étapes à l'avance (Mayer, 1992 : 79).

LA PLANIFICATION PARTICIPATIVE DE SERVICES COMMUNAUTAIRES EN DÉFICIENCE INTELLECTUELLE : UN DOUBLE RENOUVELLEMENT DE LA PRATIQUE

En conclusion, cette démarche de planification participative, inspirée de la recherche-action, permet un double renouvellement de la pratique de l'équipe. Celui-ci se situe autant sur le plan de la nature des interventions effectuées que sur celui de leur gestion. Ainsi, d'une part, la démarche est l'occasion, pour le personnel, de déterminer de nouvelles actions à poser pour se rapprocher des partenaires de la communauté afin de favoriser leur participation à l'intégration sociale des personnes. D'autre part, elle transforme la pratique communautaire en la systématisant pour en faciliter l'articulation et la gestion. Par une description des interventions du personnel au moyen de catégories organisées, la phase de diagnostic constitue un premier pas en ce sens, rendant ainsi le savoir professionnel des participants plus objectif et explicite (Goyette et Lessard-Hébert, 1987 : 55). Par la suite, le plan d'action, auquel aboutit la phase de feed-back, propose une façon systématique de gérer le renouvellement de la pratique. Pour chaque action planifiée, il détermine des responsables, des critères de réussite, des mécanismes de suivi et une échéance. Une telle systématisation favorise une gestion démocratique et participative de la planification et du contrôle des actions, dans un contexte où plusieurs personnes sont concernées par leur réalisation.

Le plan d'action propose une vision nouvelle de l'intervention, basée sur des décisions concertées, où moins de place est laissée à l'aléatoire et à l'improvisation. Outre un esprit d'équipe, une systématisation de l'intervention n'est pas sans exiger du personnel une certaine rigueur lors de la planification et du suivi des actions, tout en autorisant la souplesse nécessaire à leur réalisation efficace. Il ne s'agit pas ici d'accomplir intégralement toutes les actions planifiées, mais de reconnaître, le cas échéant, les aspects des situations nécessitant qu'elles soient modifiées et d'en tirer des enseignements pour une pratique communautaire sans cesse en développement, dans cet environnement complexe et dynamique qu'est la communauté.

Bibliographie

BOUCHARD, Camil et Marc DUMONT (1996). *Où est Phil, que fait-il et pourquoi ?* Étude sur l'intégration sociale et le bien-être des personnes présentant une déficience intellectuelle, Québec, Gouvernement du Québec, Ministère de la Santé et des Services sociaux, Direction générale de la planification et de l'évaluation, 41 pages.

CARRIER, Suzanne et Daniel FORTIN (1996a). « Inventaire des compétences souhaitables pour travailler selon une approche communautaire », *Revue francophone de la déficience intellectuelle*, vol. 7, n° 1, 19-42.

CARRIER, Suzanne et Daniel FORTIN (1996b). « Les interventions d'un centre de réadaptation auprès des partenaires locaux », Article soumis pour publication.

CHABOT, Denis et Guylaine MORIN (1996). *L'approche-milieu et les services de première ligne*, Guide à l'intention des gestionnaires et des intervenants, Module 1, Le modèle d'intervention, Document de travail, Programme de fonds de soutien à l'innovation du Ministère de la Santé et des Services sociaux. CLSC des Pays-d'en-Haut, École de psychologie, Université Laval, 81 pages.

CLAUX, Roger et Pierre LEMAY (1992). « La recherche-action : fondements, pratique et formation. L'actualité de Kurt Lewin », *Revue de l'association pour la recherche qualitative*, vol. 7, automne, 53-66.

CORIN, Ellen E., BIBEAU, Gilles, MARTIN, Jean-Claude et Robert LAPLANTE (1990). *Comprendre pour soigner autrement,* Montréal, Les Presses de l'Université de Montréal, 258 pages.

DESLAURIERS, Jean-Pierre (1992). « La recherche-action : de Kurt Lewin aux pratiques contemporaines », *Revue de l'association pour la recherche qualitative*, vol. 7, automne, 41-43.

DESLAURIERS, Jean-Pierre et Michèle KÉRISIT (1994). « Les limites du connaître », dans CHEVRIER, Jacques (sous la direction de), *La recherche en éducation comme source de changement*, Montréal, Les éditions Logiques, 65-84.

GAUTHIER, Benoît (1993). « La recherche-action », dans GAUTHIER, Benoît (sous la direction de), *Recherche sociale. De la problématique à la collecte des données*, 2e édition, Sillery, Presses de l'Université du Québec, 517-534.

GINGRAS, Pauline (1992a). « L'approche communautaire », dans DOUCET, Laval et Louis FAVREAU (sous la direction de), *Théorie et pratiques en organisation communautaire*, Sainte-Foy, Presses de l'Université du Québec, 187-200.

GINGRAS, Pauline (1992b). *Le traitement en première ligne des demandes individuelles d'aide en CLSC selon une approche communautaire,* Guide de référence, Québec, FCISQ / Gouvernement du Québec, 69 pages.

GOYETTE, Gabriel et Michelle LESSARD-HÉBERT (1987). *La recherche-action, ses fonctions, ses fondements et son instrumentation*, Sillery, Presses de l'Université du Québec, 204 pages.

GROULX, Lionel-Henri (1994). « Liens recherche et pratique : les thèses en présence », *Nouvelles pratiques sociales*, vol. 7, no 2, 35-50.

GUAY, Jérôme et Denis CHABOT (1992). *Parrainage social et entraide de quartier*, Québec, Université Laval, École de Psychologie, 56 pages.

GUÉNARD, Dominique (1992). « Introduction à la dynamique lewinienne », *Revue de l'association pour la recherche qualitative*, vol. 7, automne, 45-52.

LAVOIE, Louisette, MARQUIS, Danielle et Paul LAURIN (1996). *La recherche-action. Théorie et pratique. Manuel d'autoformation*, Sainte-Foy, Presses de l'Université du Québec, 204 pages.

MAYER, Robert (1992). « K. Lewin et la recherche-action au Québec », *Revue de l'association pour la recherche qualitative*, vol. 7, automne, 67-82.

MOORE, Carl M. (1987). *Group Techniques for Idea Building*, Newburry Park, Sage Publications, 143 pages.

Viols politiques et intervention sociale en situation d'extrême souffrance[1]

Ghislaine Roy
et Marian Shermarke
Service d'aide aux réfugiés et aux immigrants
du Montréal métropolitain (SARIMM)
CLSC Côte-des-Neiges

L'article est fondé sur la pratique et la réflexion de deux intervenantes sociales expérimentées dans le domaine des relations interculturelles. Il rend compte d'un mode d'intervention psychosociale qui se construit avec des femmes en situation d'extrême souffrance au moment où elles sont accueillies et suivies au Service d'aide aux réfugiés et aux immigrants du Montréal métropolitain (SARIMM).

VIOLS POLITIQUES

Selon les études faites sur ce sujet (Sutherland et Scherl, 1970), le viol a de graves répercussions et des conséquences psychosociales très complexes sur ses victimes. Un viol dans une situation de guerre et dans un contexte de

1. Ce texte a d'abord été présenté sous forme de communication dans le cadre du Congrès de l'Association pour la recherche interculturelle (ARIC) tenu à Montréal en mai 1996.

terrorisme politique est différent d'un viol isolé qui se passe dans une société civique. « La sanction politique manifestée du viol le transforme encore davantage d'un acte criminel isolé en un acte normatif de contrôle social exécuté au nom d'une collectivité dans le but de détruire l'opposition politique à travers une action de guerre psychologique. » (Aron *et al.*, 1991 : 39)

Depuis les années 1970 sont rapportés dans les médias de plus en plus de cas de viols sur des femmes, viols commis dans des pays en situation de crise sociale ou de guerre. Ces actes de violence sont perpétrés pour des raisons politiques et militaires. Le viol est une opération militaire visant à affaiblir l'ennemi et finalement à détruire son pouvoir ou sa capacité de résister. Plus le violeur est sûr de l'impunité, plus intense est son engagement à s'acquitter de son mandat.

Le viol dans une situation de conflit ne vise pas seulement la femme, mais aussi sa famille, son groupe d'appartenance et sa communauté. Dans la pensée du violeur, la douleur de la femme ne compte pas, car ce n'est qu'un moyen pour arriver à un but précis. Ainsi, la femme se trouve doublement « objectivée » par l'acte du viol. Parfois, la femme victime de ce viol est rejetée par sa famille ou sa communauté et elle se trouve ainsi doublement « victimisée ». Ces rejets sont basés sur le fait que la femme apparaît « salie ». Conséquemment, elle est isolée.

Le viol politique, comme stratégie militaire, a beaucoup de succès dans des cultures où l'honneur chez l'homme est basé sur sa capacité d'engendrer et d'être sûr de la paternité de son enfant. Dans ce contexte, l'honneur de l'homme et sa virilité dépendent entièrement de l'inviolabilité du corps de la femme. Une fois le corps de la femme envahi par un autre, l'homme perd son honneur, sa virilité, donc son identité.

Dans le contexte des conflits actuels dans le monde, le viol a été utilisé pour démolir d'abord l'identité de l'homme, l'ennemi, et, subséquemment, démoraliser sa communauté. Par exemple, en Yougoslavie, le viol était perçu comme un instrument pour changer la démographie d'une région, soit en forçant les familles à fuir, soit en augmentant le nombre d'enfants de l'ethnie du violeur et ce, selon la méthode de séquestration des femmes « imprégnées ». Au Rwanda et en Somalie, le viol a été utilisé comme un moyen de règlements de comptes interethniques ou interclaniques. En Haïti, le viol serait un moyen pour décourager les femmes à poursuivre des activités politiques. Au Zaïre, il avait pour but de contrôler le mouvement des femmes et « de leur donner une leçon ». La liste serait longue si tous les exemples étaient rapportés ici.

En somme, le viol est devenu le symbole de destruction des fondements sociaux et culturels des familles et des communautés. Il est aussi devenu le symbole de la victoire du gagnant en même temps que celui de la honte du perdant.

Pour mieux comprendre les effets du viol dans une situation de guerre, il faut aussi considérer les traumas additionnels des femmes victimes qui ont perdu des membres de leur famille ou de celles dont le reste de la famille est éparpillé pour des raisons de sécurité. Toutes ces femmes vivent dans un environnement où il y a pénurie de ressources essentielles pour leur survie et elles continuent d'être quotidiennement témoins d'atrocités.

INTERVENTION SOCIALE EN SITUATION D'EXTRÊME SOUFFRANCE

Dans les bureaux du SARIMM-CLSC Parc Extension défilent des femmes bouleversées et traumatisées. Elles ont vécu l'insupportable, l'épreuve-limite, l'impensable. Que demandent-elles? Peuvent-elles exprimer une demande claire, ainsi qu'il est requis de le faire dans nos institutions de services sociaux? Ou ne doit-on pas, comme intervenantes présentes à un moment crucial de leur survie, d'abord leur tendre la main, les accompagner dans leur souffrance et être à l'écoute de ses manifestations?

Y a-t-il, dans notre panoplie d'approches, de modèles, de techniques, un outil approprié dans de telles circonstances? Quelle approche d'intervention psychosociale faudrait-il utiliser quand il s'agit de personnes qui ont « vécu l'extrême » et qui doivent continuer à vivre? D'abord, pour nous aider à imaginer minimalement le genre d'événements subis par ces femmes, voici deux fragments d'histoires :

Il s'agit de Mobata, femme de 41 ans, originaire de l'Afrique centrale. Mobata était directrice d'une école de plus de quatre cents élèves. Un jour, elle a participé avec d'autres femmes et d'autres hommes à une marche de revendication des droits. Cette marche se voulait aussi la manifestation d'une remise en question des politiques gouvernementales du pays. Comme des dizaines d'autres, Mobata a été arrêtée, bâillonnée, jetée dans un cachot, violée, battue, humiliée. Elle est sortie de prison, parce que quelqu'un a payé. Elle s'est retrouvée à l'hôpital, le visage tuméfié, le corps blessé. Elle ne pouvait imaginer de continuer son travail ; Mobata savait que tout le monde « savait » qu'elle avait été violée. En plus de la peur, elle ne pouvait supporter cette humiliation. Elle a organisé son départ et laissé ses six enfants âgés entre dix et vingt ans à sa mère de 70 ans et souffrant de diabète.

Takata, femme de 29 ans, originaire du Nigéria, a été arrêtée en représailles à la fuite de son mari impliqué politiquement et recherché par les militaires. Elle-même n'a jamais été intéressée par la politique. Elle s'occupait de sa fille, de l'enfant de sa sœur morte et d'un autre enfant appartenant à la famille. Takata a croupi plusieurs semaines en prison : violée, battue, humiliée. Elle a réussi à sortir de prison grâce à la complicité d'un garde qui parlait le même dialecte qu'elle et qui en a eu pitié. Une fois libérée, Takata a organisé son départ seule. En entrevue, c'était une femme brisée, perdue. Quelques semaines après son arrivée au Canada, les tests médicaux révèlent qu'elle est enceinte. Takata ne peut alors envisager l'avortement pour des raisons morales et religieuses.

D'autres femmes ne sont plus capables d'avoir des relations sexuelles. D'autres ont le sida. D'autres encore nous disent vouloir mourir plutôt que de continuer à vivre. D'ailleurs, c'est avec ces femmes que l'expression « folle de douleur » se comprend vraiment. En effet, les femmes auprès de qui nous intervenons sont à la limite d'un fonctionnement normal. Elles pourraient même facilement avoir l'air « dérangées » aux yeux d'intervenants non sensibilisés qui pourraient envisager une référence en psychiatrie.

COMMENT INTERVENIR ? INTERVENIR SUR QUOI ?

Il faut dire que, pour ces femmes, le problème du viol en est un parmi d'autres, comme le changement brutal de pays, l'abandon d'enfants ou, si les enfants sont ici, le besoin de se montrer fortes devant eux, le besoin de se loger, de se meubler, de se nourrir, de remplir des formulaires pour l'immigration. Entre-temps, il y a aussi la nécessité d'ordonner toutes ses idées pour pouvoir se préparer à l'enquête convoquée par l'Immigration qui déterminera la pertinence de leur revendication au statut de réfugié.

Le modèle d'intervention qui semble le plus approprié, avec ce type de clientèle, est basé sur deux approches : une approche psychosociale, lors de la première collecte d'information avec l'équipe de l'accueil ou celle de la prise en charge, et une approche socioculturelle en intervention de groupe. Dans les deux formes, ces approches sont nourries d'observations multiples, de petits gestes, de retours critiques sur l'action, d'abandon dans la souffrance de l'autre. Dans ce mode d'intervention, la notion « d'accompagnement » est au cœur du processus.

Approche psychosociale

Les femmes qui arrivent sont dans une situation de détresse inimaginable ; souvent, il est possible, à partir de la salle d'attente de les différencier des autres clientèles. Car elles ont le regard d'une personne qui n'a pas dormi suffisamment et qui a vu trop d'atrocités : les yeux sont rouges, la peau est déshydratée, les lèvres sont sèches, les regards sont perdus et, en même temps, se fixent sur un objet. Quelquefois, elles parlent beaucoup ; mais, d'autres fois, elles se contiennent, sont d'un calme étonnant et s'expriment avec une voix très douce. Souvent, vers la deuxième entrevue, elles se referment ; c'est là que l'intervenant prend conscience que la cliente a dévoilé son histoire en situation d'extrême détresse ou de crise, dans un moment où la peur de l'environnement inconnu est assez élevée.

Autant dans l'équipe de l'accueil que dans celle de la prise en charge, notre approche fait appel aux modalités de l'intervention de crise. Dans un premier temps, nous reconnaissons que « quelque chose de terrible est arrivé », comme elles disent souvent. En deuxième lieu, nous essayons de les rassurer en leur disant que nous comprenons qu'elles ne veulent pas parler de ces atrocités, mais que nous sommes au courant de certaines choses horribles qui ont été commises dans leur région. Cela a pour but d'offrir une ouverture dans le cas où elles veulent en parler. En les rassurant, nous essayons aussi de leur faire comprendre ou réaliser le « ici » et le « maintenant », c'est-à-dire qu'elles ne sont plus en danger et qu'elles peuvent compter sur l'assistance de l'intervenante pour un soutien global. En troisième lieu, nous coordonnons et priorisons avec la personne les démarches essentielles à faire, c'est-à-dire trouver un hébergement, un avocat et un médecin.

Dès les premières entrevues, nous entamons un soutien psychosocial et, de cette manière, nous avons un meilleur aperçu du trauma vécu par la personne. Nous ne parlons pas de trauma psychologique, mais d'un « trauma de valeurs ». Les personnes touchées décrivent ce trauma avec des mots comme : « Comment ont-ils pu faire ça à un être humain ? Comment mes voisins, que je côtoie depuis *x* nombre d'années, ont pu nous faire ça ? Ils ont fait ça et se disent musulmans ! »

Pour nous, ces cris de douleur indiquent que la personne manifeste plus qu'un trauma psychologique. D'après nous, le trauma se situe au niveau des croyances, des valeurs et du système culturel de la personne. À cause de ce qui lui est arrivé, la personne ne peut plus donner un sens à son propre contexte de valeurs, à ses croyances et à sa culture. Nous constatons alors que le plan du violeur marche parce que, par son acte horrible, il a dépossédé la personne de son système de références et a entamé le démantèlement du système culturel et spirituel de la communauté visée.

Une fois le dossier transféré de l'équipe d'accueil à l'équipe chargée d'en faire le suivi, c'est tout un travail de recherche de perceptions, d'interprétation des événements traumatisants qui s'amorce. Ensemble, l'intervenante et la personne essaient d'identifier ce qui est vital pour elle. C'est un long travail d'appropriation ou de réappropriation de la réalité. Cela se fait par des entrevues régulières où la femme, à son rythme, parle de ses expériences traumatisantes, de leurs conséquences ; elle parle aussi de tout le reste qui l'angoisse que cela soit au niveau du fonctionnement quotidien ou de l'organisation matérielle. Ces interventions tentent de recadrer le traumatisme, de déculpabiliser, de consoler, d'apaiser, de chercher le soutien le plus approprié, de partager l'incompréhension et le mystère face à la folie humaine. Ces interventions se font avec des moyens aussi variés que la narration de contes, l'utilisation de proverbes ou d'énoncés religieux. Cette forme d'accompagnement dure le temps nécessaire à la personne pour récupérer tant soit peu son identité fondamentale.

APPROCHE SOCIOCULTURELLE EN INTERVENTION DE GROUPE

En approche de groupe, à la demande de chacune des clientes, la question des viols n'est pas abordée parce que « c'est secret ». Mais, c'est un groupe où ce sont des femmes qui se rencontrent et non pas des victimes. Ce sont des femmes qui échangent des informations, en prenant le thé ou en mangeant des biscuits. Ces informations sont relatives à des bons achats à faire, à des recherches d'emploi ou à tout autre sujet pertinent. C'est un groupe où des femmes partagent des stratégies d'adaptation face aux situations extrêmes qu'elles ont vécues ; elles essaient de retrouver la personne qu'elles étaient avant le traumatisme. Cela se fait par la musique, la danse, le chant, la lecture de fables, de livres d'histoires, de sorties avec les enfants, à travers des projets. Bref, ce sont des interventions d'exploration visant à aider les femmes à sortir de leur état de choc pour se rassurer. C'est un groupe qui permet de prendre conscience de l'existence d'un « ressort invisible » (Fischer, 1994) qui se déclenche lors de situations extrêmes. C'est un groupe pour se réapproprier ses forces et ses capacités existant avant les événements traumatisants.

Adaptation institutionnelle

Puisque les femmes ont beaucoup de démarches à faire dans les premières semaines de leur arrivée, nous essayons de leur en épargner quelques-unes comme la recherche de vêtements appropriés ou d'équipement de première nécessité. Pour cela, nous acceptons des dons de vêtements, de vaisselle, et souvent, nos bureaux sont transformés en vestiaire. Nous adoptons aussi une plus grande flexibilité en ce qui concerne les rendez-vous, essayant d'accommoder cette clientèle particulière, qui arrive sans rendez-vous, selon les besoins.

Amorce de réflexion

Le travail de suivi individuel s'apparente un peu à l'intervention dans un processus de deuil ou de maladies incurables, ou avec des personnes ayant vécu des épreuves-limites. Même s'il existe des repères relativement aux différents modèles d'intervention, c'est d'abord et avant tout une présence humaine que nous leur offrons. Ces femmes viennent de pays aux codes culturels différents des nôtres, elles ont affronté la mort, la laideur, l'horreur ; elles se retrouvent soudainement, sans l'avoir voulu, dans un autre pays ; elles ont perdu une maison, une terre, un travail, une entreprise ; elles ont abandonné des enfants ; elles sont sans nouvelles d'un mari. Il faut, comme intervenante, amorcer le lent travail de « réparation », de réhabilitation.

L'objectif principal visé par notre travail d'intervention, tant en suivi individuel qu'en suivi de groupe, est d'aider les femmes à retrouver un sens malgré le chaos dans lequel leurs vies sont plongées. Il faut essayer à tout prix que s'élabore ce sens, peu importe lequel. Il faut les aider à reposer toute la question de leur départ du pays d'origine, afin qu'elles recommencent à avoir une emprise sur leur propre histoire. Il faut aborder sous un angle particulier, celui des mécanismes de survie et des ressources insoupçonnées qui se manifestent, lorsque quelqu'un fait face à une « situation extrême » telle que le viol, la violence et l'enfermement.

Enfin, il faut enclencher tout un travail de revalorisation, de redécouverte de l'existence sociale, d'exorcisation, par une reconstitution des histoires traumatisantes, par la prise de conscience de son immense force et du petit « ressort » invisible qui se déclenche à chaque fois que c'est nécessaire.

Bibliographie

ARON *et al.* (1991). « The Gender Specific Terror of El Salvador and Guatemala », *Women's Studies International Forum*, n° 14, 37-47.

BROWNMILLER, S. (1975). *Against our Will : Men, Women and Rape*, New York, Simon & Schuster.

DELANEY, C., (1987). « Seeds of Honor, Fields of Shame », dans GILMAN, David (sous la direction de), *Honour and Shame and the Unity of the Mediterranean*, Washington, American Anthropological Association, 69-73

FICSHER, G.-N. (1994). *Le ressort invisible. Vivre l'extrême*, Paris, Seuil.

LIPPÉ, L. (1990). *Comment se sortir d'un traumatisme affectif ou sexuel*, Coll. de l'Ordre qui passe.

ROY, G., (1993). « Bouillon de pratiques interculturelles », *Intervention*, n° 96, octobre, 77-87.

Roy, G. (1991). « Incompréhensions interculturelles et ajustements de pratique chez les travailleurs sociaux », *Revue Canadienne de service social*, vol. 8, nº 2, 278-291.

Sutherland, S. et D.J. Scherl (1970). « Patterns of Response Among Victims of Rape », *American Journal of Orthopsychiatry*, vol. 40, 401-405.

Wilson, T.P. (1989). *Trauma, Transformation and Healing*, New York, Brumen-Mazep.

Les pratiques sociales d'ailleurs

Modes culturels de gestion des problèmes sociaux chez les Africains de l'Ouest et du Centre : le cas du Cameroun

Anselme Mvilongo-Tsala
Université Laurentienne

La valeur du « système de soutien naturel » (SSN) est reconnue depuis longtemps surtout dans le domaine du counselling en maladie mentale. Ce système se révèle pertinent et très important dans la pratique du counselling en milieu pluriculturel.

Dans le présent article, l'auteur décrit un des principaux types de soutien social existant depuis des millénaires chez les Africains, système qui convient aux problèmes particuliers de leur vie humaine et sociale. Il montre de qui provient l'aide pour répondre à un besoin donné, relève un processus différent mais non nécessairement opposé, de celui habituellement suivi dans la relation d'aide, en Occident ou en Amérique du Nord. Enfin, l'auteur suggère à l'intervenante occidentale ou nord-américaine, une façon de faire, une attitude pouvant lui assurer une intervention sociale efficace en contexte interculturel avec les Africains.

Une longue pratique de service social en institution à forte densité multiculturelle au Québec m'a fait adopter les présupposés suivants :

1) Il existe des systèmes d'assistance et de soutien social qui sont propres à chaque culture.
2) Il est possible que les membres des communautés dites « ethnoculturelles » perçoivent les établissements du réseau des services sociaux existants comme étrangers et parallèles aux leurs, et comme n'étant pas l'unique système de soutien.
3) Il se peut que cette perception affecte leur choix quand vient le temps de recourir à l'un ou l'autre de ces systèmes parallèles.

La valeur du « système de soutien naturel » (SSN) existe depuis les débuts de l'humanité. Elle est de plus en plus reconnue, surtout depuis les trois dernières décennies, dans le domaine du counselling en maladie mentale. Pour Caplan (1974 :7), le système de soutien implique un modèle durable de liens continus ou intermittents qui jouent pour une part significative dans le maintien de l'intégrité psychologique et physique de l'individu à travers le temps. Les divers éléments du système de soutien peuvent être spontanés, c'est-à-dire non organisés de façon planifiée par une personne qui veut promouvoir la santé de l'individu ou de la population. Ce sont des éléments qui ressortent des besoins de l'individu et des réponses biosociales naturelles des gens de sa communauté ou qui émergent des valeurs et des traditions de sa culture et de sa société (Caplan, 1974). Cela se rattache directement à ce qui nous occupe dans cet article. Par « système de soutien », nous entendons l'aide et l'assistance fournies par la famille, les amis, les voisins, le groupe d'âge, etc. Le réseau social, comme le souligne Jérôme Guay (1984), ne sert pas uniquement à procurer un soutien émotif surtout réservé aux intimes, il sert également à la socialisation, au compagnonnage ou à l'échange de services. Dans sa recherche, Barry Wellman (1981) montre que ces trois types de support (émotif, socialisation et échange de services) constituent 80 % de tous les échanges qui ont lieu entre les membres d'un réseau social. Mais nous parlons ici du réseau cohésif et homogène. Ce type de réseau se rapproche de ce que les sociologues appellent « la famille étendue ». Guay (1984 : 53) élargit ce concept de réseau en disant qu'il est « typique du village ou de certaines municipalités où une industrie unique emploie tout le monde, ou encore de certaines paroisses urbaines où les mêmes familles demeurent depuis plusieurs générations ». Essentiellement, le réseau social est composé d'un seul grand groupe indifférencié comprenant la famille proche, la famille éloignée, les amis, les camarades de travail et les voisins. Voici les bienfaits de ce type de réseau comme le proclame Guay (1984 : 53-54) :

> L'immense avantage d'un tel type de réseau réside évidemment, d'une part dans le potentiel quasi illimité de support émotif qu'il contient, et d'autre part dans

la rapidité avec laquelle il peut devenir disponible en cas de besoin. Les personnes communiquent souvent entre elles et sont très engagées émotivement. Si quelqu'un a besoin d'aide on le sait rapidement et on va mobiliser les ressources nécessaires. En conséquence, il est très rare que l'on rencontre des épisodes de dépression post-partum par exemple, ou d'abus et de négligence des enfants dans ce type de réseau.

Le réseau cohésif et homogène est encore plus étendu chez les Noirs en général. Plusieurs études faites aux États-Unis relèvent l'importance de la famille étendue chez les Noirs américains originaires de divers pays d'Afrique. Dodson (1981) soutient que des liens forts de la famille étendue sont une caractéristique importante des familles noires. Pour Stack (1974), le réseau de parenté sert d'instrument pour subvenir aux besoins de survie. Dans ses études de mobilité ascendante des familles noires, McAdoo (1978 ; 1982) affirme que ces familles ont reçu et donné à leur parenté le soutien émotionnel, culturel et financier. Les liens familiaux vont toujours s'élargissant : ainsi, par le mariage, la belle-famille devient un maillon de la chaîne de la famille étendue. Dans son étude sur les familles noires, Manns (1981), souligne que les beaux-parents sont considérés comme significatifs parmi les autres membres de la famille. Le système de soutien naturel (SSN) est reconnu pertinent et très important dans la pratique du counselling en milieu pluriculturel (Pearson, 1985), et c'est ce système qui nous intéresse particulièrement ici.

Le présent article décrit un des principaux types de soutien social existant chez les Africains de l'Ouest, particulièrement au Cameroun. Il convient aux problèmes particuliers de leur vie humaine et sociale. L'article montre de qui vient l'aide pour répondre à un besoin particulier ; il relève un processus différent de celui auquel on recourt habituellement en Occident ou en Amérique du Nord dans la relation d'aide. Il suggère enfin à l'intervenante occidentale ou nord-américaine une façon de faire, une attitude pouvant lui assurer une intervention sociale efficace en contexte interculturel avec les Africains ou autres immigrants.

En Afrique de l'Ouest et au Cameroun, en particulier, il existe deux réseaux de services sociaux : le réseau institutionnel d'intervention sociale géré par l'État et le réseau constitué par le « système de soutien naturel » (SSN) tel qu'il a été défini plus haut. Ces deux réseaux ne sont pas nécessairement opposés. Le premier, étatique, d'institution et d'inspiration récente et occidentale, s'occupe principalement d'aide sociale pour certaines classes de la société, de centres d'accueil pour jeunes vagabonds et délinquants ; ce réseau ne traite pas de toutes les problématiques comme, par exemple, les relations de couple ou les relations parents-enfants. Le second, le « système de soutien naturel », répond aux problèmes qui affectent de quelque façon que ce soit l'institution de base qu'est la famille.

Dans le cadre de l'intervention interculturelle, il apparaît important non seulement d'être sensibilisé à la culture de l'autre, mais aussi et surtout de connaître les pratiques auxquelles cette culture réfère ordinairement pour résoudre les problèmes. Pour ce système est considérée comme situation-problème la maladie d'un membre de la famille, la séparation d'un couple, les troubles de comportement d'un jeune, la rupture de fiançailles, bref, toute situation qui rompt l'équilibre mental ou physique d'un membre de famille et place celle-ci dans un état de dysfonctionnement. Quand les individus n'ont plus de prise sur de telles situations, ils se retournent d'abord vers leur famille. Il faut entendre la famille dans un sens très large. Elle comprend des membres avec qui l'individu a des liens de parenté, proche ou éloigné, et aussi des personnes avec qui les liens sont ceux de l'amitié, comme les parrains et marraines qui acquièrent des responsabilités semblables à celles des parents biologiques sur leur filleul ou filleule dont les enfants sont considérés comme frères et sœurs de ces derniers. Les voisins sont compris dans cette définition de la famille élargie. Ils sont souvent les premiers à porter secours en cas d'urgence et également les auteurs du signalement auprès du reste de la famille. Celle-ci se mobilisera rapidement, organisera des rencontres impliquant certains ou tous les membres afin de trouver une solution au problème qui a surgi.

C'est ainsi que, dans le cas d'un jeune présentant des problèmes de comportement, son placement ou même sa vie chez un membre de la famille, tante, oncle, cousin, cousine, etc., peut être envisagé. Tous les membres de la famille auront participé à la réflexion et à la prise de décision, même ceux qui sont au loin auront été consultés. La décision aura été le résultat d'un consensus et il n'y a pas de risque qu'elle soit contestée. Soulignons que l'autorité de la famille élargie est, au préalable, reconnue et acceptée dans toutes les situations où la famille nucléaire se sent impuissante. Il y a appropriation du problème par la famille élargie qui cherche à le résoudre à partir de ses propres ressources.

Quand la famille ne réussit pas, malgré ses efforts, à modifier la situation, elle prend alors la décision de recourir à des services externes, dont l'utilisation des ressources internes du magicien-guérisseur ou marabout (Mvilongo, 1978). Les connaissances du magicien-guérisseur consulté seront alors mises à contribution.

L'utilisation de cette ressource découle de deux constatations simples, mais fondamentales, faites par les membres de la famille élargie et en l'absence desquels il n'y a pas de consultation externe. Tout d'abord, la famille reconnaît qu'elle est dépassée et impuissante à régler le problème, tout en maintenant sa compétence quant au choix de la ressource qui sera utilisée. Il y a ensuite reconnaissance de la compétence du magicien-guérisseur qui sera éventuellement consulté. Ce dernier conserve et peut même utiliser ses attributs de prêtre-médiateur entre les vivants et les esprits des ancêtres, tout en remplissant son rôle de consultant.

La première prise de contact avec le magicien-guérisseur n'est pas forcément faite par les membres directement concernés par la situation, mais par un autre membre de la famille élargie. C'est, en général, un ancien, un sage, à qui l'on reconnaît le plus de compétence pour s'entretenir avec le magicien-guérisseur.

Si, dès le départ, la famille nucléaire rencontre le magicien-guérisseur, elle est alors accompagnée par d'autres membres de la famille élargie, et ce n'est pas obligatoirement un membre de la famille nucléaire qui soumet la demande. Il s'en suit, lors de cette première consultation, ou lors de la deuxième rencontre avec toute la famille, un échange au cours duquel le magicien-guérisseur confirme sa compétence en expliquant la cause, la nature du problème et les raisons pour lesquelles ces gens sont victimes. C'est l'ancien, le sage, celui reconnu le plus compétent et qui a introduit la demande, qui pose les questions et le magicien-guérisseur répond. À travers ses connaissances, ce dernier explore la situation. Cette consultation vise à fournir à la famille des réponses aux questionnements suscités par la situation- problème. Le consultant pose son diagnostic et fait un pronostic quant à la réussite ou non du traitement.

On ne manquera pas de remarquer que la démarche entreprise jusque-là par la famille se fait sur un mode différent de celui qui prévaut dans l'intervention sociale occidentale ou nord-américaine où, dans la majorité des cas, c'est l'intervenant social qui identifie le problème de son client avec l'aide de ce dernier. De même, dans l'exploration de la situation, souvent c'est l'intervenant social qui interroge son client qui répond aux questions. L'intervention vient de l'extérieur. En situation interculturelle, l'individu ou la famille peut être dérouté par l'intervention et devenir incapable d'utiliser ses compétences, la démarche étant contraire à ce qu'il a l'habitude de vivre ou de faire.

Lors de la consultation avec le magicien-guérisseur, l'individu ou la famille participe à l'élaboration de la solution et de son plan d'exécution. Il fait un choix parmi les solutions proposées par le consultant et il appartient au seul requérant de mettre en application la solution qu'il a choisie. Il en devient le seul responsable, l'intervention du consultant étant terminée plus ou moins définitivement. La famille redevient donc compétente et reprend entièrement le contrôle du processus de résolution du problème. Le magicien-guérisseur ne sera consulté à nouveau que s'il survient une difficulté dans l'exécution du plan. Il est à remarquer que la famille peut décider à n'importe quel moment de recommencer le processus si elle n'est pas satisfaite.

On voit clairement que ce processus est différent de la pratique en matière d'intervention sociale occidentale ou nord-américaine, où le plan est élaboré par l'intervenant qui reste impliqué dans son exécution jusqu'à la fin ; cette implication pourrait créer le danger que l'intervenant soit au centre du processus de résolution du problème et devienne indispensable pour l'individu qu'il faut aider.

Les réseaux de groupes d'aide mutuelle informelle sont de plus en plus visibles et importants au Canada ; ils ne sont pas constitués de membres d'une même famille mais incluent tous les contacts de voisinage. Il ne s'agit pas de l'aide formelle que l'on reçoit des groupes organisés tels que les groupes communautaires, les associations, les groupes d'entraide (Self-Help Groups) qui poursuivent un but particulier. Au contraire, l'aide vient de groupes informels, non organisés, quelque peu invisibles et qui interagissent dans la vie de tous les jours. Il existe un consensus largement répandu que ce genre d'aide est réellement le plus efficace. L'aide venant de groupes formellement organisés n'est que la pointe de l'iceberg (Guay, 1984), de la vaste et réelle aide potentielle qui existe dans la même communauté. Dans l'usage du réseau informel dans l'intervention en contexte interculturel, l'intervenant doit tenir compte, comme je l'indique plus loin, de la philosophie et de l'histoire culturelle des deux parties impliquées dans la situation-problème.

Dans ma pratique sociale au Canada, j'ai remarqué que la famille d'origine étrangère et particulièrement d'origine africaine, habituée à utiliser les ressources familiales ou les services d'un guérisseur, vit l'implication de l'intervenant occidental ou nord-américain, comme une non-reconnaissance de sa compétence. Parfois elle adopte, face à ce qu'elle perçoit comme une disqualification, une attitude de résistance, à travers laquelle elle tente de rétablir un équilibre entre elle et l'intervenant.

Les modes de résolution de problème examinés ici subissent dans l'émigration une modification importante sans vraiment changer les réflexes des gens quand ils font face à des situations problématiques. Mais la puissance de la famille élargie, tout comme son influence positive sur la famille nucléaire, se trouve considérablement diminuée. L'accès au magicien ou marabout est devenu difficile, la famille devant se rendre en Afrique pour utiliser ses services. Coupée ainsi de ses racines et de ses références, elle se retrouve facilement dépassée, isolée face à certaines difficultés. La famille nucléaire aboutit alors dans les services institutionnalisés avec une situation souvent fortement détériorée. Encore ignorante des services offerts, elle est déjà exténuée pour avoir mis toute son énergie à vouloir résoudre par elle-même les difficultés et à éviter une situation d'échec. Il peut ainsi s'ensuivre, durant une bonne partie de l'intervention, un dialogue difficile entre la famille nucléaire et l'intervenant.

SUGGESTIONS POUR UNE INTERVENTION SOCIALE INTERCULTURELLE

Face à ces modes de résolution de problèmes, face aux modifications qu'ils subissent en contexte d'émigration, l'intervenant social occidental ou nord-américain doit prendre conscience d'un facteur de résistance inhérent à toute culture : l'ethnocentrisme, d'abord le sien propre et celui de son client. En effet, toute société humaine, fût-elle sous-développée sur le plan économique, possède, dit Raymond Massé (1995 : 55), une culture et de plus, une culture dont elle est fière. La nouvelle croyance ou la nouvelle pratique proposée par l'intervenant doit tenir compte de ce barème, la culture. L'intervenant évitera donc de remettre en question en bloc et tout simplement les croyances, les valeurs reliées à la pratique de son client. Faire autrement reviendrait à remettre en cause le bien-fondé de la culture tout entière. « Or, poursuit Massé (1995 : 56), tous les peuples ont une propension naturelle à considérer que leur manière de penser et d'agir est au moins égale sinon supérieure à celle des autres. » Le choc culturel qu'expérimente l'intervenant social est issu de la confrontation de deux types de vision, de pensée et d'agir : la vision de l'intervenant professionnel et celle véhiculée par le client. Le succès de l'intervention demande, de la part de l'intervenant, une ouverture et une grande sensibilité aux manières de penser et d'agir du client, et en particulier, une connaissance minimale des savoirs des populations d'origine du client. L'intervenant devrait comprendre que le client, ou les populations ciblées par son intervention, ne sont pas des terrains vierges dans lesquels il n'a qu'à semer la « bonne nouvelle » de la pratique occidentale ou nord-américaine pour récolter les attitudes et les comportements désirés. Les nouvelles connaissances et les nouveaux comportements qu'il propose ne comblent pas un vide. Ils supplantent, au contraire, des connaissances et des pratiques ancrées dans la tradition et les valeurs profondes des populations visées. L'intervenant évitera donc de promouvoir l'acculturation, c'est-à-dire, le processus par lequel une culture dominante impose son système de valeurs et de comportements à une culture dominée.

Retenons que l'intervenant social pourrait dégager une piste exploratoire d'intervention en se posant les deux questions suivantes :

1) Comment amener à la thérapie, une famille d'origine africaine, antillaise, etc. ?

2) Comment l'engager à poursuivre sa propre thérapie ?

Développer la confiance entre le thérapeute et l'individu ou la famille est essentiel pour atteindre ces objectifs. Tout d'abord, la famille doit sentir que l'intervenant lui fait confiance et lui reconnaît des compétences. Cela permettra d'amener les gens à relativiser leurs difficultés et à ne pas les voir nécessairement comme une situation d'échec. Ensuite, l'intervenant devra surtout explorer s'il existe un réseau naturel de soutien vers lequel l'individu ou la famille peut se tourner pour trouver une solution à son problème. Comme la tâche de l'intervenant consiste uniquement à rassurer les gens quant à la dispensation des services, le réseau institutionnel sera utilisé pour mieux coordonner les services et non pour entraver leur fonctionnement, voire les exclure ou les remplacer.

Pour résumer, devant toute situation sociale difficile, les Africains en général, les Camerounais en particulier, recourent d'abord à la famille élargie pour trouver des solutions aux problèmes. Si elle est dépassée par la situation, la famille élargie utilise des ressources externes, en particulier, celles du magicien-guérisseur ou du marabout. Toute la démarche décrite ici, on le voit, est différente du processus habituel d'intervention tel qu'il est pratiqué dans le milieu occidental ou nord-américain.

Bibliographie

Boyd-Franklin, N. (1989). *Black Families in Therapy : A Multisystems Approach*, New York, Guilford.

Caplan, G. (1974). *Support System and Mental Health*, Lectures on Concept Development, New York, Behavioral Publications.

Cohen-Émérique, C. C.-M. (1993). *L'identité du travailleur social œuvrant en milieu interculturel, en tant que facteur interférant dans son travail*, Paris.

Dodson, J. (1981). « Conceptualization of Black Families », dans McAdoo, H.P. (dir.), *Black Families*, Beverly Hills, CA, Sage Publications, 23-36.

Guay, J. (1984). *L'intervention professionnelle face à l'aide naturelle*, Montréal, Gaëtan Morin Éditeur.

Le Breton, D. (1989). « Soins à l'hôpital et différences culturelles », *Chocs de cultures : concepts et enjeux pratiques de l'interculturel*, sous la direction de Carmel Camilleri-Margalit Cohen-Émérique, Paris, L'Harmattan.

Loux, F. (1978). « Médecins et guérisseurs, deux rapports au corps », *Autrement*, n° 15.

Manns, W. (1981). « Support Systems of Significant Others », dans McAdoo, H.-P. (dir.), *Black Families*, Beverly Hills, CA, Sage Publications, 238-251.

Massé, R. (1995). « Culture et santé publique », *Les contributions de l'anthropologie à la prévention et à la promotion de la santé*, Montréal, Gaëtan Morin Éditeur, 499 pages.

McAdoo, H.P. (1982). « Stress Absorbing Systems in Black Families », *Families Relations*, 31, 479-488.

McAdoo, H.P. (1978). « Factor Related to Stability in Upwardly Mobile Black Families », *Journal of Mariage and the Family*, 40, 761-766.

Mead, M. (1971). *And Keep your Powder Dry : An Anthropologist Looks at America*, New York, William Morrow.

MVILONGO, A. (1978). « Quelques valeurs de psychothérapie dans les méthodes des "Guérisseurs indigènes" en Afrique », *Intervention*, Revue de la Corporation professionnelle des travailleurs sociaux du Québec, automne, n° 53.

PEARSON, E.R. (1985). « The Recognition and Use of Natural Support System in Cross-cultural Counselling », dans *Handbook of Cross-cultural Counselling and Therapy*, Paul Pedersen, E. Conn., Grennwood Press.

STACK, C.B. (1 974). *All our Kin,* New York, Harper and Row.

WELLMAN, B. (1981). « Applying Network Analysis to the Study of Support », *Social Network and Social Support*, Gottlieb, B.H., dir., Beverly Hills, Sage.

Rythmes internes et rythmes sociaux dans un monde planétaire

Alberto MELUCCI

Cet article pose la question du nouveau statut de l'expérience du temps dans une société complexe à dimension planétaire. Le temps n'est plus seulement linéaire mais multiple, et pour les individus, la question se pose de savoir, d'une part, comment reconduire cette multiplicité à l'unité et, d'autre part, comment contenir ses décalages dans un parcours intégré. En particulier, la coupure entre temps internes et temps sociaux se fait plus aiguë et le temps du corps, des rythmes biologiques et émotionnels, ne s'intègre plus facilement aux cadences d'une société accélérée et fondée sur la raison instrumentale.

LE PARADOXE DE L'INCERTITUDE

Nous vivons dans un monde planétaire complexe. Une complexité synonyme de différenciation, un rythme accéléré vers le changement, un plus large spectre de possibilités qui sont offertes à notre action. La science et la technologie contribuent à ces changements dans une proportion telle qu'on ne peut l'assimiler à aucune autre étape de l'évolution de l'homme. Et même si notre planète est marquée par des divisions en clivages et en inégalités dramatiques (Est–Ouest, Nord–Sud), ces tendances sont les caractéristiques communes d'une culture planétaire qui repose sur la science et la technologie.

Quand les champs de notre expérience sont de plus en plus différenciés par la spécialisation technologique, nous sommes incapables de transférer et d'appliquer les mêmes modèles d'action d'un milieu à un autre, du temps de travail aux heures de loisirs, de la famille à la communauté, des relations amoureuses aux relations professionnelles. Chaque champ possède son propre langage, ses règles, ses codes comportementaux. Et qui plus est, lorsque le changement produit par la science et la technologie se fait aussi fréquent et rapide, nous ne pouvons plus compter sur nos modèles antérieurs pour parvenir à résoudre les nouveaux problèmes. Et, finalement, vu que la série d'options qui nous sont offertes par un environnement technique de plus en plus vaste dépasse notre capacité d'action réelle, nous nous heurtons à un constant problème de choix.

L'expérience commune dans un monde complexe basé sur la science et la technologie est incertitude, une somme croissante et parfois accablante d'incertitude. Que devons-nous faire dans un contexte différent ? Et que devons-nous faire avec un nouveau problème ? Mais fondamentalement, que devons-nous faire avec l'excès de possibilités ? Même notre besogne quotidienne ordinaire se transforme en exercices de résolution de problèmes : décoder le livret d'instructions des quelque 99 chaînes que propose notre téléviseur ou, encore, choisir la destination de nos prochaines vacances parmi une profusion de programmes d'agences de voyages...

Le paradoxe de l'incertitude est qu'il est impossible de ne pas choisir. En fait, même le non-choix est une manière de choisir. Le choix qui, généralement, est associé à une idée de liberté et de responsabilité, devient un destin qui est synonyme, au contraire, de nécessité. Nous vivons tous cet étrange paradoxe. Tandis que nos possibilités d'actions s'élargissent, nous nous sentons de plus en plus sous pression : nous devons opérer des choix fréquents et permanents et, en réalité, nous n'avons aucun moyen d'éviter cette opération.

Ce paradoxe engendre de nouveaux problèmes d'ordre psychologique ainsi qu'une nouvelle série de troubles affectifs et comportementaux. Choisir parmi autant de possibilités se révèle être une lourde tâche et ce qui est laissé de côté est toujours, de façon disproportionnée, plus considérable que ce qui est choisi. Le sentiment de perte est inévitable et il est bien souvent la base de nouveaux syndromes pathologiques : « dépression endogène », comme les manuels, dans leur terminologie technique, veulent bien l'appeler, et qui, en fait, n'est rien d'autre que la pure expérience de perte sans un objet bien déterminé. Une réponse différente, mais complémentaire au paradoxe mentionné ci-dessus, est l'effort de garder désespérément l'ensemble de toutes les possibilités. Nous pouvons observer la fragmentation de la personnalité, qui tente de nier la partialité de chaque choix en divisant sa réalité interne, ou le syndrome maniacodépressif, et dans ce cas, la personne multiplie ses efforts dans un cercle sans fin et éreintant.

RYTHMES INTERNES, RYTHMES SOCIAUX

Observons notre vie quotidienne. Une manière fondamentale de construire notre expérience est notre propre définition du temps. Dans une société basée sur la science et la technologie, cette définition est de plus en plus multiple. Les périodes que nous vivons sont fort différentes, à tel point qu'elles peuvent parfois nous sembler antithétiques. Ainsi, nous faisions l'expérience de périodes qu'il est difficile de mesurer, des moments étendus et d'autres fortement accélérés. Il suffit tout simplement de penser à la révolution provoquée par les images qui nous arrivent de la télévision, du cinéma et de la publicité, des images qui ont le pouvoir de nous transporter dans le passé ou dans le futur, un passage qui peut s'effectuer très lentement ou bien à très grands pas.

Les discontinuités qui existent entre les différents moments que nous vivons sont beaucoup plus perceptibles que par le passé : il y a, en particulier, des divisions bien établies entre les moments que nous vivons dans nos propres expériences, affections et émotions intérieures et les tranches de temps qui sont réglées par les rythmes et les rôles sociaux.

La différenciation du temps crée de nouveaux problèmes. Cela accroît la difficulté qu'il y a à ramener les différentes périodes à une mesure homogène et généralisée. Cela augmente également le besoin d'intégrer ces différences à l'intérieur de l'unité d'une biographie individuelle et d'un « sujet » d'action cohérent.

Par ailleurs, un temps différencié s'identifie de plus en plus à un temps sans histoire, ou, mieux encore, à un temps flanqué de beaucoup d'histoires relativement indépendantes. Par conséquent, le temps perd sa « *telos* » ; le présent devient cette inestimable mesure du sens des choses. Enfin, ce temps multiple et discontinu peut être vu comme quelque chose de « construit », comme un produit nettement culturel et technologique. Notre existence a annulé le cycle naturel du jour et de la nuit et les autres moments procurés par la nature sont également en train de se dissoudre. L'expérience des saisons fond sur nos tables de salle à manger, là où les aliments perdent toute référence par rapport aux cycles saisonniers ; ou lors de nos vacances qui nous offrent un soleil tropical ou de la neige à n'importe quel moment de l'année. Même la naissance et la mort, des événements quintessenciés du rythme de la nature, sont en train de perdre leur rôle indispensable pour devenir des produits de l'intervention médicale et sociale soutenue par des moyens technologiques.

Le temps social, les temps des événements collectifs et de l'expérience, construit par notre environnement technologique, est un temps linéaire. Il se caractérise par la continuité et la nature unique des événements qui se suivent les uns les autres dans une seule direction, en d'autres termes, ils sont irréversibles. Ainsi, nous pouvons parler d'un avant et d'un après. Nous pouvons même aller jusqu'à rétablir une stricte relation de cause et effet entre l'avant et l'après : des événements antérieurs sont vus pour susciter ou produire des événements qui suivent.

Le temps social est mesurable. Il est décomposé en rythmes ou unités de mesure que nous admettons tous ; par conséquent, ceux-ci sont différents pour chaque catégorie d'événement : de longues et de courtes périodes de temps, des activités de train-train quotidien ou des événements plus irréguliers. Ce type de temps peut être prédit, car on peut établir des comparaisons entre différentes périodes de temps et là, le passé nous aide, avec plus ou moins de précision, à envisager le futur. Enfin, le temps social est uniforme : il y a pour chaque type d'événement une scansion particulière, un rythme établi sur lequel est structurée l'expérience sociale et sur lequel se fondent les attentes.

Le temps interne – profondément personnel, un temps individuel – possède des caractéristiques opposées. Comme dans le cas du temps sacré ou mythique, il est multiple et discontinu. L'expérience interne regroupe des temps différents qui existent en son sein ; ils se succèdent, s'entrecroisent et se chevauchent. Il y a, pour commencer, un temps cyclique qui s'approche du mythe : dans le corps, les sensations et les rêves, des événements reviennent et se répètent sous une forme à peu près identique. Le temps intérieur est également à peu près identique. Le temps intérieur est également un temps simultané. En fait, beaucoup de tranches de temps existent de manière simultanée : hier et aujourd'hui, mon temps et celui de l'autre, ici et là. Je peux être adulte et enfant, noir et blanc, dans l'avant et dans l'à venir. La simultanéité du temps interne abolit la non-contradiction.

Par conséquent, le temps interne est également multidirectionnel : nous pouvons très bien établir les relations existant entre des événements qui défilent dans un mouvement de va-et-vient de l'avant vers l'arrière à travers le temps, mais aussi de haut en bas (et en changeant par là de plans temporels). Nous pouvons nous mouvoir à travers le temps interne de façon à la fois consécutive et simultanée. Il est, donc, constamment réversible : ce qui vient de me survenir transforme mon passé, ce qui survient à un autre change mon temps ; l'effet produit peut s'annuler, et ainsi de suite.

Dans l'expérience intérieure, le temps est immensurable puisque la perception du temps varie d'un moment à l'autre, de situation à situation. Mais surtout, le temps interne peu rester immobile ; il a la faculté de cesser de s'écouler. Cela peut survenir à travers un flou rapide d'une série d'événements répétés (moments, sensations, images) tellement fugaces qu'ils constituent un cycle pour très peu de temps, mais créent en fait l'expérience de l'immobilité ou bien cela peut être le résultat d'une absence d'événements et de réflexions éprouvés comme un vide. Dans les deux cas, le temps cesse d'être séquentiel et devient alors un point fixe, immobile. Le passage entre les différents moments est discontinu et marqué par l'interruption. Les moments internes sont imprévisibles ; ils peuvent soudainement faire irruption les uns dans les autres, un peu comme un événement qui vient interrompre le train-train.

Les rythmes internes sont, par conséquent, variables et ne peuvent être attribués une fois pour toutes à une catégorie bien précise. Une minute peut « durer une heure », alors qu'une journée peut s'envoler en un instant ; une sensation exactement identique est quelquefois rapide et d'autres fois d'une lenteur mortelle.

Dans la société actuelle, l'opposition entre le temps interne et le temps social ne pourrait pas être plus marquée. Naturellement, la culture engendre des mécanismes de contrôle de cette tension – comme l'art, le jeu et les mythes. Les individus, eux aussi, possèdent des ressources pour concilier des moments opposés – le sommeil, l'imagination ou l'amour ne sont que des exemples. Cependant, dans notre société, la contradiction est mise en évidence lorsqu'il y a un conflit plus direct entre les rythmes internes et les contraintes des règles sociales, comme dans les relations entre adulte et enfant, dans le traitement de la folie ou dans la définition sociale de la diversité. Dans l'existence d'un individu, la maladie est le signe le plus évident de l'opposition entre le temps interne et le temps social. Le passage d'un temps à l'autre, leur cohabitation facile, sinon assez harmonieuse, est l'une des principales conditions de l'équilibre personnel ainsi qu'un facteur critique pour la vie sociale dans son ensemble.

MÉTAMORPHOSES ET LIMITES

Il est évident désormais que notre expérience et la manière dont nous la construisons s'avèrent de plus en plus fragmentées. Aujourd'hui, les individus appartiennent à une pluralité de réseaux, d'associations, de groupes de référence. Y préparer son entrée et sa sortie est beaucoup plus rapide et plus fréquent que par le passé, et le temps que nous y investissons est réduit. En attendant, la quantité d'informations que nous émettons ou que nous recevons augmente et atteint cette fois un taux sans précédent. Les médias, l'environnement professionnel, les relations interpersonnelles et le temps libre continuent à générer des informations pour l'individu qui les reçoit, les analyse, les apprend par cœur et répond parfois par plus d'informations.

Le pas du changement, la pluralité des associations, des groupes d'appartenance, la profusion de possibilités et de messages qui s'imposent à nous, tout cela sert à affaiblir les points de référence sur lesquels se base notre identité. La possibilité pour chacun d'entre nous d'affirmer avec conviction et continuité « je suis X, Y ou Z » devient de plus en plus incertaine. La nécessité de ré-établir sans cesse qui je suis et qu'est-ce qui assure la continuité de ma biographie devient plus difficile. Un sens de « sans abri » de l'identité personnelle s'installe alors, à tel point que nous devons constamment bâtir et rebâtir notre « foyer » devant ces situations et ces événements qui changent.

La signification du présent ne se trouve pas dans la destination finale de l'histoire ; le temps perd sa finalité et sa catastrophe (nucléaire, écologique) devient une possibilité. Mais c'est précisément ce développement qui, pour la première fois, révèle clairement la caractère unique de notre expérience individuelle. Le temps interne, et chaque moment qui l'accompagne, est exceptionnel. Non seulement il ne retourne pas dans un cycle sans fin qui se répète, mais encore il emporte avec lui un autre sens, un autre plus limité que ce que nous sommes capables de produire.

La métamorphose semble être la meilleure réponse que l'on puisse donner à ce besoin de continuité dans le changement. L'unité et la continuité de l'expérience individuelle ne peuvent être trouvées dans une identification fixe comportant un modèle, un groupe ou une culture bien définis. Elles doivent plutôt être basées sur une capacité interne à « changer de forme », à se redéfinir constamment dans le présent, à renverser des décisions et des choix. Mais cela signifie aussi chérir le présent comme une expérience unique et irrépétable avec laquelle je me réalise.

Nous pouvons uniquement préserver notre unité en nous montrant capables « d'ouvrir et de fermer », de prendre part et de s'éloigner du flux de messages. Il devient, par conséquent, vital de trouver un rythme d'entrée et de sortie qui permette à chacun d'entre nous de communiquer de façon sensée sans nullifier notre existence interne. Cependant, dans cette alternance entre bruit et silence, nous avons besoin d'une intégrité interne qui puisse survivre à travers les changements. Pour vivre le caractère discontinu et variable du temps et de l'espace, nous devons trouver un moyen d'unifier l'expérience autrement que par notre moi « rationnel ». Fragmentation et imprévisibilité échappent à la pensée causale et à la logique de l'efficacité. En revanche, elles exigent la sagesse de la perception plus immédiate, de la conscience intuitive et de l'imagination.

Le rapport avec l'autre devient, de cette façon, la possibilité de choisir et de reconnaître la différence. Une relation existe quand et si ce qui me distingue de l'autre est accepté et devient la base de la communication. Par conséquent, communiquer signifie dépendre de ce qui est commun afin de découvrir et d'affirmer la différence de l'autre. Nous pouvons choisir de communiquer, mais la possibilité de choix introduit imprévu et risque dans nos rapports et transforme ceux-ci en un champ d'engagement émotionnel et de défi.

Notre identité doit trouver ses racines dans le présent pour s'occuper d'autant de fluctuations et de métamorphoses. Nous devons avoir la faculté d'ouvrir et de fermer nos voies de communication avec le monde extérieur afin de maintenir nos rapports sans être submergés par l'énorme quantité de signaux. De plus, pour embrasser un vaste champ d'expérience qui ne peut confiner avec les limites strictes de la pensée rationaliste, nous avons besoin de nouvelles capacités pour un contact immédiat et intuitif avec la réalité. Ces exigences déplacent les limites entre interne et externe et font ressortir la nécessité d'une conscience personnelle et d'une responsabilité plus grandes, d'un contact plus étroit avec notre expérience interne.

Une conscience capable de jongler avec le plus large spectre possible d'informations sans être submergée pour autant, capable de « voir » sans être pour autant aveuglée, facilite le passage de l'interne vers l'externe, du temps intérieur vers le temps social et vice versa. Une communication fluide entre ces deux dimensions d'expérience est essentielle pour notre intégrité individuelle. Et inversement, la difficulté de passer de l'une à l'autre est un signe évident d'une forme quelconque de malaise ou de pathologie. Un accès obstrué vers le monde interne laisse une personne à bout de ressources, abandonnée dans un rôle vide et monotone de masques sociaux. L'incapacité d'échapper à la sphère incommunicable de l'expérience interne enferme l'individu dans la prison du silence.

La définition et la reconnaissance de ces limites est la clé pour se déplacer dans l'une ou l'autre direction : vers la communication avec l'extérieur et conformément aux règles du temps social ; ou dans le sens d'une voix interne qui parle à chaque personne dans son langage secret. De cette façon, on établit un cycle d'ouverture et de fermeture, une oscillation permanente entre les deux niveaux d'expérience. L'individu doit devenir de plus en plus l'arbitre et le régulateur de cette oscillation ; il est le seul à avoir la faculté de donner le rythme et le pas. De tels passages marquent l'évolution dynamique, les métamorphoses de l'existence personnelle.

Cette charnière fragile entre l'interne et l'externe est le point de rencontre entre les signaux internes et externes que nous devons décoder afin de réussir à nous situer par rapport aux changements en notre intérieur et dans notre interaction avec un monde qui est de plus en plus « construit » par la science et la technologie. Comme la série de possibilités devient trop vaste à côté de nos opportunités d'action et d'expérience réelles, la question des limites devient, elle, le problème fondamental de notre existence.

On demande aux humains d'un monde planétaire de s'acheter une nouvelle sagesse. Une évaluation des chances qui sont offertes par la science et la technologie ne peut être séparée d'une prise de conscience des limites de l'homme et de la nature : et c'est là le plus précieux héritage de ce qu'on appelle les « cultures traditionnelles ». Ce problème de choix, d'incertitude et de risque rappelle à tout un chacun – dans le scénario hyper-technologique de notre société complexe – l'expérience humaine des limites. Et de la liberté.

Allocution de clôture au Colloque NPS « L'économie sociale et les services sociaux et de santé : enjeux et perspectives »[1]

Nancy NEAMTAN
Présidente du Chantier de l'économie sociale
Directrice du Réso

Il y a maintenant un an, lors de la Conférence socio-économique du mois de mars 1996, j'ai hérité du dossier de l'économie sociale en acceptant la présidence de cette créature mystérieuse, baptisé le « Chantier de l'économie sociale ». C'était pour moi un héritage inattendu, accepté sous pression, parce que pour assumer ce poste, on disait que cela prenait une femme, issue des milieux sociaux, à l'aise dans le développement économique et présente à la conférence. Disons que les choix étaient limités et cela ne me gêne pas du tout d'admettre que ce grand titre de présidente du Chantier est le fruit d'une série de hasards et d'un geste assez irréfléchi de ma part.

1. Notes de l'allocution de clôture faite par Nancy Neamtan au 3e colloque de la revue *Nouvelles pratiques sociales*, « L'économie sociale et les services sociaux et de santé : enjeux et perspectives », qui a eu lieu le 13 mars 1997, à l'UQAM.

Mais si je n'ai pas réfléchi avant d'accepter ce mandat, en cette journée fatale du mois de mars, j'ai dû longuement réfléchir après, car comme vous le savez, et je crois que les débats d'aujourd'hui en témoignent, l'économie sociale soulève énormément de matières à réflexion. Je dois avouer que même lors de mes réflexions les plus intenses, jamais je n'avais prévu l'ampleur du travail qu'exigerait ce mandat, qu'il souleverait tant d'intérêt, provoquerait tant de débats, mobiliserait tant de monde, serait le sujet de tant de colloques et de conférences...

Pourquoi tant d'intérêt et d'émotions au sujet de l'économie sociale? Quels sont les acquis de la dernière année? Quelles sont les perspectives? Voilà les sujets qu'on m'a demandés d'aborder dans cette conférence de clôture et je tenterai de les développer dans la perspective de continuité de cette grande œuvre collective qu'est l'économie sociale au Québec.

LES ENJEUX

En premier lieu, je voudrais rappeler rapidement les enjeux qui ont entouré les travaux du Chantier. Soulignons d'abord que la création d'un groupe de travail sur l'économie sociale dans le cadre du grand Chantier de l'économie et l'emploi au Sommet nous a placés, nous des milieux sociocommunautaires, dans une situation inhabituelle. Plutôt que d'être à l'extérieur des débats sur le développement économique, spectateurs et spectatrices d'une course ouverte et incontestée vers la concurrence, la compétitivité et la rentabilité financière maximale, on nous a donné un siège autour de la table. Bien sûr, nous arrivions sans grand bagage, sans argent, et contrairement à d'autres assis autour de la même table, inspirés par d'autres valeurs et d'autres notions de rentabilité. Nous étions également soucieux de ne pas faire avancer nos projets ou les faire financer au détriment des programmes sociaux ou des services publics existants. Finalement, nous arrivions à cette table de travail avec un grand souci de transparence, de démocratisation économique, de mobilisation des milieux, en insistant sur le fait que le développement économique, et particulièrement de l'économie sociale, doit être une démarche inclusive, mobilisatrice et non pas une démarche exclusive, réservée à des élites et à des experts.

Mais malgré nos préoccupations, nos idéaux, nos valeurs, nous étions tout de même autour de cette table que nous n'avions pas choisie, que nous n'avions pas construite et où nous n'étions pas non plus en position d'établir nos propres règles du jeu. Nous étions plutôt dans un environnement où il fallait parler de l'économie, de l'économie publique, de l'économie privée, où il fallait tenir compte d'un ensemble de réalités, où il fallait identifier la place qu'on voulait prendre, nous, de l'économie sociale, où il fallait définir notre vision, nos dossiers, non seulement parmi les initiés et les gens convaincus d'avance, mais dans un environnement des plus hostiles, soit celui des gens très sérieux – de grands banquiers et de grands chefs d'entreprises, de grands chefs syndicaux et de grands hommes d'État, tous ceux qui, selon leur propre vision, font de la « vraie économie ».

Certaines personnes nous ont dit et nous disent encore que dans ce contexte, il aurait fallu ne pas y aller, ne pas embarquer dans leur jeu, ne pas se faire récupérer dans ce grand cirque. Certaines nous disent que peu importe ce qu'on a fait ou ce qu'on a voulu faire, qu'on s'est fait récupérer, qu'on a collaboré avec l'ennemi, qu'on a cautionné le néolibéralisme malgré nos bonnes intentions. C'est un point de vue. Un point de vue que je ne partage pas pour plusieurs raisons, mais surtout pour une raison fondamentale. Je crois qu'en 1997, nous ne pouvons pas, nous ne pouvons plus nous permettre le luxe d'abandonner totalement le terrain de l'économie par crainte de devoir faire des compromis ou de se salir les mains. Si nous ne sommes pas là, il y en a d'autres qui vont occuper l'ensemble du terrain sans problème. Que ce soit dans le domaine du développement des services sociaux ou même de la santé, dans l'exploitation de nos ressources naturelles, dans le domaine de l'environnement ou de la culture, tout est en mouvement, en perpétuel changement sur le plan économique. Nous pouvons y être avec tout ce que cela implique, ou nous pouvons regarder à travers la vitre et voir que nos acquis s'effritent, que nos services publics sont remplacés par des multinationales américaines et françaises, que nos forêts et nos terres échappent totalement à notre contrôle, que notre vie culturelle est avalée par l'industrie de la culture, que l'inforoute se bâtit complètement à côté de nous et, en regardant à travers cette vitre, nous pouvons pleurer.

Après tant d'années passées à tenter d'améliorer les conditions de vie des personnes les plus démunies de la société, je n'ai plus beaucoup de larmes. J'ai surtout le goût d'agir, d'expérimenter, d'essayer. Même au risque de me tromper. Dans le livre *Limites à la compétitivité* du Groupe de Lisbonne, il y a un passage qui résume bien ce que je ressens et ce que, je crois, nous sommes fort nombreux à ressentir. On parle du développement de nouvelles forces de la société civile qui contestent les façons de faire et le rôle critique qu'elles jouent pour favoriser des concepts tels que le développement durable.

« Vues de la Corrèxe », de Cotonou ou du Wyoming, ces élites donnent souvent l'impression de vouloir servir des leçons au reste de la planète. Il arrive aussi qu'elles servent des intérêts spécifiques, ce qui mine leur crédibilité auprès de ceux pour qui le développement durable et la protection de la couche d'ozone sont encore des réalités fort éloignées. Et puis, disons-le franchement, ces élites sont capables d'une certaine arrogance tant elles ont la conviction d'être en possession tranquille de la vérité, qui est en fait leur vérité. S'il faut saluer et encourager le développement de cette avant-garde civile mondiale, il faut aussi s'assurer qu'il repose sur des bases démocratiques et se réalise dans un esprit d'ouverture. Ce n'est pas de leçons de morale dont la planète a besoin, mais de solutions !

En résumé, comment se fait-il que l'économie sociale soulève tant de débats et d'émotions ? Parce que cela nous force à aller sur un terrain qu'on ne connaît pas beaucoup, un terrain qui nous appartient peu, un terrain où nous avons peu de certitudes, un terrain qui nous fait peur mais aussi un terrain que nous n'avons pas le choix de ne pas occuper si nous aspirons réellement à construire une société meilleure. Voilà ma réponse émotive à ce débat émotif.

LES ACQUIS DES DÉVELOPPEMENTS RÉCENTS EN ÉCONOMIE SOCIALE

Passons maintenant à la deuxième question, celle qui demande de mesurer les acquis dans les développements récents de ce qu'on appelle « le modèle québécois de l'économie sociale ». Je ne ferai pas ici un inventaire des réalisations concrètes dans ce domaine. Depuis le début de la journée, on a entendu parler d'expériences précises, de l'état de la situation dans le réseau des services sociaux et de santé ainsi que des réflexions du point de vue syndical et communautaire. Plusieurs études universitaires ont tenté de tracer des portraits précis, chiffrés, de l'impact des organismes et entreprises d'économie sociale par région et par secteur.

Mais au-delà des actions qui ont été menées au Québec depuis des décennies, la dernière année a été plutôt une année charnière sur le plan politique. Car l'expérience du Chantier et du Sommet sur l'économie et l'emploi nous a permis de faire plusieurs pas en avant que je vais essayer de résumer rapidement.

L'expérience du Chantier

Premièrement, l'expérience du Chantier nous a permis de mobiliser des centaines de personnes de milieux diversifiés venant de presque toutes les régions du Québec autour d'un projet collectif dans le cadre de ce grand événement médiatisé que fut le Sommet sur l'économie et l'emploi. Ces gens – issus des villes et des campagnes, du mouvement communautaire, du mouvement coopératif, des milieux syndicaux, du mouvement des femmes, des milieux des affaires et institutionnels, et des milieux culturels – ont grandement contribué par la diversité de leurs expériences et de leurs points de vue à définir et à mettre de l'avant un modèle québécois de l'économie sociale. Pour moi et pour tous les gens qui ont contribué aux travaux, l'expérience du Chantier de l'économie sociale a été une occasion de réaffirmer un engagement de combattre l'exclusion, de combattre cette société à deux vitesses qui menace, qui envahit le Québec, d'exprimer des attentes et des espoirs des populations et des milieux qui connaissent trop bien les réalités du chômage et de l'exclusion, de traduire le dynamisme des collectivités et des groupes qui travaillent depuis des années à faire du développement, autrement.

Pour nous, le Sommet a été, jusqu'à un certain point, un moment de vérité. Car cette expérience nous a forcés à dépasser nos réalités locales ou sectorielles, à dépasser notre liste de revendications et de condamnations et, dans une période de temps très courte, avec des contraintes budgétaires importantes, elle nous a obligés à proposer des projets concrets et des stratégies précises pour l'ensemble du Québec. Il ne s'agissait pas de promettre, d'imaginer ou d'espérer. Il ne s'agissait pas de remettre à nos dirigeants politiques ou à nos appareils gouvernementaux la responsabilité unique de changer les choses ou même de proposer des changements. Il fallait, comme on dit en bon français, « livrer la marchandise ».

Est-ce qu'on a réussi ce moment de vérité ? Même après plus de quatre mois, il est encore trop tôt pour le dire. Nous avons certainement imposé notre présence au Sommet. Nous avons réussi à sortir de l'ombre les réalisations de l'économie sociale, à savoir ce large éventail d'initiatives socio-économiques basées sur la coopération et le secteur sans but lucratif, enracinée dans des valeurs de solidarité et de partage. Nous avons démontré que cette réalité fait partie du paysage socio-économique du Québec depuis cent ans, que les initiatives d'économie sociale ont été le lieu d'émergence de certaines de nos plus grandes réussites collectives et demeurent encore aujourd'hui un lieu d'innovation économique et sociale, porteur d'espoir pour nos collectivités.

Nous avons osé dire, dans un Sommet qui se voulait axé sur la compétitivité et la concurrence, qu'il fallait oser la solidarité. Nous avons osé dire qu'il n'était plus possible de se fier à des recettes déjà éprouvées et à de vieilles façons de faire. Nous avons insisté pour que le Sommet, au moins notre partie du Sommet, soit un moment pour poser des questions autrement, remettre en question certaines certitudes et mobiliser le maximum des forces vives du Québec autour de nouvelles pistes d'actions. Nous avons, pendant la période préparatoire, « brasser la cage », surtout celle de l'appareil gouvernemental, et ailleurs, dans nos propres milieux.

Nous avons également démontré que nous étions des gens concrets, terre à terre, capables de faire des affaires si on nous en donnait la chance.

Nous avons démontré que nous étions capables de faire preuve de rigueur, sans rien enlever aux valeurs qui sont au cœur de l'économie sociale. Pour cette raison, nous avons appuyé et même développé des projets qui comportaient de gros chiffres, soit en termes de création d'emploi ou d'investissement. Nous avons également appuyé de petits projets, parce qu'ils illustraient de nouvelles façons de faire, ou parce qu'ils contribuaient d'une façon significative au développement de la citoyenneté ou de la démocratie.

Dans le domaine de la santé et des services sociaux, les travaux du Chantier ont permis de faire avancer le débat, ou tout au moins de l'élargir, sur le rôle respectif de l'économie sociale et des institutions publiques dans la livraison des services à la population. Le débat est loin d'être clos et la complexité des enjeux nous invite à une grande vigilance ; mais la réalité, telle que nous l'avons vécue au Chantier, nous a imposé aussi la nécessité d'avancer dans l'action. Car l'espace que nous avons occupé dans des dossiers aussi controversés que l'aide domestique, l'hébergement des personnes âgées et la périnatalité était fort convoité par d'autres. Le Chantier nous a permis de débattre et de défendre ouvertement, publiquement, le potentiel de l'économie sociale comme réponse collective à des besoins sociaux au moment où trop de monde prétend que le secteur privé est le mieux équipé pour prendre toute la place, ou pis encore, que le secteur privé est carrément en train d'occuper tout le terrain pendant que nous continuons nos débats. Dans le cadre du Chantier, nous avons pu, nous avons dû dire que la voie de l'économie sociale était une voie que la société québécoise pouvait emprunter pour trouver des éléments de réponse dans les années à venir.

En général, le Sommet a sans aucun doute permis de faire des pas en avant dans la mise en valeur de l'économie sociale. Mais il y a loin de la coupe aux lèvres. Si nous avons à notre actif quelques acquis, nous avons encore énormément de travail à faire pour les consolider, pour faire avancer notre action et pour continuer à approfondir notre compréhension et nos pratiques dans ce domaine. C'est pour cette raison qu'à la veille du Sommet, nous avons insisté afin de poursuivre nos travaux. Nous savions qu'en déposant notre plan d'action, nous ne pouvions pas laisser le suivi aux pouvoirs publics, que l'implication et le leadership des acteurs de l'économie sociale étaient essentiels à bien des égards. Essentiels parce que les six mois du Chantier n'ont pas permis d'attacher toutes les ficelles, d'assurer que les porteurs de projets aient tous les éléments en main pour la réalisation de leurs projets. Essentiels parce que l'approche de l'économie sociale vient nécessairement contester des façons de faire de nos institutions gouvernementales et qu'il faut continuer à brasser la cage. Essentiels aussi parce que l'ensemble des enjeux entourant le débat sur l'économie sociale est loin d'être suffisamment clair pour tout le monde et ce débat, qui se doit d'être un débat large et démocratique, doit se poursuivre dans les années à venir, sans que cela nous empêche d'agir.

Concrètement, le mandat qui nous a été confié est le suivant :

1. Assurer le suivi du plan d'action déposé à l'occasion du Sommet.
2. Poursuivre le travail visant la reconnaissance et le développement de l'économie sociale selon le modèle québécois défini dans le rapport du Groupe de travail.
3. S'assurer que les enjeux reliés au développement de l'économie sociale soient pris en compte dans toutes les démarches menées par le gouvernement du Québec touchant la régionalisation, la décentralisation et la dynamique métropolitaine.

Les relais régionaux

Pour ce faire, nous avons procédé à la création d'un Comité d'orientation, composé de représentants des divers réseaux d'économie sociale, à la constitution d'une petite équipe de permanents qui suit l'ensemble des divers projets en cours et assure les liens avec les régions et les réseaux et, prochainement, nous entreprendrons la création de relais régionaux composés des acteurs principaux de l'économie sociale sur le plan régional. Ces relais régionaux viendront remplacer les Comités régionaux d'économie sociale, les CRES, comme nous le recommandons dans notre rapport. Ces nouveaux CRES seront composés des acteurs de l'économie sociale venant des milieux communautaires, coopératif, du développement local et du mouvement des femmes. Les syndicats intéressés par le développement de l'économie sociale seront invités à s'y associer. Ces comités régionaux deviendront un lieu de concertation et de développement de l'économie sociale dans la région. Ces nouveaux CRES veilleront également à ce que l'économie sociale soit bien représentée et défendue dans les nouvelles structures locales et ils seront un point d'appui pour les personnes qui auront ces mandats de représentations. Ainsi, ces CRES serviront, entre autres, de relais pour le Chantier national, en nous tenant informés de ce qui se passe sur le terrain et en diffusant l'information sur les travaux du Chantier. Un bulletin d'information permettra également au Chantier de continuer à diffuser l'information sur les divers projets en cours.

Sans devenir le seul lieu où le développement de l'économie sociale sera au centre des préoccupations et des actions, le Chantier espère donc jouer, durant les deux prochaines années, un rôle de carrefour entre les divers réseaux qui œuvrent à leur façon à la consolidation et au développement de l'économie sociale au Québec.

PERSPECTIVES GLOBALES DE L'ÉCONOMIE SOCIALE

Quelques mots maintenant sur les perspectives globales et plus particulièrement sur celles reliées au domaine de la santé et des services sociaux. Plusieurs grands défis nous attendent dans les années à venir. Il ne s'agit pas nécessairement de nouveaux défis mais compte tenu de l'intérêt et de la nouvelle visibilité de l'économie sociale, il devient urgent que tous ceux et celles qui croient en l'importance de l'économie sociale s'y attaquent avec énergie.

Premièrement, nous avons encore du travail à faire ensemble à clarifier des concepts, à continuer nos débats dans le climat le plus serein et le plus démocratique possible. Car je crois qu'il existe encore beaucoup de confusion dans les concepts et dans la définition des enjeux. À titre d'exemple, j'ai l'impression qu'on débat de l'économie sociale sans comprendre ce qu'est l'économie, à savoir l'ensemble des activités d'une collectivité humaine relatives à la production, à la distribution et à la consommation des richesses. On confond ainsi, à mon avis, des enjeux d'économie et des enjeux de démocratie. Cette confusion mène parfois à s'attendre à ce que l'économie sociale règle l'ensemble des problèmes de notre société et d'être critique à son égard si elle ne porte pas l'ensemble d'un projet de société plus juste que, malheureusement, en tant que collectivité, nous n'avons pas encore réussi à imaginer, à nommer au-delà de certains grands idéaux.

Dans le domaine de la santé et des services sociaux

Encore à titre d'exemple, dans le domaine de la santé et des services sociaux, certains considèrent l'économie sociale comme responsable du désengagement de l'État dans les services publics sans mettre en perspective les montants dont on parle, à savoir, par exemple, que les budgets de soutien aux organismes communautaires dans le domaine de la santé et des services sociaux sont de 130 millions de dollars sur plus de 14 milliards, sans examiner non plus l'impact du secteur privé dans les mêmes domaines. Sans un réalignement des perspectives, il est évident qu'on va continuer à mélanger des concepts et à mal définir les enjeux.

Les défis à venir

Au-delà des débats de concepts et de stratégies, notre plus grand défi est celui de mettre en application l'ensemble de ces concepts et stratégies, de devenir ou de rester proactifs sur le terrain, d'innover, d'expérimenter, d'apprendre de nos erreurs et de recommencer à nouveau.

Pour ce faire, il faut être capable de comprendre nos propres forces et faiblesses en tant que mouvement. Car, sans abandonner nos acquis et nos pratiques, il faut aussi ajouter de nouvelles façons de faire, de nouveaux outils de travail, de nouvelles pratiques et de nouvelles stratégies pour réaliser et réussir nos projets d'économie sociale. On doit sortir de la mentalité de programmes et se mettre dans des modes de développement. Ce changement est peut-être plus facile en théorie qu'en pratique. Car même si on passe notre temps à déplorer et à dénoncer la rigidité des programmes, j'ai parfois l'impression que les gens paniquent un peu quand ils se font dire qu'il n'y a plus de programmes normés et qu'ils ont même tendance à vouloir créer leurs propres programmes. Mais l'objectif, l'esprit, les fondements mêmes de l'économie sociale ne sont pas de créer une bureaucratie parallèle, ou de s'institutionnaliser en créant nos propres normes et rigidités. L'économie sociale doit faire appel à notre créativité, à notre volonté de répondre aux besoins sociaux de nos milieux, à notre adhésion à des valeurs de solidarité et de démocratie, et à notre capacité d'entreprendre. Pour ce faire, on doit apprendre à manipuler un ensemble de nouveaux outils, et particulièrement des outils économiques et financiers, non pas pour rentrer dans le moule mais pour pouvoir les adapter à nos fins et à nos objectifs. Plus que jamais, il va falloir veiller à investir et à renforcer les organisations qui ont comme mandat de soutenir le développement de l'économie sociale et l'entrepreneurship collectif, car ces organismes doivent jouer un rôle stratégique au regard de la formation, de l'assistance technique et de l'accompagnement des projets d'économie sociale.

Dans cette démarche pratique, terrain, nous traverserons des zones grises, surtout dans le domaine de la santé et des services sociaux. Nous vivrons des échecs. Nous rencontrerons des obstacles. Mais c'est sur le terrain, sur les plans local et régional que les prochaines batailles vont se gagner et vont se perdre. Je crois qu'il faut avoir confiance en notre capacité d'avancer – après tout, nos milieux locaux ne sont-ils pas la base, l'essence même des milieux communautaires et coopératifs ?

Un autre défi important nous attend, je crois, et c'est celui de l'évaluation. On se rappelle tous de la Conférence socio-économique du mois de mars quand le gouvernement s'est fixé un objectif sur lequel il n'a pas cessé de baser l'évaluation de toutes ses décisions – l'objectif du déficit zéro. Lors du Sommet sur l'économie et l'emploi, en octobre 1996, les syndicats ont insisté sur l'importance de fixer des objectifs clairs en ce qui concerne l'emploi et la baisse du taux de chômage. Bien que le gouvernement et les partenaires privés aient refusé de tels objectifs, un consensus s'est dégagé pour fixer des objectifs chiffrables au regard de la création d'emploi, en visant d'atteindre ou de dépasser le taux moyen de création d'emploi au Canada ainsi que des objectifs en ce qui concerne les capitaux investis. Pour les tenants de l'économie sociale, qui ont plaidé la pertinence de l'économie sociale non pas seulement pour la création d'emplois mais aussi pour la rentabilité sociale, la même question nous a été posée. Comment allez-vous évaluer cette rentabilité sociale ? Il n'y a pas de doute que le défi de l'évaluation est de taille. Comment évaluer l'impact de nos interventions au-delà de la création d'emploi ? Comment mesurer l'effet de mesures préventives en santé et services sociaux ? Comment évaluer les impacts sur la qualité de vie des personnes ? À quel moment pourra-t-on démontrer que l'action auprès de la petite enfance est rentable quand les effets réels seront ressentis seulement dans dix ans ? Les questions sont fort complexes, mais je crois que nous ne pouvons pas reculer devant de tels défis par crainte d'être mal compris ou mal évalués. Heureusement, au Chantier, nous avons déjà eu des offres de collaboration de plusieurs chercheurs parmi les plus chevronnés au Québec, particulièrement dans le domaine de la santé et des services sociaux, et nous espérons pouvoir bâtir des partenariats fort intéressants afin de relever le défi de l'évaluation.

Le dernier défi que je voudrais soulever est celui qui reste peut-être le plus délicat, car il est au cœur même de nos conceptions de démocratie, d'économie et d'équité. Il s'agit du défi de redéfinir en quelque sorte notre vision de l'État moderne, progressiste et de travailler à sa transformation afin de faire progresser l'ensemble de la société québécoise. La Révolution tranquille qui a permis de mettre en place l'État tel qu'on le connaît a été un grand progrès pour la société québécoise. Tout le monde en convient. On a eu droit à la création de services publics importants. On a enlevé l'arbitraire dans l'utilisation des fonds publics. On a mis en place des mécanismes de contrôle pour éliminer la corruption. Pour ce faire, des gens de bonne volonté, inspirés par le désir d'améliorer le sort de la collectivité québécoise ont mis en place de grandes structures étatiques et d'autres ont négocié au nom des travailleurs des conventions collectives leur permettant d'améliorer considérablement leurs conditions de travail et leurs salaires. Ce fut une époque de grande mouvance où fonction publique était synonyme de changement dynamique.

Aujourd'hui, peu de gens ont le réflexe d'identifier la fonction publique et nos appareils d'État, en général, à une grande force de changement dans la société. Trop souvent, ils sont perçus comme un obstacle et je ne parle pas ici des hommes et des femmes qui les composent, mais des mentalités, des cultures, des logiques mêmes sur lesquelles ils fonctionnent. Et ce sont ces logiques qu'il faut transformer.

Mais comment ? La réponse n'est pas simple. Certains mettent tous leurs espoirs dans les structures. Ces temps-ci au Québec, s'il y a une chose dont on discute davantage que de l'économie sociale, ce sont des structures.

Le vocabulaire utilisé semble porteur d'espoir : décentralisation, partenariat, fin des programmes, place aux parcours, aux fonds régionaux et locaux, et j'en passe. Mais qu'on parle de décentralisation, d'économie sociale ou de partenariat, les mêmes questions se posent : Quel sera le rôle de la société civile ? Quel rôle joueront les administrations publiques ? Qui seront les meilleurs prestataires de services ? À quel niveau doit-on gérer ou contrôler ces services ? L'économie sociale se trouve au cœur de ces questionnements. Si l'État doit assumer l'entière responsabilité de répondre à l'ensemble de nos besoins collectifs à l'intérieur de ses propres structures, trop souvent normalisatrices et « contrôlantes », l'économie sociale sert inévitablement à affaiblir l'État. Si l'État doit devenir l'État minimaliste du néolibéralisme, l'économie sociale doit nécessairement épouser les contours du « workfare » ou de la sous-traitance à rabais. Mais si nous croyons, comme je le crois, que les solutions d'avenir passent nécessairement à la fois par une société civile organisée, engagée et en mouvement et par un État dynamique, proactif, branché sur les réalités quotidiennes de sa population, si nous croyons que le renouvellement de la démocratie passe nécessairement par la réappropriation par nos populations, incluant les plus marginalisés, de leur propre développement individuel et collectif, l'économie sociale peut et doit se retrouver au carrefour de ces solutions.

Oui, les débats sur l'économie sociale sont loin d'être finis. Mais pour aujourd'hui, je crois qu'il est effectivement temps de conclure. Le problème, c'est qu'avec l'économie sociale, il n'y a pas encore de conclusions à tirer. Alors je peux simplement vous souhaiter bon travail, bon débat et vous remercier de votre patience !

❖ À propos du modèle québécois d'économie sociale[1]

François LAMARCHE
CSN

PRÉSENTATION

Vous le savez peut-être, la question de l'économie sociale fait l'objet de travaux et de discussions dans les rangs syndicaux depuis déjà un certain temps. Elle a d'ailleurs occupé une place importante lors du dernier congrès de la CSN. D'entrée de jeu, je tiens à dire l'intérêt que nous portons, à la CSN, à l'économie sociale comme lieu de solidarité et d'expérimentation démocratique en même temps que comme secteur représentant un réel potentiel d'emplois. Mais dans le contexte difficile qui se vit actuellement dans le secteur public, des appréhensions se manifestent à l'égard d'un risque de substitution d'emplois du secteur public par des entreprises d'économie sociale, particulièrement dans le domaine de l'aide à domicile. Je reviendrai sur ces appréhensions. Auparavant, je veux aborder certaines considérations plus générales, lesquelles, à mon avis, jettent un éclairage pertinent sur la nature de la crise actuelle.

1. Intervention de François Lamarche, conseiller syndical à la CSN, au colloque organisé par la revue *Nouvelles pratiques sociales* et tenu, à Montréal, le 13 mars 1997.

PREMIÈRE CONSIDÉRATION : LA CRISE DU SOCIAL

La crise de l'emploi aujourd'hui est en même temps la crise du social ou de notre manière de vivre en société, car l'emploi représente encore un vecteur déterminant de l'insertion sociale des personnes. Et parce que les caractéristiques de cette crise de l'emploi révèlent cette donnée relativement nouvelle que la seule croissance économique ne suffit plus à atténuer les problèmes du chômage et de l'exclusion, la question de la socialisation ou du lien social devient un problème politique qui concerne l'ensemble de la société.

Autrement dit, on ne peut plus prétendre aujourd'hui résoudre le problème de l'emploi (et réduire les inégalités qui en découlent) d'une manière strictement économique. C'est devenu un problème éminemment politique qui suppose qu'une réelle politique d'emploi s'inscrive dans une perspective résolument sociale. C'est cette perspective que porte notamment l'idée de l'économie sociale, c'est-à-dire celle de recomposer les rapports sociaux, les liens de solidarité entre les personnes dans leur milieu. C'est aussi cette perspective que sous-tendent des propositions comme la réduction et le partage du temps de travail avancées ces dernières années par le mouvement syndical.

En fait, on se heurte aujourd'hui à une tendance lourde qui s'est particulièrement raffermie depuis les années 1980 et qui véhicule une représentation du monde dans laquelle la sphère « économie » est vue comme une sorte de nature en soi (comme les lois de la physique), autonome, hors de la société en quelque sorte, donc transcendante et à laquelle seraient subordonnées les réalités sociales. Cette tendance, qu'on appelle « néolibéralisme », arrive à la limite à préconiser le désengagement social ou plutôt le désengagement des responsabilités sociales au nom d'une raison abstraite, celle de la libre concurrence ou des lois du marché. Dans ce sens, la crise du social est aussi une crise éthique, une crise des valeurs du « vivre ensemble » ou du vivre en société. Il me semble qu'un autre mérite actuellement de l'économie sociale ou de l'économie solidaire est celui de promouvoir les valeurs démocratiques et de penser l'économie d'abord en fonction de ses finalités sociales et du milieu dans lequel elle s'insère.

DEUXIÈME CONSIDÉRATION : LA CRISE DU POLITIQUE

Pendant la période de croissance qui a suivi la Deuxième Guerre mondiale, l'État-providence incarnait un principe de solidarité en assurant, à travers les politiques d'emploi et les politiques sociales de redistribution, les droits des personnes relativement à l'exclusion et à la pauvreté. Aujourd'hui, cet État est en crise à cause de la restructuration de l'économie, du caractère chronique

que tend à prendre le chômage et des pressions que cette situation exerce sur les finances publiques et sur les politiques sociales. Manifestement, le principe de solidarité qu'incarnait l'État de manière très institutionnalisée et centralisée (l'État « tutélaire ») est mis en cause. Évidemment, cette situation comporte des risques énormes de régression démocratique en raison justement de cette tendance au désengagement. Mais cette crise suscite aussi de nouvelles dynamiques démocratiques caractérisées notamment par le développement de mouvements associatifs et communautaires et par une volonté des populations locales de maîtriser ou du moins de participer à la prise des décisions qui les concernent.

Dans cette optique, il me semble qu'il ne s'agit pas de s'accrocher à l'intervention étatique qui, au Québec, a fait les beaux jours de la Révolution tranquille. Évidemment, il faut contrer avec énergie les initiatives actuelles visant le démembrement ou la privatisation des services publics. Mais il faut aussi favoriser de nouveaux modes d'intervention dans lesquels l'État et les acteurs, ou les groupes sociaux, à différents niveaux et dans divers lieux de l'espace social, apportent leur contribution à la question de l'emploi, aux problèmes d'insertion et, plus largement, à la recomposition des liens sociaux. Certains parlent d'un partenariat entre l'État et les différentes composantes de la société civile. D'autres (comme Jean-Louis Laville), d'un nouveau contrat social. Peu importe, à l'encontre du désengagement et du laisser-faire ambiant, la situation actuelle exige une prise de responsabilité et une implication des acteurs dans la recherche de solutions à des problèmes communs.

Du côté syndical, on a parlé au cours de la dernière année de la nécessité d'un nouveau contrat de solidarité sociale. C'est cette idée qui a amené des organisations syndicales à revendiquer la tenue d'un sommet socio-économique au Québec. Car, il faut peut-être le rappeler, la proposition de tenir ce sommet est d'abord venu du mouvement syndical. Il s'agissait par-là d'engager un processus impliquant les représentantes et les représentants des diverses composantes de la société québécoise en vue de débattre et, éventuellement, de dégager des points de vue convergents sur les choix de société à opérer dans le contexte actuel. Bien entendu, une telle démarche comportait ses exigences et n'offrait a priori aucune garantie quant aux résultats. Même avec ses risques, cette démarche demeure, à mon avis, préférable à des décisions prises en catimini, derrière des portes closes.

Les résultats du Sommet ne sont pas en soi spectaculaires et le suivi n'est pas toujours heureux au regard, particulièrement, de la situation actuelle dans le secteur public. Ce n'est pas mon propos ici d'en faire le bilan. Disons seulement qu'il y a des revers que le Sommet n'a pu empêcher, mais qu'il y a eu aussi des avancées positives en matière d'emploi et de réduction du temps de travail. Il y a eu également un débat sans précédent sur le problème de la pauvreté au Québec. Le Sommet a aussi été l'occasion de faire des avancées significatives dans l'économie sociale, pour ce qui est de la reconnaissance et de l'appui plus concret aux initiatives dans ce domaine.

TROISIÈME CONSIDÉRATION : LES CARACTÉRISTIQUES DE L'ÉCONOMIE SOCIALE

À la CSN, on a défini ainsi les principales caractéristiques de l'économie sociale :

a) Ce sont d'abord des activités qui répondent à des besoins socio-économiques identifiés par la communauté ;

b) Ces activités tentent de concilier les impératifs de nature économique et ceux de nature sociale ;

c) L'offre et la demande sont définies et réorganisées par les usagères et les usagers et par les personnes qui y travaillent ;

d) Il existe un contrôle démocratique direct sur la définition des besoins et l'offre des produits ou services[2].

C'est dire que cette économie qui crée du social ne peut pas en même temps être cantonnée dans des ghettos d'emplois, dans des « petits boulots » à la frange de la marginalisation et de l'exclusion. C'est pourquoi il faut s'assurer que ce secteur d'activités soit couvert par les lois du travail et soit ouvert à la syndicalisation. De même, il faut éviter à tout prix que l'économie sociale soit le domaine exclusif des programmes d'employabilité et des mesures d'insertion. Elle doit permettre le développement d'emplois durables dans différents domaines tout en contribuant, bien sûr, comme les autres secteurs d'activités, aux mesures d'insertion au marché du travail. Dans cette veine, il faudra surveiller de près l'application qui sera faite de la réforme de la sécurité du revenu afin de s'assurer que la responsabilité des mesures d'insertion incombe à l'ensemble des secteurs de l'économie et non exclusivement au secteur de l'économie sociale.

---

2. AUBRY, F. et J. CHAREST (1995). *Développer l'économie solidaire, éléments d'orientation*, Service de recherche CSN, octobre. Dans son rapport : *Osons la solidarité !* déposé au Sommet sur l'économie et l'emploi (oct. 1996), le groupe de travail sur l'économie sociale donne de celle-ci la définition suivante : « Pris dans son ensemble, le domaine de l'économie sociale regroupe l'ensemble des activités et organismes, issus de l'entreprenariat collectif, qui s'ordonnent autour des principes et règles de fonctionnement suivant : – l'entreprise de l'économie sociale a pour finalité de servir ses membres ou la collectivité plutôt que de simplement engendrer des profits et viser le rendement financier ; – elle a une autonomie de gestion par rapport à l'État ; – elle intègre dans ses statuts et ses façons de faire un processus de décision démocratique impliquant usagères et usagers, travailleuses et travailleurs ; – elle défend la primauté des personnes et du travail sur le capital dans la répartition de ses surplus et revenus ; – elle fonde ses activités sur les principes de la participation, de la prise en charge et de la responsabilité individuelle et collective. »

LES APPRÉHENSIONS SYNDICALES DANS LE SECTEUR PUBLIC

J'arrive maintenant aux appréhensions qui se manifestent du côté syndical, particulièrement parmi les syndicats du secteur de la santé et des services sociaux, à l'égard des projets d'économie sociale dans le domaine de l'aide à domicile. On sait que de tels projets sont en voie d'être mis en forme dans les suites des travaux du Chantier de l'économie sociale. Ces appréhensions concernent une éventuelle substitution d'emplois du secteur public, particulièrement les emplois d'auxiliaires familiales et sociales qu'on retrouve dans les CLSC. Malgré les assurances données lors du Sommet d'octobre, ces appréhensions sont alimentées par trois sources : l'importance des compressions budgétaires affectant le secteur de la santé ; l'insuffisance des ressources allouées aux CLSC malgré l'accroissement de leurs responsabilités dans le cadre du virage ambulatoire, y compris dans les services à domicile ; enfin, les prises de position, à divers niveaux de l'administration publique, en faveur de la sous-traitance ou de la privatisation de certains services.

En fait, même si la situation varie considérablement d'une région à l'autre et même d'un CLSC à l'autre, des tendances se dessinent dans l'organisation des services à domicile. Par exemple, selon une enquête réalisée auprès des 30 CLSC de la région Montréal-Centre, les services d'aide à domicile sont de plus en plus orientés vers l'assistance personnelle. Conséquemment, les services d'aide domestique, en particulier l'entretien ménager, sont de moins en moins offerts. Dans la grande majorité des CLSC, les soins d'hygiène et autres services d'assistance personnelle représentent 60 à 90 % des tâches des auxiliaires familiales et sociales. L'entretien lourd ne fait pas partie des tâches dans aucun CLSC. Toujours selon la même enquête, pour répondre aux besoins des personnes qui nécessitent un nombre élevé d'heures par semaine, les CLSC de la région Montréal-Centre achètent des services d'aide à domicile des agences privées. En 1994-1995, le montant de ces achats s'élevait pour la région à 8,2 millions de dollars pour un total de 829 409 heures travaillées[3].

Autres données importantes. Selon les prévisions démographiques du gouvernement du Québec, le nombre de personnes âgées de 65 ans et plus s'accroîtra de 60 % d'ici douze ans pour atteindre 15,3 % de la population totale[4]. Ce vieillissement de la population aura d'énormes conséquences. Selon une étude gouvernementale, la demande des personnes âgées de 65 ans

3. RÉGIE RÉGIONALE DE LA SANTÉ ET DES SERVICES SOCIAUX DE MONTRÉAL-CENTRE (1996). *L'aide domestique dans le cadre des services d'aide à domicile (rapport d'étape)*, avril.

4. MSSS (1994). *Services à domicile de première ligne, cadre de référence*, Québec.

et plus en soins de santé et en services sociaux est de 3,8 fois supérieure, en termes de coût, à ce qu'elle est en moyenne dans l'ensemble de la population. Compte tenu des projections démographiques, la même étude évalue que, suivant les coûts et les pratiques qui prévalent en 1991, la demande en soins et services autres que les services médicaux augmentera de 17 % en l'an 2001 et de 47 %, en 2016. Il s'agit là d'un scénario optimiste parce que, selon d'autres hypothèses, ces augmentations pourraient atteindre 22 % en 2001[5].

Ces données illustrent l'importance que prendra la demande en soins et services dans les années à venir, y compris dans le domaine des services à domicile. C'est à ce nouveau marché que se prépare activement le secteur privé. Par exemple, le réseau d'agences franchisées *We Care,* qui a déjà 45 agences dans l'Ouest canadien et en Ontario, projette d'implanter au Québec 40 franchises d'ici 5 ans à partir de son bureau de Sainte-Foy. Une multinationale des soins à domicile, Olsten Kimberly, laquelle possède 600 bureaux en Amérique du Nord, cherche actuellement à développer ses activités au Québec[6]. Autre exemple, chez nos voisins du Sud : American Home Patient Inc. est une des principales entreprises américaines spécialisées dans les soins et autres services à domicile. Son expansion est fulgurante. En 1995, le chiffre d'affaires de l'entreprise atteignait 250 millions de dollars alors qu'il était de 63 millions de dollars l'année précédente. Home Patient a déjà ses entrées au Canada, car 41 % de ses actions ont été acquises par une importante société immobilière de Toronto, Counsel Corp [7].

En réalité, c'est davantage de ce type d'entreprises que risque de venir la concurrence aux services et aux emplois du secteur public. Devant cette situation, il me semble que le choix n'est pas très difficile à faire : il faut favoriser les entreprises d'économie sociale qui n'ont pas grand-chose à voir avec la stricte rentabilité économique qui fait marcher le secteur privé. Mais afin d'éviter les doublements et les conflits sur le terrain, il est aussi important de préciser des balises qui clarifient et départagent les responsabilités des uns et des autres dans les services à domicile. Les besoins dans ce domaine sont grands et ils ne relèvent pas tous a priori du secteur public. Par exemple, une personne âgée peut vouloir bénéficier d'une aide pour réaliser des travaux d'entretien chez elle sans que cette aide soit prescrite à cause d'une incapacité particulière. De même, une mère de jeunes enfants peut avoir besoin d'un soutien pour des tâches familiales, sans que ce besoin s'explique pour des raisons psychosociales ou relève de la responsabilité du CLSC. Les projets

5. ROCHON, Madeleine (1994). *Impact des changements démographiques sur l'évolution des dépenses publiques de santé et des services sociaux*, Direction générale de la planification et de l'évaluation, juillet.

6. Voir *Le Soleil*, 4 mars 1996 et *Les Affaires*, cahier spécial, 14 décembre 1996.

7. Voir *Canadian Business*, vol. 69, nº 1, 1er janvier 1996.

d'économie sociale peuvent constituer une réponse utile et efficace pour ces autres besoins d'autant plus que, à la différence des agences privées, ils cherchent à s'inscrire dans la dynamique sociale d'un milieu et peuvent contribuer au resserrement du tissu communautaire ou des réseaux d'entraide et de solidarité.

Étant donné les appréhensions actuelles, il serait opportun que, à l'exemple d'une initiative récente en Montérégie, des rencontres se tiennent entre les responsables de projets d'économie sociale, les représentantes et les représentants des organismes communautaires et des syndicats concernés. Les responsables du Chantier de l'économie sociale pourraient être les instigateurs ou du moins appuyer de telles rencontres. De plus, nous croyons que les syndicats œuvrant en CLSC devraient être associés à la définition de projets d'aide à domicile sur le territoire desservi par leur établissement afin de minimiser les risques de conflits et de favoriser la coopération sur le terrain[8].

CONCLUSION

Dans le contexte actuel de crise et de transformations, il est certes essentiel de poursuivre la lutte contre les coupures et les initiatives de privatisation des services publics. Mais il est aussi essentiel pour le mouvement syndical de lier et d'articuler la défense des intérêts immédiats de ses membres à des perspectives plus larges de développement social et de gains démocratiques. Sans cette articulation, les syndicats risquent de se retrouver coupés du reste du mouvement social et engagés sur la voie du corporatisme.

L'économie sociale est un bon exemple de questions où cette articulation doit s'opérer, dans la mesure, évidemment, où les initiatives dans ce domaine alimentent les dynamiques de solidarité et poursuivent des objectifs de développement social. Mais même dans cette perspective, des ambiguïtés et des zones d'ombre subsistent, particulièrement dans des domaines connexes aux services publics comme l'aide à domicile. Du côté syndical comme du côté des promoteurs de projets d'économie sociale, il faut chercher à lever ces ambiguïtés. Car, à l'encontre des tendances au désengagement, de tels projets peuvent permettre de répondre à divers besoins du milieu, en développant des services complémentaires au secteur public, en collaboration plutôt qu'en concurrence avec ce dernier. Manifestement, c'est la voie à privilégier !

8. À ce sujet, voir un document de travail déposé au Conseil confédéral de la CSN, *L'économie sociale et le respect des responsabilités dévolues au secteur public : la question de l'aide à domicile*, mars 1997.

❖ Le compte rendu

La fin du travail

Jeremy RIFKIN
Traduit de l'américain par Pierre Rouve.
Éditions La Découverte/Boréal
1996, 436 p.

Moins d'un an après la parution de ce document en version originale (*The End of Work : The Decline of the Global Labor Force and the Dawn of the Post-Market Era*) est éditée cette traduction intégrale. Elle peut être importante pour le lectorat de *Nouvelles pratiques sociales* puisque Rifkin y « consacre 70 pages substantielles à l'économie sociale, justement parce qu'il a posé un diagnostic sur la crise de l'économie marchande et publique » (Lemieux et Vaillancourt, 1997). Cet ouvrage nous a intéressé par son impact sur le phénomène du loisir et la problématique retenue, et sur le social et communautaire, conséquemment à des travaux relatifs à l'économie sociale (*workfare*, Réforme Harel, etc). Comme s'interrogent Lemieux et Vaillancourt : « Comment donc tolérer l'exclusion, la montée de la pauvreté, la détérioration de l'État et se permettre d'ignorer les possibilités de l'économie sociale en favorisant le statu quo ? » Rifkin aborde ici largement cette question avec les thèmes de la fin du travail, du nouveau partage social avec le tiers secteur et de « l'option entre le loisir ou l'oisiveté ».

Diplômé, entre autres, en finance et en commerce, Rifkin est président fondateur de Fondation on Economic Trends à Washington et de différentes fondations. Il a publié une quinzaine d'ouvrages dont sept sont cités dans la bibliographie de langue française. *Entropy* (1980) et *La fin du travail* lui valent de nombreuses invitations comme conférencier *(keynote speaker)*. La douzaine d'autres portent sur la technologie et les tendances économiques. Depuis un an, il est apparu dans des ouvrages didactiques *(textbooks)*, des vidéos, une dizaine d'émissions de télévision et il a été reçu comme personne-ressource par 300 universités (*Putnam/Berkley*). Ce livre, en français comme en anglais, a tenu plusieurs mois la vedette scientifique ou populaire. Mario Roy (1996)[1] le présente comme l'essai de l'année, marquant un tournant de civilisation. Fredet dit qu'il est publié dans quinze pays. Dans Internet, vérifié à trois reprises, Alta Vista donne sur l'auteur 5 000 références dont environ 2 000 sur l'ouvrage en anglais et 17 sur le français. Par contre, au dernier trimestre, les sites français ont doublé leurs références et les sites anglais ont soit diversifié les documents supports ou ils ont associé Rifkin à d'autres scientifiques dans les analyses ou bibliographies (O'Hara, par exemple). Nous y renvoyons le lecteur, car nous ne disposons pas de l'espace nécessaire pour donner les références.

Heureusement, le titre français est différent de l'original, ce qui a beaucoup contribué à poser la question du travail ; par contre, on peut aussi le déplorer, car le sous-titre anglais élargissait la perspective : *The Decline of the Global Labor Force; The Dawn of the Post-Market Era.* Divisé en cinq sections d'environ 70 pages chacune pour la version française, l'ouvrage présente dix-huit chapitres où titres et sous-titres peuvent servir de repères mnémoniques, significatifs seulement si on a analysé le texte dans son ensemble. Les cinq parties portent les titres suivants : *Les deux visages de la technologie. La troisième révolution. Le déclin mondial du travail. Le prix du progrès. L'aube de l'ère postmarchande.* On traite donc des tendances économiques et techniques – où s'insère notre analyse sociale à incidence politique et celle du loisir. Par les documentalistes, ce livre est classé en sociologie du travail, et recommandé pour des cours sur l'économie, la société et la théorie sociale, et, tout dernièrement, sur l'éthique et la société.

CLÉS D'INTERPRÉTATION

Nous indiquons d'entrée de jeu quelques clés, à expliquer en cours d'analyse et, selon nous, requises pour bien saisir le sens de l'ouvrage ; elles seront marquées d'un astérisque dans ce texte. Deux expressions sont utilisées comme *métaphores génératives :* « l'effet de percolation* » *(trickle-down technology)* et « à flux tendus* » *(lean production)* ; deux concepts ont des variantes linguistiques : « tissu social* » et « tiers secteur* » ; quelques termes techniques méritent aussi d'être signalés : « manipulateurs d'abstraction* », « travailleurs du savoir* » *(symbolic analysts)* « reengineering* » ; « reconfiguration* » *(downsizing)*, etc.

1. Roy, Mario (1996). « Le cercle identitaire », *La Presse*, décembre.

LE DÉCLIN MONDIAL DU TRAVAIL ET L'AUBE DE L'ÈRE POSTMARCHANDE

Pour chacune des parties seront indiquées, en bref, l'idée de base et quelques phrases bien ciselées ; et la dernière partie plus analysée eu égard à la mission de cette revue. Passons d'abord à l'introduction en citant une série de phrases-chocs !

> Huit cents millions d'humains sont sans emploi ou sous-employés.
>
> Les nouvelles technologies de l'information et de la communication jettent dans une 3ième révolution industrielle.
>
> Elles pousseront nos pas vers une vie de loisirs plus développés, ou déboucheront sur un chômage massif [...]
>
> Nous sommes à l'orée d'un monde sans travailleurs. L'unique secteur émergent est celui du savoir.
>
> Les technologies de l'information et de la communication disjoignent la population du monde en deux forces : une nouvelle élite de manipulateurs d'abstractions* [*symbolic analysts*] contrôlant technologies et forces productives, et une masse croissante de travailleurs constamment ballottés, ayant peu d'espoirs de trouver un emploi porteur de sens dans la nouvelle économie planétaire.

Dans la première partie, le chapitre 1 pose la fin du travail comme un constat global et deux causes principales sont identifiées : « les nouvelles technologies informatiques » et la vague du *reengineering**, les chefs d'entreprises « reconfigurant [...] pour mettre à l'heure de l'informatique. Chemin faisant, ils éliminent des strates de gestion traditionnelle, compressent, raccourcissent, rationalisent » (p. 26). Un chômage d'une ampleur jamais connue semble inévitable. Le chapitre suivant, intitulé « l'effet de percolation »* (*trickle-down technology*) et les réalités du marché, construit autour de cette métaphore, pose le même problème, à partir de l'évolution historique cette fois. *Trickle-down technology*, est l'expression la plus complexe à traduire, si l'on veut qu'elle demeure une métaphore générative de connaissance, et non une simple image familière. En effet, *trickle-down* peut être une théorie, un effet ou un « concept complexe ». « *Trickle-down as theory means that financial benefits given to big business will in turn pass down to smaller businesses and consumers.* » (Webster, 1989) *Trickle-down effect* s'en approche, en économique et en sociologie du moins : « *A term associated with neo-classical economics, referring to the alleged tendency for economic growth in an unequal society to benefit the population as a whole, via the eventual downward percolation of wealth to the lowest strata.* » (Marshall, 1994) Ce concept se comprend enfin dans le contexte des systèmes complexes, nouveau vocabulaire pour décrire les phénomènes fondamentaux à large échelle et qui introduisent de nouveaux paradigmes. Percolation figure parmi la douzaine d'expressions familières avec *chaos, fractals, biocomplexity, learning systems,* etc. Le concept original, *trickle-down*, est donc à prendre ici scientifiquement comme théorie, effet ou concept complexe, et non familièrement seulement, comme l'image d'infusion du café. Ce point étant précisé, les sous-titres parlent d'eux-mêmes : *les Années Folles ; l'évangile de la consommation de masse ; le mouvement pour le partage du travail ; le New Deal ; le monde de l'après-guerre ; les nouvelles réalités ; se recycler pour faire quoi ? ; le déclin du secteur public.*

La deuxième partie de l'ouvrage explicite la troisième révolution industrielle (robots, ordinateurs et logiciels). Rifkin l'illustre : par-delà les technologies de pointe ; la transition vers une société de l'information presque dépourvue de travailleurs. « Des robots à commandes numériques, des ordinateurs et des logiciels ultra sophistiqués savent de mieux en mieux exécuter les tâches de conception, de gestion, d'administration et de coordination des flux de la production. » (p. 94) Le chapitre sur les Noirs américains constitue une « étude de cas » extrêmement éloquente relativement aux « sacrifiés de la société ». La cybernétisation est en train d'éliminer les boulots noirs (Boggs : 114). Emplois non qualifiés, délocalisation, etc., sont remplacés par l'émergence des industries de l'intelligence et de l'information. « Le Noir quitte son état historique d'oppression pour tomber dans l'inutilité ; il passe du statut de force de travail exploité à celui d'exclu. » (Wilheim, 1970) Les Noirs, sortis du collège, entrent dans la fonction publique et sont amenés à administrer eux-mêmes « leur propre dépendance » (*welfare colonialism*, p. 116). On assiste à une reconfiguration* radicale (*downsizing*) du fonctionnement de l'entreprise et à de fortes réductions des effectifs qui éliminent les emplois par millions. « Aucun groupe n'est frappé plus durement que celui des cadres moyens. » (p. 146) C'est le passage à la production à « flux tendus* » *(lean production)*. Pour traduire cette expression, Rouve fait une périphrase sur la métaphore anglaise et interchange ensuite les termes. La production est dite indifféremment « au plus juste », « allégée », « compétitive », « maigre », « juste à temps » ou encore « à flux tendus* », cette dernière étant la préférée du traducteur. Cette production exige moitié moins d'effort à l'usine, moitié moins d'espace, moitié moins d'investissement machine ; elle demande des stocks largement inférieurs, engendre beaucoup moins de défauts et permet de fabriquer une variété beaucoup plus grande de produits (p. 140).

Dans la troisième partie, l'auteur traite du déclin mondial du travail : plus de paysans ni de cols bleus ; le dernier travailleur du tertiaire a déjà été embauché ; c'est l'arrivée des cols « cyber ». Les robots vont s'approprier de plus en plus la machinerie économique, laissant toujours moins de place à la participation humaine. Dans la quatrième partie, le prix du progrès, on énumère quelques gagnants mais beaucoup de perdants. La révolution de la réingénierie a engendré 92 % d'augmentation de bénéfices. Les salaires des dirigeants ont augmenté de 220 %. Mais chez les « faibles », 75 % acceptaient des salaires inférieurs à ceux qu'on leur versait 10 ans plus tôt. Le « Requiem de la classe ouvrière » présente un monde contrasté : d'un côté, une high-tech étincelante d'ordinateurs et de robots, propres, silencieux, hyperefficients, de l'autre, des millions de travailleurs aliénés, victimes de stress de plus en plus intenses dans un cadre de travail ultra-technicisé et où la précarité de l'emploi est croissante. La nouvelle armée de réserve, ce sont les agences de travail temporaire.

LE TIERS SECTEUR ET L'ÉCONOMIE SOCIALE : APPORTS À LA SOCIÉTÉ ET MESURES À INSTAURER

La civilisation se trouve à la croisée de deux voies où se dressent les choix suivants : 1) le partage des gains, la réduction du nombre d'heures de travail faite, l'augmentation régulière des salaires ; et 2) une analyse plus sérieuse du troisième secteur. Ce secteur, mieux appelé le tiers secteur*, n'est pas à confondre avec le secteur tertiaire. Dans l'ouvrage anglais sont indexés 13 termes se rapportant à ce secteur (*High tech, Labor Work Force, Workweek Unemployment ; Productivity, Consumption , Management, Re-engineering, Government ; Social, Service Sector, Third Sector*) ; et *Third/volunteer sector* comprend 17 points renvoyant tous aux trois derniers chapitres. Pour distinguer le tiers secteur du « secteur marchand et du secteur public », on utilise en anglais l'expression *Third Sector* qui, contrairement à l'économie de marché ou d'État, « intègre des gains plus sociaux ». La cinquième partie, Rifkin traite de ce tiers secteur à l'aube de l'ère postmarchande et du passage à un temps libre « positif » et soutient qu'un nouveau contrat social est requis.

« Le remplacement généralisé du labeur humain par celui des machines laisse la masse des travailleurs privée d'identité, sans plus aucune fonction sociétale. » (p. 313) Les entreprises planétaires n'appartiennent plus à aucune communauté humaine et ne sont enracinées nulle part. Le déclin du rôle des secteurs marchands et publics va affecter la vie des travailleurs selon leur situation : pour ceux qui conserveront un emploi, on assistera à la réduction du temps au travail et à une augmentation du temps libre, mais ils seront assaillis par la consommation ; pour les sans-emploi, il se produira un enfoncement inexorable dans un sous-prolétariat permanent.

Rifkin propose alors de renforcer le tiers secteur par un travail volontaire dans le secteur sans but lucratif (*non profit sector*) et un capital social payé par le gouvernement. Une taxe de valeur ajoutée sur les biens de haute technologie aiderait à le financer. Un rôle nouveau est proposé pour l'État : impulser « une redistribution maximale des gains de productivité du secteur marchand vers le tiers secteur afin d'approfondir les liens de solidarité et de proximité et les infrastructures locales» (p. 329). Le bénévolat jouerait un rôle accru même si 51 % donnent déjà de leur temps à raison de 4,2 heures par semaine. Pour une aide financière au travail bénévole, Rifkin propose une déduction fiscale pour toute heure de bénévolat pour un organisme légalement agréé. Un salaire social pour le tiers secteur est envisagé pour reconstruire le tissu social*. L'expression «tissu social*», assez précise dans les milieux communautaires au Québec, a retenu notre attention par son apparente précision en traduction et sa fréquence dans les derniers chapitres du livre. Voici quelques passages où les expressions anglaises soulignées ont été traduites par «tissu social». *To rebuilt communities and create the foundations for a caring society* (p. 258). *To fill a vacuum left by the retreat of both the private and public sectors from the affairs of local communities* (p. 283). *The re-establishment of community* (p. 285). *The renewal of community life* (p. 290). *The rebuilding of social commons* (p. 295). Pour bâtir les fondations d'une société plus humaine, il faut s'impliquer dans la construction du tiers secteur et dans la régénérescence du tissu social. Voici sur cette thématique quelques citations.

> [...] en versant des «salaires virtuels» à des millions qui consacreront davantage de leur temps à des activités bénévoles dans le cadre de l'économie sociale, en garantissant un salaire social aux chômeurs et pauvres désireux de travailler dans le tiers secteur, on fait le premier pas d'une longue transition du travail comme prestation marchande [...] au travail comme service communautaire [...] (p. 356-357)
>
> On pourrait instituer une échelle mobile des dons caritatifs indexée sur les augmentations de productivité par branche et par secteur. (p. 356)
>
> [En ce cens, pour Lemieux et Vaillancourt], l'économie sociale pourrait devenir un passage obligé.
>
> C'est en inventant de nouvelles alliances entre l'État et le tiers secteur que l'on construira des collectivités solidaires, autonomes et durables dans tout le pays.» (p. 357)
>
> [Donc] salaire social en échange d'un véritable travail en économie sociale. (p. 343)
>
> La participation démocratique au niveau local, la restauration du tissu social, le service rendu à autrui et un sentiment de responsabilité à l'égard de la communauté biotique sont les valeurs qui imprègnent les nouveaux militants du tiers secteur. (p. 370)
>
> Ils ont en commun de croire en l'importance du travail au service de la collectivité et de la création de capital social. Si cette valeur commune pouvait être transformée en sentiment d'une identité et d'un objectif communs, nous pourrions redessiner la carte politique. (p. 382)

La scène se clôt sur une postface : c'est aller à la catastrophe ou « taxer une partie de la richesse engendrée par la nouvelle économie de l'information et, en la canalisant vers les collectivités locales, la création d'emplois et la reconstruction du tissu social » (p. 382). C'est l'équilibre à trouver entre les trois forces : marché, État et tiers secteur ; l'essentiel est alors de remobiliser.

Le loisir, très lié à la trame de fond de l'ouvrage et à l'économie sociale est, en version un, un gain constant choisi et réalisé, mais en version deux, du temps gagné pour le chômage ou pour le loisir. On fait « le rêve qu'un jour la science et la technologie ouvriront les portes d'un paradis terrestre d'abondance et de loisir » (p. 88). Tout y passe : activités de loisir et temps de loisir ou vie de loisir, mais aussi temps partagé pour permettre du travail et du loisir pour tous, une société de loisirs, un paradis de loisirs ! Mais il faudra choisir. Les deux visages de la technologie dirigeront nos pas vers une vie de loisirs plus développée ou déboucheront sur un chômage massif. « Le temps libre est une certitude. À nous simplement de choisir entre chômage et loisir. » (p. 296) Pour l'avenir, « les talents et l'énergie conjugués de ceux qui jouissent de leur temps libre et de ceux qui subissent une oisiveté forcée pourraient être dirigés vers la reconstruction de milliers de collectivités locales et la création d'une troisième force qui fleurirait indépendamment du marché et du secteur public » (p. 317). Ou bien « ce temps libre » leur sera imposé à leur corps défendant, sous forme de temps partiel, et de chômage, ou bien il sera le temps du loisir, fruit du partage des gains de productivité, de la réduction du temps de travail, etc. (p. 326-327).

RÉSUMÉ, TRADUCTION ET COMMENTAIRES

Avant la parution de son ouvrage en anglais, Rifkin (1995) a présenté un résumé de son message ; après la traduction, il publie, juste avant les élections américaines de 1996, un texte à saveur politique faisant le point sur les mesures proposées et demandant un débat public sur le futur du travail (*Vanishing Jobs*, *Mother Jones*). Fredet (1996), du *Nouvel Observateur*, structure en enchaînements logiques, comme suit :

1. La révolution de l'information n'a rien à voir avec les précédentes.
2. Il est donc inutile d'espérer que le système absorbera les emplois détruits.
3. Ces nouveaux emplois ne sont pas des emplois pour tous.
4. Au dernier cercle, ce sont les manipulateurs de symboles ou les ouvriers de la connaissance.

Mais le dernier thème de l'ouvrage, l'ère postmarchande et le rôle du tiers secteur pour le tissu social et le temps libéré, n'est pas alors résumé. Putnam / Berkley (1997) le font en énumérant en cinq points : la semaine de 30 heures ; les salaires sociaux ; les salaires virtuels (*shadow wages*) ; l'augmentation d'emploi au tiers secteur ; les incitatifs de taxe et d'impôt pour chômeurs ou sous-employés ; le partenariat entre les trois secteurs.

La traduction ne se limite pas à un mot à mot technique, mais tente de rendre le sens au complet – bien que parfois au prix d'expressions multiples, comme pour *lean production*. Par contre, des expressions sont souvent trop propres à la France pour s'adresser à l'ensemble du lectorat francophone : crèche, RMI, par exemple. Nous avons déjà noté et défini les termes marqués d'un astérisque. Pour compléter, *overload, burn out,* sont-ils bien rendus par « usés » ou « en panne », « déconnectés » *? The Silicon-Collar Workforce,* les cols « cyber », dit Rouve, mais « les cols de silicone », dit mieux, selon nous, Mario Roy. Cependant, malgré des accentuations de la traduction comme pour « tissu social », ou des atténuations de celle-ci comme avec « flux tendus », le lecteur est arrimé à la réalité évoquée par l'auteur, et le lecteur français y retrouvera même ses nomenclatures et ses institutions. Quelques lettres d'alphabet furent économisées vers la fin du volume (p. 315), mais ce ne sont qu'une dizaine d'exceptions, comme si, pour cette dernière section, on n'avait pas imprimé le dernier fichier corrigé. Enfin, les notes infrapaginales, toutes traduites, ce qui est rare, varient de 20 à 83 par chapitre (p. 385-423). La bibliographie, de 150 titres, offre comme particularité de fournir pour l'auteur cité les références aux œuvres traduites ou aux publications en français sur un thème analogue.

Rifkin semble ne laisser personne indifférent. Certains parlent de l'homme, de son intégrité et de sa compétence (charlatan, activiste, *self-promotor*), ou le voient de façon ambivalente (prophète ou rhéteur [Purdy]) ; d'autres sont « enchantés » : *a widely acclaimed book*, « audace et expertise » (prix Nobel en économie) ; prophète social et moral (*New York Time);* « livre fondamental » (*Nouvel Observateur); A lucid concatenator and popularizer of important information, served up for easy digestion* ; *ultimately hopeful*. Enfin, certains apportent des précisions *:« Technology is not so much a matter of machines as the use of knowledge, and this imply the appropriate use of knowledge.* » (p. 7) Le *National Journal* le situe comme une des 150 personnes aux États-Unis « *with the most influence in shaping Federal policy* ». La revue *Dossier*, spécialisée en bibliographies scientifiques, lui attribue une cote de crédibilité de 9 sur 10 « *for political science* ». *Rifkin's prescriptions are thorough, thought-provoking and [...] as radical as reality itself.* » *(New York Newsday)* « *His work is an attempt to stimulate dialogue with the aim of bringing about a society that is just, a society in which all members* *can feel a sense of belonging and contribution»* (Zvalo : 3), *a rebirth of the human spirit*, dit Rifkin.

Rifkin n'apparaît plus seul maintenant, le dialogue est entrepris. Avec d'autres chercheurs, il a participé aux deux conférences organisées par Job-Tech (Chicago) sur l'un des quatre thèmes de fond d'un ouvrage didactique, où il demeure le plus cité en index. À Toronto, en 1997, *Creating Healthy Workplaces* avec des intervenants à *Technology, Employment and Community* (California 1996). On ne peut plus parler d'utopie pure : en Europe et au Canada, il est déjà en partie expérimenté, nous dit-on, en Ontario, à Calgary (*Work well experiences*) et, avec réticences, à Vancouver, où un débat de non-pertinence à cette ville l'a fait bouder par les journalistes.

La fin du travail de Rifkin est un livre *incontournable* « dans lequel on n'entre pas impunément ». Mario Roy, dans *Le Devoir*, se pose la question suivante : « Célébrera-t-on la Fête du travail devant la Soupe populaire ? » D'autres ajoutent que la conclusion, le salaire social, relève d'un acte de foi. « Mais quels qu'en soient les défauts, son livre a toutes les chances de rester le symbole d'une prise de conscience au seuil du monde occidental de la précarité de la société salariale[2]. » Le lire amène à le consulter de nouveau et change notre analyse de la réalité et nos questionnements, même pour des « *symbol analysts* » en sociologie, en travail social ou en sciences du loisir ! On peut même l'utiliser en enseignement : séminaires sur la troisième révolution industrielle, l'ère postmarchande ou le tiers secteur, et compléter l'écrit par le vidéo et les émissions de télévision.

Jean-Louis PARÉ
Département des sciences du loisir
Université du Québec à Trois-Rivières

2. *Le mensuel* (octobre 1996)

Autres parutions

J'ai lu pour vous

Diane Champagne
Département des sciences sociales et de la santé
Université du Québec en Abitibi-Témiscamingue

Femmes immigrantes à Sherbrooke: modes de vie et reconstruction identitaire
Michèle V. Laaroussi, Diane Lessard,
Maria Elisa Montejo et Monica Viana (1996)
Collectif de recherche sur les femmes et le changement,
Sherbrooke, Université de Sherbrooke, 261 p.

Cette recherche s'intéresse aux modalités de la reconstruction identitaire de femmes immigrantes de la région de Sherbrooke et se préoccupe de comprendre leur vécu au quotidien. L'échantillon est composé de 27 femmes, de 18 pays d'origine, de cinq religions et de divers statuts socioprofessionnels et familiaux. Les outils de collecte des données sont variés et originaux (journal du quotidien, carte des réseaux significatifs, historiettes, mises en situation et entrevues en profondeur). Le contexte perceptuel dans lequel évoluent ces femmes est également pris en considération par des entrevues réalisées auprès de 24 organismes privés et publics de Sherbrooke, œuvrant principalement dans le domaine de la santé, du travail, de la famille et des femmes.

Les analyses permettent de relever trois types de stratégies de reconstruction identitaire d'où émergent trois référents importants: le travail, la religion et la famille. La première stratégie identifiée est celle du « métissage » qui est défini comme la combinaison entre la culture d'origine et la culture québécoise, entre le travail et la famille. Dans cette stratégie, ce sont les savoirs de tous ordres qui sont valorisés et ces femmes se voient reconnues dans leur milieu. Une deuxième stratégie est celle que les chercheures nomment « le fil conducteur ». Selon cette stratégie, c'est la notion du devoir qui vient guider les agirs et les représentations. Pour ces femmes, les référents importants sont la religion, le métier et les enfants. Ainsi, elles démontrent de grandes capacités d'adaptation fonctionnelle, sont très mobiles géographiquement et s'inscrivent dans un rapport d'extériorité avec la région. La dernière stratégie identifiée est la stratégie séquentielle qui consiste à multiplier les différentes facettes d'adaptation selon les conjonctures afin de se faire une place sociale reconnue.

La particularité et l'originalité de cette recherche réside également dans la composition de l'équipe de recherche qui se caractérise par sa multidisciplinarité et sa diversité culturelle. En effet, trois des chercheures sont des femmes immigrantes provenant de disciplines différentes.

En conclusion, nous retrouvons une série de recommandations qui interpellent la région d'accueil à travers ses organismes de développement socio-économique par la place qu'elle réserve à ces femmes immigrantes. En somme, il s'agit d'un rapport de recherche qui a beaucoup à nous apprendre sur la connaissance des femmes immigrantes.

Quand on reçoit de l'aide pour l'entretien domestique...

Michelle Duval (1996)
Résultats de l'enquête
menée auprès des bénéficiaires de Défi-Autonomie
Antoine-Labelle, 73 p. plus annexes

Ce rapport de recherche s'est attardé à un volet de la mission de Défi-Autonomie, soit celui de favoriser le maintien à domicile de personnes en légère perte d'autonomie en leur offrant des services d'aide domestique. Cette étude a été conduite sur le territoire de la MRC d'Antoine-Labelle dont Mont-Laurier est la ville centrale. Pour dispenser ses services, cette entreprise sans but lucratif embauche des prestataires de la sécurité du revenu qu'elle forme et qu'elle accompagne dans leur démarche d'insertion en emploi. Ce volet de l'insertion professionnelle n'est cependant pas abordé dans l'étude.

Le premier chapitre du rapport expose le cadre théorique en précisant la notion d'emploi, d'utilité sociale ainsi que les besoins en aide domestique des personnes âgées en perte d'autonomie, décrivant la façon dont ces besoins sont satisfaits et les obstacles au développement de l'emploi dans ce secteur. Au chapitre suivant, nous retrouvons une description des services offerts par Défi-Autonomie suivie de la présentation de la méthodologie d'enquête. Les autres chapitres portent sur les résultats de l'étude et offrent des réponses aux questions suivantes : Qui sont les personnes qui reçoivent les services et comment les utilisent-elles ? Comment s'organisaient-elles auparavant ? Quelle vie sociale ont-elles ? Quels changements a amenés dans leur vie le fait de recevoir ces services ? Comme le souligne l'auteure du rapport, les différentes conclusions tirées de cette étude pourront servir d'assises à l'expérimentation du modèle Défi-Autonomie qui est développé dans neuf autres régions du Québec[1].

La compétence des familles : temps, chaos, processus
Guy AUSLOOS (1995)
Saint-Agne, Éditions Erès, 173 p.

Un livre sur l'intervention auprès des familles rédigé par Guy Ausloos qui reflète l'expérience de sa carrière comme praticien et théoricien systémique. La perspective adoptée est de chercher à se laisser pénétrer par le mystère de la famille compétente plutôt que de s'efforcer de trouver des solutions pour traiter la famille.

L'ouvrage se divise en trois parties correspondant aux principales réflexions de l'auteur. La première traite de l'importance du temps dans l'action thérapeutique. Ausloos aborde l'influence de la deuxième cybernétique, qui insiste sur l'autoréférence et l'auto-organisation, ainsi que du constructivisme, qui postule que nous déchiffrons le réel à l'aide de nos cartes théoriques et que ces cartes modifient notre perception de la réalité. La deuxième partie aborde la question du chaos qui révèle une richesse de créativité. Pour atteindre cette créativité, il faut être capable de lâcher prise, d'abandonner nos constructions théoriques pour s'immerger au niveau du processus. La dernière partie concerne le processus qui doit permettre de faire circuler l'information autour de ce qui vient de se passer.

La présentation du livre est stimulante par les extraits de situations cliniques qui illustrent les réflexions théoriques.

Comprendre la famille
Actes du 3e symposium québécois de recherche sur la famille
Jacques ALARIE et Louise ÉTHIER (sous la direction de) [1996]
Québec, Presses de l'Université du Québec, 489 p.

Il s'agit d'un symposium québécois de recherche sur la famille réunissant des chercheurs et des intervenants préoccupés par la question de la famille. Il a donné lieu à la publication d'un ouvrage qui réunit 26 communications présentées alors.

1. Les personnes intéressées à se procurer ce rapport peuvent s'adresser au Centre de gestion des coopératives, École des Hautes Études Commerciales, 3000, chemin de la Côte-Sainte-Catherine, Montréal (Québec), H3T 2A7. Téléphone (514) 340-6011 ; télécopieur (514) 340-6995 ; courrier électronique : Centre gestion-coop@hec.ca.

Les articles de cet ouvrage sont groupés autour de cinq grands thèmes : la transformation de la famille et des rôles familiaux ; l'entraide familiale, communautaire et la prévention ; les problèmes familiaux et les pratiques d'intervention ; les pratiques juridiques et sociales ; l'insertion socio-économique et culturelle de la famille.

En somme, il s'agit d'un ouvrage qui sera fort apprécié de ceux et celles qui s'intéressent au domaine de la famille.

Les suicides d'être de jeunes québécois
Francine GRATTON (1996)
Québec, Presses de l'Université du Québec, 338 p.

L'étude de Francine Gratton aide le lecteur à comprendre le sens caché du suicide chez les jeunes. La perspective théorique adoptée est celle du sociologue Max Weber qui s'inspire d'une philosophie existentielle et d'une conception phénoménologique de la connaissance. C'est par une analyse detaillée des histoires de vie de cinq jeunes suicidés que l'auteure cherche à comprendre la signification qu'ils ont donnée à leur acte de mort.

L'analyse comparative de ces histoires de vie pose le suicide comme un geste « sensé », un suicide d'être qui met en cause les valeurs qui poussent un jeune au suicide et les ressources dont il dispose pour les réaliser. Pour l'auteure, le danger de suicide est important lorsqu'il y a rupture entre valeurs et ressources. Toutefois l'incapacité à établir la jonction entre valeurs et ressources ne se présente pas de la même façon chez tous les jeunes suicidés. Quatre idéaltypes de suicide en résultent. Le premier se caractérise par « l'outrance » des valeurs personnelles. C'est ce que Gratton nomme le suicide de l'idéaliste qui, en raison de ses valeurs trop exigeantes, n'arrive plus à se contenter et à vivre de ses ressources. Le second se définit par l'insuffisance des valeurs empruntées. C'est le suicide du blasé. Ses valeurs, qu'il juge satisfaisantes, ne peuvent plus le motiver à utiliser ses ressources pourtant abondantes. Le troisième se distingue par « l'impuissance » des ressources limitées à réaliser les valeurs personnelles recherchées. Il en résulte deux modes de suicide distincts : celui de l'épuisé et celui du nostalgique. Le quatrième idéaltype se caractérise par la « dépendance » à des ressources limitées. C'est le suicide du déshérité.

Cette étude offre des réflexions intéressantes sur les significations du suicide chez les jeunes québécois, mais elle jette aussi un regard attentif sur la société québécoise et sa dynamique socioculturelle dans laquelle s'inscrivent les suicides d'être des jeunes.

Dépression et suicide chez les jeunes
Guide pour les parents
Kate WILLIAMS (1996)
Montréal, Éditions Sciences et culture, 258 p.

Cet ouvrage est en fait le témoignage de l'expérience vécue par l'auteure en tant que parent d'une enfant déprimée et suicidaire. Il s'agit d'un important guide pour les parents, car l'ouvrage donne un compte rendu du cheminement suivi par un parent et peut valider l'expérience d'autres parents faisant face à la même situation. Il peut se révéler utile également à ceux et à celles qui travaillent auprès des familles et aux professionnels qui parfois se rendent coupables de certaines insensibilités.

Suicide :
Trente adolescents parlent de leurs tentatives
Marion CROOK (1996) traduit par Claude Herdhuim
Montréal, Éditions Sciences et culture, 237 p.

Ce livre témoigne de la rencontre avec trente adolescents qui ont vécu une tentative suicidaire au Canada. L'auteure a utilisé un questionnaire pour guider les entrevues. Ces adolescents nous disent pourquoi ils veulent mourir, ce que représentent la famille pour eux, les amis, comment ils font face à une crise, quels sont les éléments déclencheurs, etc. Ces différents thèmes sont illustrés tout au long de l'ouvrage par des extraits d'entrevue avec les adolescents. Cette troisième édition est enrichie par des entrevues avec des adolescents gays et des adolescentes lesbiennes, ainsi que des jeunes autochtones.

La deuxième partie de l'ouvrage aborde la question des solutions du point de vue des adolescents eux-mêmes. L'auteure présente également, à la toute fin, une liste des ressources et programmes susceptibles d'apporter une aide.

En somme, il s'agit d'un livre qui suscitera l'intérêt de ceux et celles qui désirent mieux comprendre les adolescents.

Guide pour la présentation des articles

Les personnes qui soumettent des textes à la revue sont priées de respecter les règles suivantes.

Longueur : Dactylographier le texte à double interligne (26 lignes par page) avec des marges de 2,5 centimètres (1 pouce). La longueur maximale est de 20 pages ou 35 000 caractères. (Dans certains cas, le Comité de rédaction se réserve le droit de commander des articles plus longs ou plus courts.)

Première page : Inscrire le titre de l'article, le nom des auteurs ainsi que le nom de l'organisme auquel ils sont associés. Si cet organisme est une université, préciser le département ou la faculté.

Féminisation : Féminiser le texte en suivant la politique du ministère de l'Éducation (Québec). Utiliser, dans la mesure du possible, les tournures neutres qui englobent les femmes autant que les hommes (par exemple, « le personnel enseignant » au lieu de « les professeur-eure-s ») ; à l'occasion, utiliser le féminin et le masculin pour bien montrer que l'on fait référence tant aux femmes qu'aux hommes (par exemple : les intervenantes et intervenants consultés).

Références : Lorsqu'on renvoie à des auteurs, on placera les références dans le texte, immédiatement après la citation ou le mot auquel elles se rapportent. On indiquera entre parenthèses le nom de l'auteur, suivi d'une virgule, suivie de l'année de publication et, s'il y a lieu, on ajoutera un deux-points suivis de la page citée, comme dans l'exemple suivant : (Tremblay, 1986 : 7).

Si l'on cite deux pages ou plus, on insérera un trait d'union entre la première et la dernière page citée, comme dans l'exemple suivant : (Tremblay, 1987 : 7-8).

Si l'on cite deux ouvrages publiés par le même auteur la même année, on les différenciera en ajoutant une lettre à l'année, comme dans l'exemple suivant : (Tremblay, 1987a, 1987b).

Si l'on cite des ouvrages distincts à l'intérieur de la même parenthèse, on les placera par ordre chronologique décroissant et on les séparera par un point-virgule, comme dans l'exemple suivant : (Tremblay, 1987 ; Lévesque, 1982). Si les années de publication sont identiques, utiliser l'ordre alphabétique.

Notes : Placer les notes en bas de page.

Citations : Utiliser les guillemets français (« ») pour les citations placées à l'intérieur d'un paragraphe. Ces citations ne doivent pas dépasser une longueur de trois lignes ; plus longues, on les détachera du texte sans mettre de guillemets.

Mettre entre crochets [ ] les lettres et les mots ajoutés ou changés dans une citation, de même que les points de suspension indiquant la coupure d'un passage [...].

Tableaux et graphiques : Si les tableaux et graphiques ont été réalisés avec un logiciel autre que celui utilisé pour le texte, les présenter sur des feuilles distinctes en ayant soin d'indiquer le lieu d'insertion dans le corps du texte.

Bibliographie : La placer à la fin du texte. S'assurer que toutes les références indiquées dans le texte s'y retrouvent et que les dates de publication concordent. Classer les références par ordre alphabétique des noms d'auteurs ; ne pas écrire ces noms en lettres majuscules. Les titres de livres, revues et journaux doivent être en italique, mais les titres d'articles et de chapitres de livres doivent être entre guillemets. Ne pas oublier d'indiquer le lieu et la maison d'édition. Il est important que la bibliographie soit complète.

Exemples :

Fortin, Andrée (1991). « La participation : des comités de citoyens au mouvement communautaire », dans Godbout, Jacques T. (sous la direction de), *La participation politique*, Québec, IQRC, 219-250.

Lapeyronne, Didier (1988). « Mouvements sociaux et action politique. Existe-t-il une théorie de la mobilisation des ressources ? », *Revue française de sociologie*, vol. 29, n° 4, 593-619.

Rémy, Jean, Voyé, Liliane et Émile Servais (1978). *Produire ou reproduire? Conflits et transaction sociale*, Bruxelles, Éditions Vie ouvrière, 383 pages.

Nombre d'exemplaires et résumé : Remettre deux copies du texte ainsi qu'un résumé en français de 100 mots au plus.

Les dossiers parus

Vol. 1, nº 1 (automne 1988)
Dossier : **Les CLSC à la croisée des chemins**
Responsables : *Benoît Lévesque et Yves Vaillancourt*

Vol. 2, nº 1 (printemps 1989) ÉPUISÉ
Dossier : **Quinze mois après le Rapport Rochon**
Responsable : *Yves Vaillancourt*

Vol. 2, nº 2 (automne 1989)
Dossier : **Chômage et travail**
Responsable : *Danielle Desmarais*

Vol. 3, nº 1 (printemps 1990)
Dossier : **Mouvements sociaux**
Responsables : *Paul-R. Bélanger et Jean-Pierre Deslauriers*

Vol. 3, nº 2 (automne 1990) ÉPUISÉ
Dossier : **Pratiques féministes**
Responsables : *Christine Corbeil et Francine Descarries*

Vol. 4, nº 1 (printemps 1991) ÉPUISÉ
Dossier : **Coopération internationale : nouveaux défis**
Responsables : *Yao Assogba, Louis Favreau et Guy Lafleur*

Vol. 4, nº 2 (automne 1991)
Dossier : **La réforme, vingt ans après**
Responsables : *Denis Bourque et Clément Mercier*

Vol. 5, nº 1 (printemps 1992)
Dossier : **Santé mentale**
Responsables : *Henri Dorvil et Jean Gagné*

Vol. 5, nº 2 (automne 1992) ÉPUISÉ
Dossier : **Relations interethniques et pratiques sociales**
Responsables : *André Jacob et Micheline Labelle*

Vol. 6, nº 1 (printemps 1993)
Dossier : **La surdité**
Responsables : *Mariette Hillion, Jacqueline Labrèche et Micheline Vallières*

Vol. 6, nº 2 (automne 1993)
Dossier : **Jeunes et enjeux sociaux**
Responsables : *Marc-André Deniger, Jacques Hébert et Jean-François René*

Vol. 7, nº 1 (printemps 1994) ÉPUISÉ
Dossier : **L'arrimage entre le communautaire et le secteur public**
Responsables : *Réjean Mathieu et Clément Mercier*

Vol. 7, nº 2 (automne 1994)
Dossier : **La recherche sociale et le renouvellement des pratiques**
Responsables : *Jean-Pierre Deslauriers et Jean-Marc Pilon*

Vol. 8, nº 1 (printemps 1995)
Dossier : **Les régions**
Responsables : *Louis Favreau et Juan-Luis Klein*

Vol. 8, nº 2 (automne 1995)
Dossier : **Les pratiques sociales des années 60 et 70**
Responsable : *Yves Vaillancourt*

Vol. 9, nº 1 (printemps 1996)
Dossier : **Spiritualité, Églises et religions**
Responsables : *Marie-Andrée Roy, Gregory Baum, et René Lachapelle*

Vol. 9, nº 2 (automne 1996)
Dossier : **Résurgence du social en prévention**
Responsables : *Lucie Fréchette et Doris Baril*

Vol. 10, nº 1 (printemps 1997)
Dossier : **10e anniversaire**
Responsables : *Lucie Fréchette*

Vol. 10, nº 2 (automne 1997)
Dossier : **L'organisation du travail dans le réseau de la santé et des services sociaux**
Responsables : *Jacques Fournier et Paul Langlois*

Les dossiers à paraître

Vol. 11, nº 1 (printemps 1998)
Dossier : **L'itinérance**
Responsables : *Danielle Laberge et Mario Poirier*

Vol. 11, nº 2 (automne 1998)
Dossier : **Le tiers secteur**
Responsables : *Yves Vaillancourt, Lucie Chagnon, Louis Favreau, Jean Gagné et Réjean Mathieu*

Vol. 12, nº 1 (printemps 1999)
Dossier : **Les risques sociaux**
Responsable : *Jacqueline Oxman-Martinez*

ABONNEMENT

Je m'abonne à la revue 

à partir du volume ______ numéro ______

	1 an (2 numéros)	2 ans (4 numéros)	3 ans (6 numéros)
Canada (taxes incluses)			
Individu	☐ 23 $	☐ 39 $	☐ 49 $
Étudiant	☐ 16 $	☐ 24 $	☐ 33 $
Institution	☐ 31 $	☐ 53 $	☐ 73 $
Étranger	☐ 35 $	☐ 60 $	☐ 83 $

À l'unité : Chaque numéro des volumes 1 à 6 : **10 $** (taxes incluses)
Chaque numéro des volumes 7 et suivants : **15 $** (taxes incluses)

Veuillez me faire parvenir les numéros suivants déjà parus :
Volume ______ N° ______ Volume ______ N° ______ Volume ______ N° ______

Nom : ______________________________

Adresse : ______________________________

Ville : ______________________ Province : ______________

Code postal : ______________ Téléphone : ( ) ______________

Occupation : ______________________________

☐ Chèque ou mandat postal ci-joint ☐ Visa ☐ Mastercard

N° de la carte : ______________________ Date d'expiration : ______________

Signature : ______________________________

Libellez votre chèque ou mandat postal en dollars canadiens à :

NOUVELLES PRATIQUES SOCIALES
Presses de l'Université du Québec
2875, boul. Laurier, Sainte-Foy (Québec) Canada, G1V 2M3
Téléphone : (418) 657-4391
Télécopieur : (418) 657-2096

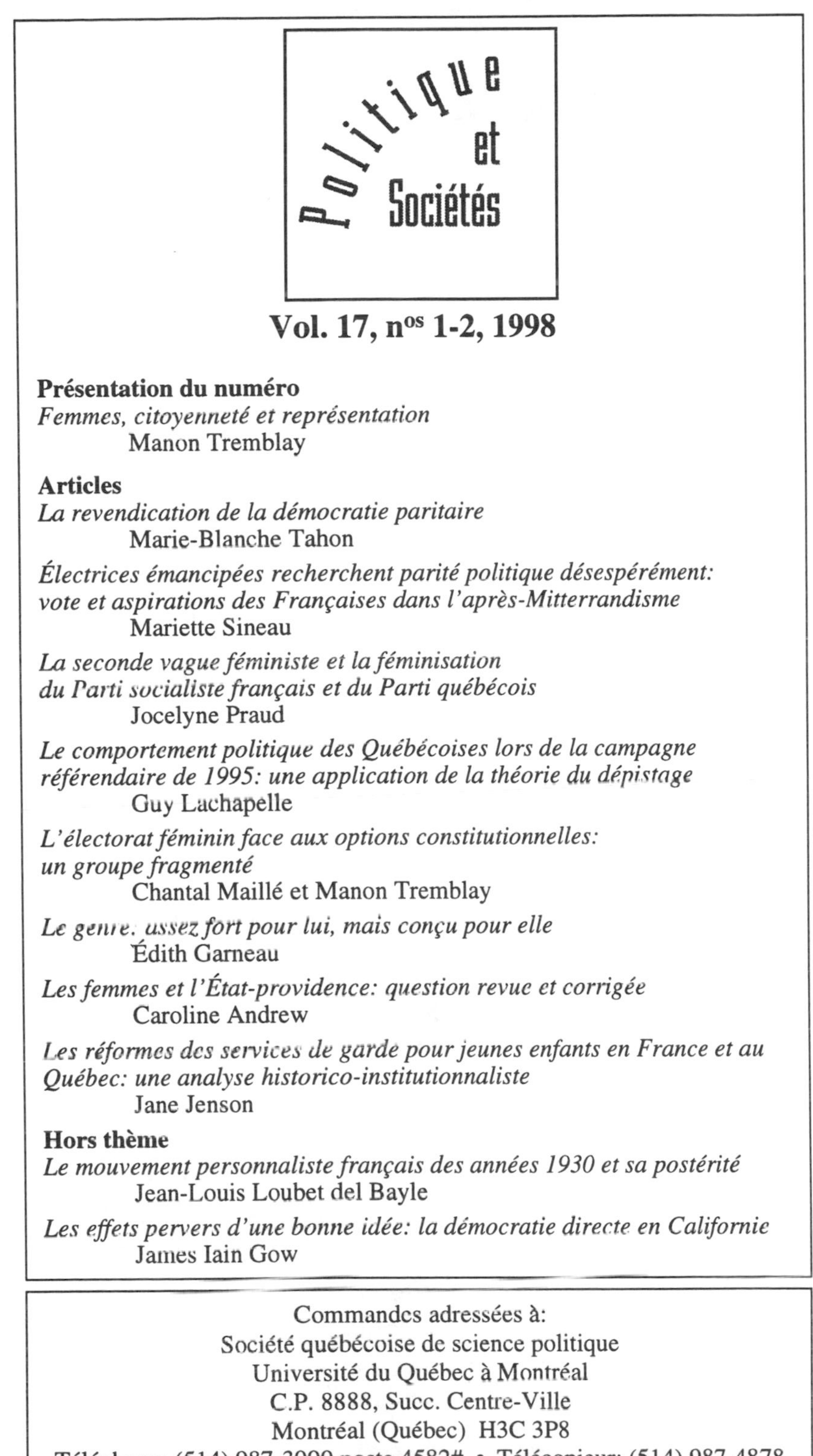
Politique et Sociétés
Vol. 17, nos 1-2, 1998
Présentation du numéro
Femmes, citoyenneté et représentation
Manon Tremblay
Articles
La revendication de la démocratie paritaire
Marie-Blanche Tahon
Électrices émancipées recherchent parité politique désespérément: vote et aspirations des Françaises dans l'après-Mitterrandisme
Mariette Sineau
La seconde vague féministe et la féminisation du Parti socialiste français et du Parti québécois
Jocelyne Praud
Le comportement politique des Québécoises lors de la campagne référendaire de 1995: une application de la théorie du dépistage
Guy Lachapelle
L'électorat féminin face aux options constitutionnelles: un groupe fragmenté
Chantal Maillé et Manon Tremblay
Le genre: assez fort pour lui, mais conçu pour elle
Édith Garneau
Les femmes et l'État-providence: question revue et corrigée
Caroline Andrew
Les réformes des services de garde pour jeunes enfants en France et au Québec: une analyse historico-institutionnaliste
Jane Jenson
Hors thème
Le mouvement personnaliste français des années 1930 et sa postérité
Jean-Louis Loubet del Bayle
Les effets pervers d'une bonne idée: la démocratie directe en Californie
James Iain Gow
Commandes adressées à:
Société québécoise de science politique
Université du Québec à Montréal
C.P. 8888, Succ. Centre-Ville
Montréal (Québec) H3C 3P8
Téléphone: (514) 987-3000 poste 4582# • Télécopieur: (514) 987-4878
Courriel: sqsp@er.uqam.ca